Só o amor consegue

ZIBIA GASPARETTO

pelo espírito Lucius

A autora ZIBIA GASPARETTO

A mediunidade abre as portas da espiritualidade, derrotando a morte e nos mostrando que somos eternos.

Autora de mais de quarenta livros, entre crônicas, romances e livros de pensamentos, Zibia Gasparetto cativa leitores a cada dia, contribuindo para o fortalecimento da literatura espiritualista no mercado editorial e para a popularização da espiritualidade.

Natural de Campinas, interior de São Paulo, Zibia começou a psicografar quando ela e o marido, Aldo Luiz Gasparetto, estudavam os livros de Allan Kardec. Durante essas leituras, seu braço doía e a mão mexia contra sua vontade. Colocados papéis e lápis na sua frente, começou a escrever, receber contos, mensagens de orientação, histórias e, assim, os romances começaram a fluir.

Sua primeira publicação foi *O amor venceu*, ditado pelo espírito Lucius em 1958. Esse amigo espiritual continua a ditar-lhe histórias, em uma parceria que ultrapassa sessenta anos. Aos 86 anos de idade, com incrível disposição, Zibia Gasparetto escreve três romances ao mesmo tempo, todos ditados por Lucius.

O espírito

LUCIUS

O livro O FIO DO DESTINO ***relata suas duas encarnações na Terra: a mais antiga como membro do parlamento inglês e a outra como escritor e juiz na França.***

Meu amigo Lucius...

Eu e meu marido tínhamos um curtume, e sempre que Aldo Luiz viajava para o Triângulo Mineiro, para comprar couros, eu ia junto, a fim de visitarmos o Chico Xavier. Assim que meu primeiro romance, *O Amor Venceu*, ditado pelo espírito Lucius, veio a público, levei dois exemplares de presente, para ele e para o doutor Waldo Vieira, que na época o acompanhava. Depois de um tempo, quando voltei a vê-los, o Chico comentou sorrindo:

— O Lucius é seu amigo há muitos anos. Desde o tempo em que vocês viviam no Egito. Vocês têm muita afinidade.

Eu sinto que é verdade. O Lucius tem me acompanhado sempre e me ensinado muito. Seu pensamento é claro, sua energia é agradável e revela um amor muito grande por tudo e por todos.

Anos atrás ele me avisou de que dali para a frente iria mudar a forma de escrever, para acompanhar o progresso. Os romances seriam menos descritivos, com mais diálogos e mais simplicidade. Isso vem acontecendo em todos os setores da atualidade. De vez em quando, Lucius me acorda de madrugada para conversar, mostrar coisas que preciso perceber, sugerir mudanças a serem feitas, discorrer sobre a ética espiritual e a necessidade de se falar sobre ela.

Outras vezes, no silêncio da madrugada, quando eu me sinto triste, cansada ou preocupada, ele também me acorda. Suas energias, suas palavras me confortam, me fortalecem e me devolvem a paz e a alegria de viver!

A bênção da mediunidade permite essa dádiva!

Obrigada, Lucius!

Coordenação de arte: Priscila Noberto
Coordenação de comunicação: Marcio Lipari
Capa e Projeto gráfico: Marcela Badolatto
Diagramação: Priscilla Andrade
Preparação: Mônica Gomes d'Almeida
Supervisão de revisão: Cristina Peres

1ª edição — 31ª impressão
5.000 exemplares — setembro 2021
Tiragem total: 426.500 exemplares

Dados Internacionais de Catalogação na Publicação (CIP)
(Câmara Brasileira do Livro, SP, Brasil)

Lucius (Espírito).
Só o amor consegue / pelo espírito Lucius ;
[psicografado por] Zibia Gasparetto. — São Paulo :
Centro de Estudos Vida & Consciência, Editora, 2013.

ISBN 978-85-7722-242-1 – capa brochura
ISBN 978-85-7722-244-5 – capa dura

1. Espiritismo 2. Psicografia 3. Romance espírita
I. Gasparetto, Zibia. II. Título.

13-00982 CDD-133.93

Índices para catálogo sistemático:
1. Romances espíritas psicografados : Espiritismo 133.93

Este livro adota as regras do novo acordo ortográfico (2009).

Vida & Consciência Editora, Gráfica e Distribuidora Ltda.
Rua das Oiticicas, 75 — São Paulo — SP — Brasil
CEP 04206-001
editora@vidaeconsciencia.com.br
www.vidaeconsciencia.com.br

Só o Amor Consegue

ZIBIA GASPARETTO

pelo espírito Lucius

Capítulo 1

A porta bateu forte. Margarida olhou assustada e nervosa. Sempre que dona Dora fazia isso, ela ficava trêmula, sentia arrepios e uma vontade imensa de sair dali e não voltar nunca mais.

O pai de Margarida morrera em um desastre de carro quando ela estava com seis anos, deixando-a só no mundo. A mãe morrera antes, quando ela ainda era muito menor, e o pai a criara com muito carinho até então.

Mário, pai de Margarida, trabalhava no setor de vendas de uma grande empresa, vivia com conforto. Uma bela casa, uma empregada, além de Maria, uma moça alegre e bem-disposta, que cuidava de Margarida enquanto ele ia trabalhar.

Embora aparentasse disposição no trabalho, desempenhando suas tarefas com sucesso, Mário não gostava da vida social. Não recebia amigos nem saía para estar com eles. Preferia ficar em casa com a filha, contando histórias, lendo livros e, apesar de ter televisão, quase não a ligava. Isto provocava comentários da empregada, Jandira, que não se conformava com a vida simples que ele levava e comentava:

— Um homem moço, elegante, bonito, com dinheiro! Por que não sai para se divertir? Se eu fosse ele, não ficaria uma noite em casa!

Ao que Maria respondia séria:

— Doutor Mário é um homem ajuizado, não tem uma cabeça como a sua!

— Você trabalha com ele há mais tempo do que eu. Conheceu a mulher dele?

— Não. Vim para cá logo depois que ela morreu.

— Que pena! Eu gostaria de saber como ela era. Nunca vi um retrato dela. Você viu?

— Não. E acho melhor você não se meter na vida do patrão. Ele é discreto e não vai gostar.

— Vai ver que ele não gostava dela. Não guardou nem um retrato!

— Ou gostava tanto que fez isso para poder esquecer e sofrer menos.

Quando a notícia do acidente chegou, elas choraram muito, pela morte de um homem tão bom, que as tratava com respeito, pela orfandade de Margarida e pela perda do emprego. Ficaram inconsoláveis.

Maria afeiçoara-se a Margarida e lamentou não ter como adotá-la. Era solteira e pobre. Depois do enterro, como Margarida não tinha parentes e a casa em que morava era alugada, o juiz mandou vender o carro e todos os bens móveis e depositar o dinheiro na Caixa Econômica em nome dela, onde ficaria guardado até que ela completasse a maioridade, e Margarida foi enviada para um orfanato em uma cidade do interior. De lá, ela foi adotada por uma mulher casada com um político influente, Dora Salgado da Rocha, que acabara de dar à luz uma menina.

Entrevistada pela assistente social sobre as condições da adoção, Dora afirmara que estava cumprindo uma promessa que fizera a Nossa Senhora do Bom Parto, porquanto sua gravidez, um tanto tardia — estava com quarenta anos — fora de alto risco. Se tudo corresse bem, ela adotaria uma menina.

Escolheu Margarida, o que não foi difícil de conseguir, uma vez que os casais que desejam adotar preferem um bebê, e ela estava lá desde os seis anos de idade e nunca fora escolhida.

Margarida já estava com doze anos quando foi para a casa de Dora. Sua cama foi colocada no quarto de Luiza, a recém-nascida. A partir daí ela passou a ser a ama da criança. Não lhe faltavam comida, boas roupas, cursava uma boa escola e sentava-se à mesa com o casal. Aprendera boas maneiras e também descobrira que Dora era nervosa, exigente, principalmente quando recebiam convidados em casa.

Gostava de apresentá-la como a filha mais velha, contava a história da sua adoção e colhia os elogios das pessoas, por não ter tido medo de escolher uma menina já crescida, criada sem a orientação dos pais.

Margarida era uma menina alegre, cheia de vida, mas depois da morte do pai ficou mais retraída. Os primeiros tempos no orfanato foram difíceis. Sentia falta do carinho do pai. No começo, Maria ia vê-la de vez em quando, levava-lhe balas, abraçava-a com carinho, mas aos poucos foi reduzindo as visitas até que nunca mais apareceu.

Ficou sabendo que Maria tinha se casado e ido morar muito longe. No dia em que Dora iria buscá-la, a assistente social foi conversar com ela:

— Você foi adotada por uma família muito boa e precisa se portar muito bem. Seja educada e obedeça a seus novos pais. Saiba ser agradecida por eles a terem escolhido. Você não tem ninguém neste mundo. Se eles não gostarem de você, poderão trazê-la de volta e, nesse caso, terá de ficar aqui até os dezoito anos. Ninguém mais vai querer adotá-la.

Margarida sentiu um aperto no peito, uma grande tristeza, mas procurou fazer o que lhe pediam. Cuidava de Luiza com carinho e suportava as exigências de Dora.

Já o deputado, Fernando Duarte da Rocha, marido de Dora, não parava muito em casa. Vivia viajando durante a semana e muitos fins de semana não vinha para casa.

Mal olhava para Margarida e só lhe dirigia a palavra para pedir alguma coisa ou recomendar algo para a filha. Mas ela preferia assim, porquanto, quando ele estava em casa, Dora ficava mais exigente, mais nervosa e não raro fechava-se no escritório com ele e podia se ouvir sua voz alterada, nervosa, o que sempre deixava Margarida aflita.

Foi até a cozinha verificar se tudo estava em ordem. Quando Dora estava nervosa, ela fazia tudo para não ser chamada atenção. Mas quase sempre não conseguia evitar uma frase ríspida, uma crítica:

— Margarida! Como sempre você é mole e vive distraída. Onde está aquela blusa verde que mandei você dar à Janete para passar? Faz um tempão e ela ainda não me trouxe. Preciso sair, tenho hora marcada. Não posso atrasar.

— Vou ver se está pronta. Eu levei a blusa na hora que a senhora mandou.

A voz dela estava trêmula, o que irritou Dora ainda mais:

— O que você tem, criatura, que fica tremendo por qualquer coisa? Até parece doente! O que está esperando?

Margarida sentia vontade de gritar, de não ir, de sair correndo e ir para bem longe. Lágrimas surgiram e ela saiu rápido para que Dora não notasse.

Dora foi para o quarto tentando conter a irritação. Sua vida estava insuportável. Fernando parecia-lhe cada vez mais indiferente, e a suspeita de que ele tivesse uma amante aumentava.

Só podia ser isso. Estava casada havia doze anos, e sua paixão por ele continuava tão forte como no primeiro dia. Entretanto, ele não era mais o mesmo. Permanecia em Brasília mais tempo que o necessário e, quando ela reclamava, garantia que estava empenhado em um projeto que deixaria seu nome na história do país.

Alegava estar correndo contra o tempo e precisava apresentá-lo antes do fim da legislatura, que lhe conferia o prazo de três anos. Ele estava no segundo mandato, mas as coisas não estavam fáceis dentro do partido.

Dora não se interessava por política. Adorava ser esposa de um deputado, por causa das mordomias que tinha na sociedade, da deferência com a qual era recebida em todos os lugares.

Nunca se interessou pelos problemas do país e odiava quando tinha que acompanhar o marido em alguma solenidade e depois ele ficava horas conversando com amigos, sempre fazendo alarde de seus projetos.

Dora odiava pobreza e julgava-se privilegiada por ter se casado com ele. Quando o conheceu, ele era um advogado recém-formado, alto, elegante, muito educado. Não o achava bonito, mas reconhecia que Fernando tinha carisma.

Onde quer que ele fosse, ela notava que as mulheres logo se interessavam, fixando-o e fazendo tudo para despertar-lhe a atenção.

Ela sabia que era bonita. Morena, olhos castanhos quase negros, cabelos escuros, pele clara e rosada, alta, elegante, chamava a atenção masculina em toda parte.

Filha única de uma família de classe média, seus pais não poupavam esforços para dar-lhe tudo do bom e do melhor. Apesar de não gostar de estudar, por insistência dos pais, que a fizeram persistir mesmo repetindo dois anos, conseguiu formar-se.

Dora achava que estudar era pura perda de tempo, uma vez que pretendia encontrar o amor de sua vida e casar-se. Não estava em seus planos trabalhar fora, como a maioria de suas colegas desejavam.

Quando as via ralando para passar o ano, costumava dizer:

— Estudar é perda de tempo. Vou me casar com um homem rico e nunca precisarei trabalhar.

Quando conheceu Fernando, ele não era rico, apesar de sua família ser de classe média alta. Os bens pertenciam aos pais, e seu sogro sempre dizia que, se o filho quisesse ter dinheiro, posição, teria que conquistar tal qual ele mesmo fizera a vida inteira. Ele lhe dera um diploma de advogado, mas não iria abrir um escritório para ele começar a carreira. Achava melhor, para adquirir experiência, Fernando trabalhar com pessoas experientes.

Quando estava noiva de Fernando, esse assunto sempre provocava a desaprovação dos pais dela. Eles não entendiam como um pai, tendo posses, agia assim. Rubens achava que o pai tinha obrigação de dar ao filho tudo que pudesse para facilitar seu desempenho. Alda comentava que a mãe de Fernando deveria impor-se mais e exigir que ele fizesse tudo para facilitar a carreira do filho.

Mesmo antes do casamento, Fernando dizia querer ter um filho homem, que seria seu braço direito na política. O tempo foi passando, e Dora não engravidava. Os médicos não encontravam nada que impedisse. Ambos eram férteis e saudáveis.

Certa vez uma amiga sugeriu que ela adotasse uma criança:

— Eu já vi alguns casos assim. Antes de nascer, você pode ter assumido um compromisso de adotar uma criança e, enquanto você não fizer isso, não vai engravidar.

— Eu não acredito nisso.

— O fato de você não acreditar não invalida a hipótese. Lembra-se do caso de Maria Estela, nossa colega? Ela não conseguia ter filhos, alguém lhe aventou essa hipótese, e ela resolveu tentar. Adotou o Ricardinho e um ano depois ficou grávida e teve o José Luiz.

— Foi por isso que ela adotou Ricardinho?

— Foi. Ela foi a uma vidente que lhe garantiu que, enquanto ela não cumprisse essa promessa que fez no astral, não teria filhos.

Dora ficou pensativa. Mesmo não acreditando, foi a uma igreja, ajoelhou-se diante do altar e prometeu que adotaria uma criança, mas só se engravidasse. Um ano depois, ficou grávida.

Tinha se esquecido da promessa, mas Júlia, que lhe dera esse conselho e a acompanhara até a igreja para fazer a promessa, fez questão de lembrá-la, afirmando que estava na hora de ela cumprir o que havia prometido para não correr o risco de perder o bebê.

— Eu prometi e vou cumprir, mas vou esperar meu filho nascer.

— Seria melhor agora. Como vai cuidar de duas crianças?

— Não vou adotar um bebê. A assistente social me disse que pode ser uma menina maior. Assim não terei trabalho. Ela pode ajudar-me a criar o meu filho.

A notícia de sua gravidez foi comemorada por toda a família. Fernando escolheu o nome do menino com entusiasmo e se negava a admitir que poderia ser uma menina.

Apesar de preocupada com a euforia dele, Dora procurou dissimular. Deu à luz uma menina e teve de suportar a decepção do marido. Mas tentou consolá-lo.

— Ela veio primeiro, mas poderemos tentar de novo. Nós vamos ter um menino.

Todavia, o que ela esperava não aconteceu. Os médicos lhe disseram que seria difícil e ela deveria contentar-se com a menina.

Ela adotou Margarida assim que sua filha nasceu. Luiza era uma criança linda e saudável. Margarida a amara desde que a viu. Era ela quem lhe dava banho, trocava, alimentava, porquanto o leite de Dora era escasso, e desde os primeiros dias foi preciso dar-lhe mamadeira.

A menina afeiçoara-se muito a Margarida, que fazia de tudo para que ela ficasse bem. As duas tornaram-se inseparáveis.

Sabendo que o tão esperado filho homem não viria, Fernando envolvia-se cada dia mais com a política. Dora sentia que estava perdendo o marido. Insatisfeita, fazia o que podia para mantê-lo em casa e reclamava de suas constantes ausências. A pressão constante que ela exercia o entediava, fazendo com que ele se sentisse mais à vontade longe de casa.

Quando em casa, Fernando procurava compensar Dora, dando-lhe mais dinheiro que o necessário. Isto o fazia sentir-se um bom marido. Quanto a Luiza, via-a sempre no colo de Margarida. Nunca brincara com a filha, nem a tomara no colo. Era com a filha adotiva que conversava e se informava se Luiza estava bem.

Ao vê-lo, a menina ficava tímida, arredia, e Margarida procurava aproximá-los, inutilmente.

Algumas vezes, nesses encontros, depois que Fernando se afastava, Margarida conversava com Luiza:

— Você precisa conversar mais com seu pai. Ele gosta muito de você.

— Eu não gosto dele.

— Por quê? Tudo que nós temos nesta casa foi ele quem deu. Ele está sempre trabalhando para nos sustentar.

— Quando ele está, mamãe briga muito com você. Eu não gosto.

Margarida a abraçava, beijava sua face rosada e procurava convencê-la de que os pais a amavam muito e seria muito bom se ela reconhecesse isso.

Margarida foi até a cozinha perguntar a Janete:

— Onde está a blusa de dona Dora que lhe dei para passar?

— Eu coloquei no armário dela.

Margarida foi ao quarto de Dora, ia bater, mas ouviu vozes alteradas. Ela discutia com o marido:

— Não tem desculpa. Você não vai embora hoje. Temos o aniversário de quinze anos da filha do doutor Nobre amanhã. Já me preparei, comprei roupa.

— Sou um homem ocupado. Tenho compromissos sérios, não posso adiá-los para ir a uma festa de debutante.

— A mãe dela é muito amiga de minha família. É também um compromisso muito sério.

— Eu não posso ficar. Vá você, representando a família.

— Sozinha? Nem pensar. Eu ainda não estou viúva.

— Leve Margarida. Ela vai gostar.

— E deixar Luiza sozinha em casa?

— Faça como quiser. Eu não posso ficar. Sinto muito. Agora tenho que ir. Estarei de volta dentro de uma semana.

— Você não gosta mais de mim. Age como se eu não existisse. Não suporto mais viver assim. Você não me valoriza como antes.

— Por favor, Dora, me poupe! Você não é mais aquela criança mimada, é uma mulher. Tenha postura. Odeio cenas. Você precisa crescer. Tenho que ir. Até a volta.

Margarida afastou-se, nervosa, entrou no quarto vizinho, ouviu quando ele saiu batendo a porta e ficou sem saber o que fazer.

Se ela fosse ao quarto, certamente surpreenderia Dora chorando aflita. Nervosa, brigaria com ela, como sempre fazia. Melhor esperar um pouco mais.

Depois que ouviu o carro de Fernando sair, Dora enxugou as lágrimas, que teimavam em brotar de seus olhos, e sentou-se irritada. Ela precisava fazer alguma coisa. Não podia ficar esperando seu casamento ruir.

Apanhou o telefone e ligou para sua amiga Júlia. Depois dos cumprimentos, ela desabafou:

— Estou muito nervosa. Preciso de ajuda.

— Aconteceu alguma coisa?

— O de sempre. Fernando foi embora e vai ficar fora uma semana. Sinto que a cada dia ele está se distanciando mais de mim.

— Não olhe dessa forma. Ele vai trabalhar.

— Antes ele não ficava tanto tempo ausente. Sinto que ele não gosta mais de mim como antes. Preciso fazer alguma coisa.

— Não exagere nem faça pressão. Os homens odeiam ser pressionados. Depois, ele ocupa um cargo de responsabilidade, você precisa entender.

— E eu, onde fico? Terei de conformar-me em ser colocada em segundo plano na vida dele? Para mim a família está em primeiro lugar. Você pode me ajudar.

— Esse é um assunto entre você e ele. O que pensa que posso fazer?

— Estou desconfiada de que Fernando tem uma amante. Quero o endereço daquela cartomante que você conhece.

— Se está desconfiada de que Fernando tem outra, por que não conversa com ele, abre seu coração?

— E você acha que ele vai dizer a verdade? Sempre que eu reclamo, ele fica irritado. Eu quero consultar essa cartomante, ver o que ela diz. Você me disse que ela é ótima, acerta tudo.

Júlia hesitou um pouco, depois respondeu:

— Você está falando da Márcia? Ela trabalha com as cartas de tarô. É muito boa, mas não sei se ela vai dizer o que você quer.

— Por quê? Se ela diz a verdade é tudo quanto eu preciso.

— É que ela trabalha mais na parte espiritual, cuidando do equilíbrio emocional das pessoas.

— Pois é lá mesmo que eu vou. Estou precisando equilibrar minha vida.

Júlia deu o número do telefone e perguntou:

— Quer que eu a acompanhe?

— Não há necessidade. Quero ir hoje mesmo.

— Precisa ligar e ver se ela tem um horário. É muito procurada.

— Vou ligar agora mesmo. Obrigada.

Dora ligou imediatamente, mas a secretária informou que só tinha hora para dali a quinze dias. Inconformada, Dora fez o que pôde para convencê-la a atendê-la. Disse que estava desesperada, era um caso muito sério e não podia esperar.

O máximo que conseguiu foi a promessa de que, se houvesse alguma desistência, ela seria avisada.

Dora não se conformou. Não estava habituada a ver um pedido seu recusado. Ligou outra vez para Júlia pedindo-lhe que intercedesse e tanto fez que conseguiu que Márcia a atendesse fora do horário costumeiro, na noite seguinte. Júlia iria acompanhá-la.

Naquela noite, Dora teve dificuldade para pegar no sono. O pouco que dormiu teve pesadelos onde via Fernando abraçado a outra mulher, cujo rosto ela não conseguia ver. Ele ria feliz enquanto ela o observava aos beijos com a desconhecida.

Pela manhã, mal-humorada, olhando-se no espelho, notou fundas olheiras e não gostou. Estava feia, talvez por isso Fernando a estivesse trocando por outra.

Para ela, o dia estava comprido, as horas não passavam. Notando o ar preocupado de Dora, Margarida procurava não ficar onde ela estava e evitar que Luiza, com sua tagarelice e alegria, a incomodasse.

É que Margarida sabia que, nesses momentos, até as brincadeiras da filha, suas risadas constantes, a irritavam.

Dora contava os minutos para o momento de estar frente a frente com Márcia e suas cartas de tarô. Parecia--lhe que toda sua vida dependia do que ela lhe dissesse.

Capítulo 2

Cinco minutos antes das oito horas, Dora, em companhia de Júlia, apertou a campainha da casa de Márcia.

Foram atendidas por ela, que as abraçou com carinho, convidando-as a entrar:

— Desculpe fazê-la ficar trabalhando até tão tarde — tornou Júlia. — Obrigada por nos ter atendido.

— Você me disse que era urgente.

— Dora é minha amiga de infância, tem estado muito nervosa e insistiu para que eu intercedesse.

Márcia olhou fixamente para o rosto de Dora e respondeu:

— Vamos conversar. Mas sente-se, Júlia. Há algumas revistas na mesinha. Venha comigo, Dora.

Coração batendo descompassado, boca seca, Dora acompanhou Márcia até a sala ao lado. Olhou em volta surpreendida. Não era bem o que ela esperava. Uma sala bonita, mas simples, bem-arrumada, um lindo quadro com rosas na parede. Sobre a mesa, um castiçal com uma vela branca. Ela tinha imaginado algo mais místico e misterioso.

— Sente-se — pediu Márcia com voz firme. Vendo-a acomodada na poltrona em frente à mesa, sentou-se por sua vez. Acendeu a vela e um incenso, colocando-o no incensário. Um perfume agradável encheu o ar enquanto ela apanhava o maço de cartas e o manuseava embaralhando.

Ficou alguns segundos de olhos fechados, depois abriu-os, fixando os olhos de Dora que, nervosa, esperava.

— Não tenha medo — pronunciou com voz calma. — Está tudo bem.

Dora meneou a cabeça negativamente:

— Não está nada bem. Minha vida está cada dia pior.

— Corte com a mão esquerda — instruiu Márcia. Depois foi dispondo algumas cartas em silêncio.

Dora a observava com impaciência.

— Não vejo problemas sérios em sua vida. Você tem duas filhas, uma é adotiva. Ambas são saudáveis, alegres.

Márcia fez ligeira pausa, depois de alguns segundos continuou:

— Mas você não se sente bem, tem andado nervosa, insatisfeita, não dorme direito, não está em paz. O que a preocupa?

— Sinto que meu marido está se distanciando, não gosta de mim como antes. Tem viajado muito e cada vez demora mais tempo fora. Penso que ele tem outra mulher.

Márcia ficou calada durante alguns instantes, tirou algumas cartas e colocou-as sobre a mesa, depois afirmou:

— Você está enganada. Ele está muito envolvido com um projeto que considera de grande importância em sua profissão. Alguma coisa com leis. O que ele faz?

— É deputado.

— Ele se ausenta por necessidade, mas não vejo nenhuma outra mulher em sua vida.

— Tem certeza?

— Tenho. Se ele tem se demorado mais fora de casa, é porque está entusiasmado com o trabalho. É um homem detalhista, que gosta de tudo muito organizado.

— Mas ele não me procura como antes. Fala comigo só sobre os assuntos das crianças. Quando está em casa, fica horas no escritório, no meio de papéis. Quando os amigos vêm, é pior. Eles só conversam sobre os tais projetos, até parece que eu não existo.

Márcia dispôs mais algumas cartas; depois, olhou nos olhos de Dora e tornou:

— Preste bem atenção no que vou lhe dizer. Ele só fala sobre as crianças e não compartilha com você os assuntos que o interessam porque você não gosta. Aliás, diz a ele que detesta o que ele faz.

Dora ia falar alguma coisa, mas Márcia não lhe deu tempo e continuou:

— Para ele, os assuntos fúteis não têm a mesma importância que você lhes dá.

— Está insinuando que sou uma mulher fútil?

— Não foi isso que eu disse. Mas eu sei que você, para despertar a atenção dele e segurá-lo a seu lado, lança mão de comentários jocosos sobre pessoas conhecidas e isso o aborrece.

— É. O que posso fazer? Quando está em casa, ele está sempre lendo, vendo televisão, ligando para amigos e não me dá atenção. Então eu tento conversar.

— Por que não tenta se interessar pelos projetos dele? Garanto que lhe daria toda a atenção e teria prazer em trocar ideias com você.

— Eu não entendo nada desses assuntos. Quando estudava, colava para passar o ano porque não gosto de estudar. Afinal, para que tenho um marido? Como mulher, ele é quem deveria se esforçar para me agradar. A família deve sempre estar em primeiro lugar.

— É claro que a família tem um lugar importante na vida dele, mas, além disso, seu marido continua mantendo outros interesses, que para ele também são importantes. Todo homem dá grande valor à sua profissão. Muitas mulheres, quando se casam, deixam de lado todos os outros interesses, deixam as amizades, passam a viver exclusivamente para a família.

— Essa é a função da mulher.

— Mas, para que ela a execute bem, é necessário que seja uma pessoa esclarecida, bem informada, presente e segura em suas atitudes. E isso só se consegue estudando e desenvolvendo o autoconhecimento. Mesmo se dedicando exclusivamente à família, ela vai exercer várias funções e, quanto mais preparada for, mais êxito terá.

— Eu não penso assim. Sei o que é bom para minha família.

— Nesse caso, não há necessidade de continuarmos.

Márcia juntou as cartas e levantou-se.

Dora mordeu os lábios, depois perguntou:

— Quanto lhe devo?

— Nada. Foi um atendimento de cortesia.

Márcia abriu a porta e saíram. Júlia perguntou:

— E então, sente-se mais calma?

— Sim. Vamos embora.

Despediram-se, e na rua Júlia tornou:

— Você saiu com uma cara! Não gostou?

— Nem um pouco. Ela não sabe de nada. Pelo que ela disse, eu sou a culpada do Fernando estar me evitando. Sabe o que ela falou? Que eu deveria estudar os projetos dele para podermos conversar mais. Tem cabimento?

— Talvez esse fosse um bom caminho.

— Acho que ela é dessas feministas que pensa que a mulher tem de ser independente, estudar, participar da vida profissional do marido. Nunca ouvi um disparate maior!

Júlia suspirou preocupada, mas não comentou nada. Arrependia-se de ter insistido para que Márcia a atendesse fora de hora. Ela a respeitava muito e sabia que era sempre muito verdadeira em seu trabalho.

Fernando era um homem inteligente, instruído. Dora era o oposto. Esta era a causa do afastamento deles. Infelizmente Dora não aceitara a verdade. Preferia imaginar que o marido tinha uma amante. Teve receio de que, no futuro, esse casamento não se sustentasse. Naquele momento, prometeu a si mesma não se meter mais no assunto.

Dora chegou a sua casa insatisfeita e pensativa. Júlia deixou-a na porta e despediu-se. Ela entrou, foi para o quarto da filha, que estava deitada, enquanto Margarida, sentada do lado da cama, lia um livro de histórias. Vendo-a chegar, imediatamente ela se calou, o que provocou protesto de Luiza:

— Conte mais. Aonde o coelho foi?

— Já vou contar — respondeu ela, levantando-se e olhando para Dora: — A senhora deseja alguma coisa?

— Não. Pode continuar.

Voltando-se, Dora foi para seu quarto. Ela precisava fazer alguma coisa. Não podia continuar vendo seu casamento ir por água abaixo sem fazer nada.

Talvez fosse bom conversar com a Rute. Ela sempre tinha ideias práticas e sabia lidar com todos os problemas. Rute era casada com um advogado. O casal costumava vir visitá-los quando seu marido estava em casa e, enquanto eles se entregavam às conversas intermináveis e sem graça, as duas entretinham-se falando das novidades.

Rute não perdia nada do que acontecia à sua volta e sempre tinha assunto, comentava sobre a vida dos conhecidos ou de pessoas famosas. Era com ela que Dora tomava conhecimento de todas as novidades e mais tarde tentava passar para o marido, que não gostava do assunto.

Foi para o quarto, olhou o relógio. Era um pouco tarde para ligar, mas mesmo assim apanhou o telefone e ligou.

Assim que a amiga atendeu, disse:

— Desculpe ligar a esta hora. Mas eu precisava falar com você.

— Aconteceu alguma coisa?

Dora hesitou alguns segundos, depois tornou:

— Ainda não. Mas sinto que as coisas estão mudando. Fernando não para mais em casa. Está cada vez alongando mais suas ausências. Não é mais tão atencioso como antes. Eu sinto que preciso fazer alguma coisa. Não sei o quê. Pensei que você talvez pudesse me dar algumas ideias...

— Ligou para a pessoa certa. Em matéria de casamento, não podemos facilitar. O mundo está mudado. Hoje as mulheres estão avançando o sinal. Não respeitam se o homem é casado ou tem compromisso, parece que esse fato as faz interessar-se mais em conquistá-lo. E se ele tiver posição social, dinheiro, fica ainda pior. Eu não dou moleza para o Geraldo.

— Desconfio que Fernando tem uma amante.

— É fácil descobrir. Conheço um ótimo detetive. Se quiser, poderemos ir conversar com ele amanhã mesmo.

— Ele é bom mesmo?

— Muito bom. E de confiança. Discreto, sabe guardar segredo.

— Não quero que Fernando desconfie. Ele vai ficar muito bravo.

— Não se preocupe. Ele nunca saberá. Nós podemos ir e saber a verdade. Mas é um risco. Você deve estar preparada para o que vai saber. Já pensou se for verdade?

Dora suspirou angustiada, mas respondeu:

— Prefiro saber mesmo que seja para sofrer. Tudo é melhor do que ficar de braços cruzados enquanto minha vida está se desmoronando.

— Está bem. Amanhã cedo, ligarei para ele para marcar um encontro. Quando quer ir?

— Amanhã mesmo.

— Vamos ver se consigo. Nós vamos saber a verdade. Assim que tiver uma posição, eu voltarei a ligar.

Despediram-se. Dora desligou sentindo-se mais angustiada. Essa noite ia custar a passar. Respirou fundo e foi ao banheiro, disposta a tomar um banho e relaxar. Encheu a banheira, colocou na água sais perfumados e estendeu-se dentro dela, sentindo o prazer da água quente e perfumada envolvendo seu corpo.

Depois que Dora deixou o quarto, Margarida continuou lendo até que Luiza adormeceu. Levantou-se, procurando não fazer ruído, e preparou-se para dormir.

Durante o dia ela não tinha se sentido muito bem. Sentira um aperto no peito, como se alguma coisa ruim fosse acontecer. Lembrou-se do pai. Sempre que ela sentia medo, ele a abraçava, rezava e ela se sentia segura e calma.

Mário a ensinara a conversar com Deus, garantindo-lhe que Ele a ouviria.

— Mas, pai, Ele está tão longe. Eu sou pequena. Como Ele vai me escutar?

— Ele não vai ouvir a sua voz, mas o seu coração. Para conversar com Ele, você precisa imaginar que está dentro do seu coração e Ele vai ouvir seus sentimentos. E vai responder.

— Eu vou ouvir a resposta Dele?

— Não vai ouvir palavras, mas vai sentir que Ele está perto e, com essa presença, todo mal irá embora, e você ficará bem.

Margarida sentiu uma saudade imensa do pai. Nunca alguém lhe dera tanto amor como ele. Ajoelhou-se ao lado da cama e pediu a Deus que o abençoasse e lhe dissesse o quanto ela o amava e sentia saudades.

Um brando calor a envolveu e a angústia desapareceu. Então ela se deitou e logo adormeceu.

Sonhou que estava caminhando por um jardim florido, sentia um perfume gostoso, suave, que a fez aspirar com prazer o ar leve que circulava à sua volta.

Alguém a segurava pela mão, e ela não conseguia ver quem era, mas o prazer do momento a fazia olhar ao redor com alegria. Ao aproximar-se de um banco, reconheceu seu pai sentado. Abriu os braços, ele se levantou e abraçou-a com amor.

Margarida sentia o peito dilatar-se de prazer e alegria.

— Pai! Eu quero ficar aqui com você!

— Venha, querida. Vamos conversar. Sente-se aqui, ao meu lado.

Ele a acomodou e segurou a mão dela com carinho.

— Pai, aqui é tão bom! Eu não quero mais voltar.

— Ainda não é hora. Você tem muito que fazer no mundo.

— Sinto muitas saudades de você!

— Eu sei. Mas nossa separação é temporária. Tudo é assim na vida. Há momentos de estar juntos e momentos em que cada um precisa cuidar de outras coisas. O mais importante é aproveitar a chance que a vida nos dá de desenvolver nossas qualidades e aprender a lidar com os nossos sentimentos.

— Eu sei disso, pai. Mas há momentos em que me sinto tão sozinha!

— Você não está só. Eu e sua mãe estamos ligados a você. Os laços do amor nos unem.

— Por que eu nunca a vejo?

— Ela ainda está em tratamento. Se pudesse, viria comigo.

— Eu gostaria tanto de ver o rosto dela!

Mário alisou a cabeça da filha com carinho:

— Seja paciente, minha filha. No momento não é possível! Mas você tem Luiza, que a ama muito e lhe faz companhia.

— Eu também a amo, mas ela tem os pais. Se eu não voltasse, ela ficaria muito bem com eles.

— Se você continuar a insistir em ficar aqui comigo, eu não poderei mais vir vê-la.

— Por quê?

— Porque Deus permite que eu a visite para que você se sinta feliz, porém, se minha presença deixá-la triste e querendo voltar para cá antes da hora, não poderei vir mais.

Margarida segurou a mão dele com força e pediu:

— Isso não, pai!

— Nós estamos vivendo em mundos diferentes. Eu preciso viver aqui, mas você deve ficar aí. Um dia essa distância vai desaparecer e ficaremos juntos de novo. No entanto, por ora, não é possível.

— Eu entendo, não pedirei mais para voltar.

Mário beijou levemente a testa da filha com carinho.

— O amor divino está dentro de nós cuidando do nosso bem-estar. Todos nós estamos seguros nos braços de Deus. Quando você sente medo, está duvidando desse poder e apagando a sua luz. Quem fica no escuro atrai só coisas ruins.

— É que, quando dona Dora fica nervosa, sinto medo. Parece que alguma coisa ruim vai acontecer.

— Você preferia que ela estivesse sempre bem. Mas isso é impossível. Os desafios sempre estão presentes em nossas vidas e aparecem de acordo com as nossas necessidades. Ela vai ter de resolver os próprios problemas e aprender com eles. É a vida!

— Eu queria que todos fossem felizes!

— Essa é uma ilusão perigosa. Você não sabe o que vai dentro da alma dela, nem de ninguém. Não deve assumir problemas que não lhe pertencem. Quando a vir infeliz, a única coisa que pode fazer é envolvê-la com luz, pensamentos de paz.

— Isso vai ajudá-la?

— Sim. Mas antes você precisa mandar o medo embora, serenar sua alma, sentir a certeza de que Deus está cuidando de tudo. Só quando sentir que está bem, terá energias capazes de ajudá-la.

— Pai, como eu vou ter tanta certeza de que Deus está mesmo cuidando de tudo?

Mário abraçou-a com carinho, depois explicou:

— É fácil. Já pensou como a vida é perfeita? Já notou como ela nos dá tudo que precisamos para viver? O ar que respiramos, o corpo que vestimos no mundo, a lua, o sol, o mar, as estrelas, as flores, os pássaros, os animais, a beleza. Ela cuidou de você enquanto estava dormindo dentro do ventre de sua mãe e, quando estava pronta, trouxe-a para os meus braços. Ainda duvida da bondade do Criador?

— É verdade, pai! Eu não tinha pensado nisso.

— Há ainda muitas coisas que você não observou, que contribuem para que você possa viver nesse mundo e aprender o que ele tem para dar. Não seja ingrata, minha filha. Valorize seu corpo e sua vida. Ela lhe foi dada com muito amor. É importante que aprenda o quanto a vida é preciosa!

— Entendi, pai.

— Agora tenho que ir. Pense no que eu lhe disse. Aconteça o que acontecer, não tenha medo. Confie na vida. Ligue-se a Deus, glorifique a vida, cultive a alegria. Ela lhe dará tudo quanto precisa para ficar bem e ter sucesso.

Depois de depositar mais um beijo na testa de Margarida, Mário desapareceu. A mesma pessoa que a conduzira segurou sua mão e começaram a deslizar por sobre a cidade adormecida.

Margarida sentia-se leve, alegre, feliz! A certeza de que não estava só, de que havia uma força superior que cuidava de tudo, fazia-a sentir-se radiante.

Acordou em seguida, sentindo grande bem-estar. O medo, a angústia e a tristeza haviam desaparecido.

O dia começava a amanhecer, e ela deixou-se ficar deitada, recordando as palavras do pai. Sentiu que ele estava certo. Ela se envolvera nos problemas de Dora e ficara tão doente quanto ela. Como é que poderia fazer algum bem a ela estando igual?

Dali para a frente, faria tudo para manter o próprio bem-estar, porque só assim poderia ajudar a todos como gostaria.

Começou a pensar em todas as coisas que a vida lhe dera e teve de reconhecer o quanto estava sendo protegida. Deus lhe levara a mãe, mas deixara o pai e, quando ele teve de ir embora, colocou do seu lado pessoas que cuidaram dela com carinho até a hora de uma nova família acolhê-la.

Dera-lhe a ternura de Luiza, que a ensinara a amar de maneira incondicional. Muitas vezes, enquanto a ninava, fazia isso como se ela fosse sua própria filha.

Margarida reconheceu que só tinha a agradecer a vida por tudo quanto lhe dera. Satisfeita, acomodou-se melhor e voltou a adormecer.

Capítulo 3

Dora acordou ouvindo o som do telefone. Atendeu sonolenta:

— Rute?

— Sim. Você estava dormindo a esta hora? Já passa das dez!

— Esta noite só consegui adormecer quando o dia estava clareando.

— Desculpe! Dá para sentir que você realmente está preocupada... Mas é que eu tenho uma notícia boa para lhe dar!

— É? Estou precisando mesmo de boas notícias.

— Consegui marcar uma entrevista com o detetive para hoje à tarde. Tivemos sorte porque ele encerrou um caso ontem e o convenci a nos atender.

— Não vou descansar enquanto não souber a verdade. A que horas devo passar em sua casa?

— Às quatro. Estarei pronta, esperando.

Dora desligou e levantou-se. Estava com dor de cabeça. Encheu a banheira, colocou sais relaxantes e estendeu-se nela. Contudo, seus pensamentos não lhe davam paz. Não prestava atenção ao calor tépido da água, nem registrava o perfume de alfazema que enchia o ar.

O que faria se o detetive lhe provasse que Fernando tinha outra mulher? Que providências tomaria? Seria capaz de suportar uma separação?

A esse pensamento, sentiu a angústia aumentar. Ela gostava de ser vista por todos como uma mulher feliz, que vencera na vida tendo uma família exemplar.

Lembrou-se dos comentários maldosos que ouvira quando a Laurinha descobriu a traição do marido e se separou dele. Isso não poderia acontecer com ela! Seria fracassar como mulher diante de toda a sociedade! Ela seria apontada onde quer que fosse. Que horror!

Decidiu então que, fosse qual fosse a verdade, não iria separar-se dele. Teria então de não fazer nada, continuar a viver do lado de um homem falso e traidor?

Se Fernando tivesse uma amante, ela continuaria do lado dele, mas encontraria uma forma de se vingar. Dele e da outra. Trincou os dentes com raiva. Eles não perdiam por esperar.

Do lado dela estava o espírito de uma mulher, de rara beleza, cujos olhos tinham um brilho de ódio.

— Agora vou conseguir o que tanto desejo! Dentro de pouco tempo, Dora fará tudo que eu quero!

Dora estremeceu sentindo arrepios pelo corpo. Saiu da banheira, vestiu o roupão, mas continuou com frio. Estaria doente? Havia sol lá fora e a temperatura não estava baixa.

Foi para o quarto, chamou Janete e pediu-lhe que lhe fizesse um chá.

— A senhora não desceu para o café. Quer que lhe traga algo mais?

— Só um chá bem quente.

Janete saiu e na cozinha encontrou Margarida, que estava dando um copo de suco para Luiza.

— Acho que dona Dora está doente. Está com uma cara! Não comeu nada e pediu-me para fazer um chá bem quente.

Margarida sentiu um aperto no peito, porém não respondeu. Enquanto Janete providenciava o chá, ela observava Luiza tomar o suco e pensou:

"Se eu ficar angustiada e com medo, não poderei ajudar. Vou fazer o que papai ensinou".

Janete fez o chá, levou-o para Dora e voltou em seguida.

— Preciso ir ao banheiro. Fique alguns minutos com Luiza, não vou demorar — acrescentou Margarida.

— Pode ir. Eu cuido dela.

Margarida fechou-se no banheiro, sentou-se na cadeira, pensando em Dora. A angústia continuava incomodando. Ela disse a si mesma:

— Eu não sei o que está acontecendo com Dora. Quero que ela fique bem, mas não tenho poder para isso. Mas Deus pode tudo. Ele tem o poder de dar a ela o melhor.

Margarida sentiu que a sensação de angústia diminuiu. Fechou os olhos, imaginou uma luz muito clara e brilhante, pensou no amor e na gratidão que sentia por Dora tê-la acolhido. Um calor agradável a envolveu, e ela se deixou ficar alguns instantes nesse aconchego gostoso. Depois mandou essa sensação para Dora.

Foi então que ela viu ao lado de Dora aquela mulher que, apesar de bonita, tinha à sua volta uma energia escura e desagradável. Os olhos dela estavam vermelhos, de sua testa saíam fios escuros que envolviam Dora como se fosse uma teia.

Margarida estremeceu, assustada, e sentiu tontura. Instintivamente ela afirmou:

— Deus nos guarde! Que o poder de Deus afaste essa mulher de nossa casa.

Nesse momento, Margarida viu que a mulher a mirou e aproximou-se como se fosse atacá-la. Mas alguém, cujo rosto ela não viu claramente, colocou-se entre ela e a mulher, que os fixou admirada e fugiu.

Margarida respirou aliviada. Seu pai lhe dissera a verdade. Alguém a protegeu. Sentiu que deveria agradecer a Deus pela ajuda que recebera. Fez uma prece de agradecimento.

Quando voltou à cozinha, Luiza brincava com um pouco de massa da torta que Janete estava fazendo e divertia-se alegre.

Alguns minutos depois, Dora desceu, arrumada para sair. Vendo-a, Janete perguntou:

— A senhora está melhor?

— Estou. Que chá foi aquele que você me deu?

— Foi de erva-doce, por quê?

— Porque foi muito bom. Acabou com a minha dor de cabeça.

Margarida sorriu satisfeita. Sua atitude dera certo. Dora, além de melhorar da dor de cabeça, estava bem-humorada, o que era raro nos últimos tempos.

Conforme o combinado, cinco minutos antes das quatro da tarde, Dora, ao lado de Rute, entrou no escritório do detetive. Era um lugar simples, mas bem-arrumado.

Um rapaz as atendeu, e Rute informou:

— Boa tarde. Temos hora marcada com o doutor Luiz Martins.

— Ele já está esperando. Podem entrar.

Elas entraram na sala contígua, e o detetive levantou-se para cumprimentá-las. Dora olhou-o curiosa. Era um homem de estatura média, pele clara, olhos castanhos, que se fixaram nela atentamente.

Depois dos cumprimentos, ele as convidou a sentar-se no sofá ao lado da mesa. Vendo-as acomodadas, indagou:

— Em que lhes posso ser útil?

— Estou desconfiada de que meu marido está me traindo. Gostaria que o senhor investigasse o assunto.

— O que a fez desconfiar dele?

— Nos últimos tempos ele mudou muito. Passa mais tempo viajando que em casa. E, quando está, não demonstra por mim o mesmo interesse de antes.

— Quanto tempo de casamento?

— Doze anos.

— Ele viaja a trabalho?

— Diz que sim. É deputado federal.

— Com a profissão que ele tem, precisa mesmo viajar muito, e depois de doze anos de casamento a união torna-se mais estável e menos apaixonada. A senhora tem mais alguma evidência que a faça suspeitar da fidelidade dele?

— Ter, eu não tenho. Mas sinto que ele não é mais o mesmo. Isso me fez imaginar que ele tenha outra mulher. Estou muito angustiada.

Ele pensou um pouco, depois respondeu:

— Está bem. Vou ver o que posso descobrir — apanhou um bloco de anotações e prosseguiu: — Preciso dos detalhes.

Depois de obter as respostas às suas perguntas e ter anotado tudo, ele deu-lhe detalhes sobre o serviço e tudo ficou acertado. Dora deu-lhe um cheque para as despesas e ele prometeu-lhe dar uma resposta dentro de uma semana.

Depois de deixarem o escritório, Dora questionou:

— Ele é bom mesmo?

— É ótimo. Por que pergunta?

— Achei que ele não se interessou muito pelo meu caso. Só faltou me dizer que eu estava errada em desconfiar do Fernando.

— Bem se vê que você nunca contratou um detetive. Antes de investigar, eles querem verificar se o caso merece atenção. Você sabe como as mulheres são ciumentas e inseguras. Algumas o contratam, mas no meio da investigação se arrependem, não pagam e ele fica no prejuízo. Claro que não é o seu caso, porém ele não a conhece e quis certificar-se.

Dora suspirou preocupada.

— Se Fernando descobre o que eu fiz, vai ficar muito bravo. Já pensou se essa informação vai parar na boca de um jornalista ou de um inimigo político? Está certa de que esse detetive é de confiança e vai guardar sigilo?

Rute meneou a cabeça negativamente:

— Nem pense nisso! Doutor Martins é muito discreto. Eu soube de alguns casos que ele solucionou, mas não foi por intermédio dele, e sim das mulheres que o contrataram, que são minhas amigas e me confidenciaram.

— Quem são elas?

— Desculpe, querida, mas jurei manter sigilo. Não posso falar.

— Tem razão, eu entendo... Vou ficar esperando notícias. Será que vai demorar?

— Ele pediu uma semana. Não espere notícias antes disso.

Dora suspirou tentando se acalmar. Ela não gostava de esperar. Pressentia que não teria sossego enquanto não soubesse a verdade.

Notando a impaciência dela, Rute procurou desviar-lhe a atenção falando sobre outros assuntos. Entretanto, percebeu ser inútil porquanto Dora não demonstrava interesse, voltando sempre para o mesmo ponto.

Rute convidou para irem a uma confeitaria, tomar alguma coisa, mas ela recusou.

— Estou com dor de cabeça. Não tenho vontade de nada. Quero ir para casa, tomar um comprimido e tentar dormir.

Despediu-se da amiga.

Ao entrar em casa, escutou as risadas de Luiza, que passou por ela correndo, enquanto Margarida vinha atrás tentando alcançá-la. Estavam tão entretidas que não a viram parada na entrada da sala.

Margarida segurou Luiza e abraçou-a dizendo com voz mais grossa:

— Como você está magrinha! Mas não faz mal, vou dar-lhe muitos doces e, quando estiver bem gordinha, a comerei. Você não me escapa!

Luiza gritou com toda sua força:

— Por favor, dona bruxa, me deixe ir embora. Minha mãe está me esperando! Não me prenda!

Dora segurou a cabeça entre as mãos e gritou nervosa:

— O que está acontecendo aqui? Parem de gritar! Vocês querem me matar? Estou com dor de cabeça!

As duas se calaram e se entreolharam assustadas. Elas sabiam que Dora não gostava que brincassem dentro de casa. Elas só o faziam quando ela não estava.

— Desculpe, dona Dora. Nós não a vimos chegar.

— Isso quer dizer que, quando não estou em casa, vocês aproveitam para fazer tudo que eu não quero.

Luiza correu para o quarto, enquanto Margarida, pálida e trêmula, não sabia o que dizer. Dora continuou:

— Saia da minha frente. Se quer tremer e ficar com essa cara de boba, vá para seu quarto. Não estou com disposição para assistir a seus tremeliques.

Margarida apressou-se a ir para o quarto, onde encontrou Luiza, que a abraçou, dizendo:

— Eu sabia que ela ia gritar com você. Ela é muito má! Não gosta de nós, e eu também não gosto dela!

Margarida acariciou a cabeça da menina:

— Não fale assim de sua mãe. Ela é muito boa. Nós fizemos barulho, e ela está com dor de cabeça. Deve estar doendo muito. Vou ver se ela quer um comprimido.

— Ela vai gritar com você de novo. Eu fico com muita raiva quando ela faz isso. Você é a melhor pessoa do mundo, e eu gosto muito de você. Dela eu não gosto.

— Não diga isso. Ela é sua mãe, merece respeito e amor. É você quem deve procurar entender. Ela está doente, deve estar se sentindo mal. Nós temos que

ajudá-la. Vou levar-lhe um comprimido, ver se quer um chá, e você vai comigo para pedir desculpas a ela.

— Eu não vou fazer isso.

— Vai sim. Porque você é uma menina muito boa e amorosa. Ela está precisando do nosso carinho.

Margarida fez chá, colocou na bandeja com o comprimido para dor de cabeça e, junto a Luiza, foi bater na porta do quarto de Dora.

Vendo que ela não respondia, entreabriu levemente a porta. Dora estava sentada diante da pequena escrivaninha, onde escrevia suas cartas, e guardava seus cartões e suas lembranças. Quando as viu paradas na porta com a bandeja, perguntou com má vontade:

— O que querem aqui?

— Eu fiz um chá e trouxe o comprimido para a senhora. Viemos pedir desculpas pelo barulho que fizemos. Foi sem querer. Estávamos brincando de representar e não a vimos entrar.

— Está bem. Ponha a bandeja sobre a mesinha.

Margarida cutucou Luiza, que se aproximou da mãe:

— Desculpe, mamãe. Eu não quis deixá-la nervosa. Tome seu chá e sua dor de cabeça vai passar. Nós não vamos mais fazer barulho.

Olhando o rostinho bonito e delicado da filha, Dora se comoveu. Abraçou-a, dizendo:

— Estão desculpadas. Vocês não sabiam que eu estava com dor de cabeça. Obrigada pelo chá. Vou tomar e deitar um pouco. Podem ir e não façam mais barulho.

Elas saíram. Dora, que estava vendo fotos antigas, recordando os primeiros tempos de namoro e casamento, fechou a escrivaninha, tomou o chá, o comprimido e estendeu-se na cama.

Queria descansar, esquecer esse tormento. Fechou os olhos tentando dormir. Mas um vulto de mulher aproximou-se sussurrando em seu ouvido:

— Enquanto você está aqui, fechada, dentro de casa, ele está lá, com a outra! Pode ser até que neste momento estejam abraçados, trocando carícias.

Dora trincou os dentes com raiva, imaginando a cena do marido aos beijos com outra. O que faria se isso fosse verdade?

Arrepios percorreram-lhe o corpo enquanto sua testa cobria-se de suor. Sentou-se na cama, nervosa. Nesse momento estava certa da traição de Fernando.

O que seria dela se ele resolvesse abandoná-la? Ficaria sozinha no mundo com duas crianças, sem falar na vergonha de ter sido trocada pelo marido. Seria muita humilhação! Ela não suportaria.

Pensamentos dolorosos povoavam sua mente e a deixavam amargurada. O tormento era tamanho que por instantes arrependeu-se de ter ido procurar o detetive. Para quê, se ela já sabia que estava sendo traída?

Entretanto, confirmar a traição poderia ser pior. De qualquer forma, ela não pensava em separar-se de Fernando. Estava decidida a fazer o que pudesse para mantê-lo do seu lado e evitar uma separação.

Não pretendia falar com ele a respeito, nem demonstrar que sabia de tudo. Enquanto ele acreditasse que ela ignorava, seu lar continuaria sendo mantido. Queixar-se, colocá-lo contra a parede e não pedir a separação seria perder a própria dignidade.

Era orgulhosa demais para fazer esse papel. Preferia engolir a decepção, a tristeza, e fingir que tudo

continuava bem entre eles. Seria a única atitude possível para fazer com que ele continuasse a respeitá-la.

Dora sentou-se na cama, nervosa. O comprimido não fizera efeito e sua cabeça continuava doendo. Estava inquieta, atordoada, o corpo pesado. Ao mesmo tempo que pensava tudo isso, sua vontade era a de sair dali, tomar um avião e ir atrás do marido para pedir-lhe satisfações e exigir fidelidade.

Ela sempre lhe fora fiel. Nunca, nem em pensamentos, ocorrera-lhe gostar de outro homem. Sua mãe sempre comentava que todos os homens traem.

Seu pai tivera uma amante durante muitos anos e nunca soube que a esposa tinha conhecimento disso. Esse foi o jeito que sua mãe encontrou para lidar com a situação, e nunca se separaram.

Dora muitas vezes a via chorando às escondidas, mas, quando o marido chegava, ela o recebia sorrindo, com carinho. Ela sabia de tudo porque, quando Alda não suportava mais conter-se, era com ela que desabafava e em quem procurava apoio.

Dora suspirou triste. Nunca pensara que um dia teria de suportar a mesma situação. Teria forças para agir como sua mãe? A vida era injusta com as mulheres. Por que os homens podiam tudo e as esposas tinham de aceitar?

O vulto de mulher que a assediava continuava sussurrando frases em seus ouvidos, e Dora ficava cada vez mais revoltada. Nem lhe passava pela cabeça que tudo era apenas suposição e não tinha em mãos nenhuma prova de que Fernando a estivesse traindo.

Mais tarde, Margarida bateu levemente na porta e entrou. Dora abriu os olhos:

— Você de novo. O que quer desta vez?

— Sua dor de cabeça passou?

— Não. Ficou pior.

— A senhora não comeu nada hoje. Pode estar com fraqueza. Janete fez uma comida gostosa. Por que não desce e experimenta um pouco? Vai sentir-se melhor.

— É... talvez tenha razão. Estou sem fome, mas vou descer e comer alguma coisa. Luiza já jantou?

— Já passa das oito, nós já comemos.

— Avise a Janete que vou descer.

Margarida se foi. Dora, ao levantar-se, sentiu tontura e mal-estar.

— Margarida tem razão. É melhor eu comer um pouco. Não posso enfraquecer logo agora que precisarei estar de posse de toda a minha força.

Quando ela desceu, Janete já havia colocado a comida na mesa e ela sentou-se. Sentia o estômago enjoado, mas atribuiu isso à falta de alimentação. Ela precisava fortalecer-se. Serviu-se e começou a comer, mastigando com raiva.

Ela era uma mulher forte e não se deixaria vencer. Nunca se separaria de Fernando. Não seria uma mulher separada, marginalizada pela sociedade, olhada de maneira equivocada.

Para manter o casamento, estava disposta a fazer qualquer coisa. Ela não seria apontada como uma mulher traída e abandonada, servindo de chacota para todos.

O vulto de mulher que a acompanhava sorriu satisfeita, colou-se mais a ela e murmurou:

— É isso mesmo que eu queria. Daqui para a frente, você está em minhas mãos e fará tudo que eu quiser. Esta comida está deliciosa! Coma tudo que quiser!

Cabeça para trás, ela ria satisfeita, enquanto Dora sentia despertar um inesperado apetite e colocava mais comida no prato.

Capítulo 4

Passados alguns dias, Rute ligou para Dora. Depois dos cumprimentos, avisou:

— Conforme você pediu, o doutor Martins ligou, pediu para você ir ao escritório dele às quatro da tarde. Quer que eu a acompanhe?

— Quero sim. Até que enfim. Ele adiantou alguma coisa?

— Claro que não. Ele quer falar com você.

— Esta semana custou a passar. Não tenho dormido direito. Amanhã é sexta-feira e Fernando já ligou que vai chegar. Quero saber tudo o quanto antes. Às três horas passarei em sua casa para buscá-la. Está bem?

— Estarei esperando.

A mão de Dora tremia quando desligou o telefone. O que iria descobrir? E se acontecesse o pior? Levantou a cabeça decidida. Dentro dela já existia a certeza de que Fernando tinha uma amante. Nem por um instante considerou a hipótese de ele ser-lhe fiel.

Em sua cabeça, imaginava como agiria para fingir que não sabia de nada e, ao mesmo tempo, que providências tomaria para acabar com a rival. Não aceitava o fato de ser trocada por outra e, sem que Fernando soubesse, tomaria providências para separá-los.

Com a cabeça doendo, um aperto no peito, horas mais tarde Dora entrou no escritório do detetive, acompanhada de Rute. Mal respondeu aos cumprimentos e, depois de acomodadas diante da mesa dele, ela interrogou:

— E então, doutor, quem é ela?

— Acalme-se, senhora. Vamos conversar.

— Quero saber tudo. Estou preparada para o pior.

O detetive sorriu, apanhou uma pasta que estava sobre a mesa, abriu-a e respondeu:

— Aqui estão minuciosamente relatadas todas as informações sobre as atividades do seu marido durante uma semana. A senhora pode saber tudo que ele fez.

Dora segurou a pasta, tentou ler, mas as letras embaralhavam-se diante de seus olhos. Devolveu-a, dizendo nervosa:

— Não vou ler. Quero que me conte toda a verdade.

— A senhora está muito nervosa e não há motivo para tanto. Seu marido não fez nada de mais. Durante o tempo em que o seguimos, jantou com amigos, fez reuniões de trabalho com seus correligionários.

Dora olhou-o incrédula:

— Não pode ser! Fernando é muito perspicaz, na certa percebeu que estava sendo vigiado e os enganou.

O detetive meneou a cabeça negativamente e esclareceu:

— Os profissionais que trabalham comigo são treinados e capazes. Seu marido foi seguido vinte e quatro horas por dia e, se ele tivesse algum caso, nós teríamos descoberto.

Dora pensou um pouco e tornou:

— Há mulheres lá trabalhando o tempo todo. Vocês podem ter confundido divertimento com trabalho.

Doutor Martins levantou-se:

— Dá a impressão de que a senhora preferia que seu marido a traísse. Não ficou feliz em saber o que constatamos.

Rute interveio:

— Dora, ele está dizendo que Fernando não fez nada errado. Uma semana é pouco tempo. Seria melhor continuar um pouco mais com a investigação.

— É, tem razão, uma semana é pouco. Quero que continue investigando. Amanhã ele estará em casa.

O detetive sentou-se novamente:

— Como queira.

— Desejo saber todos os passos que ele der, mesmo aqui em São Paulo.

— Isso mesmo, Dora. Assim, se houver alguma coisa, você saberá.

O detetive explicou como seria feito o trabalho e, depois de Dora deixar um cheque, as duas se despediram.

Já no carro, Dora comentou:

— Será que eles fizeram o trabalho direito? Fernando é muito esperto. Se suspeitou de alguma coisa, pode ter-lhes dado dinheiro para encobrir a verdade.

— Doutor Martins é um homem sério. Nunca se prestaria a uma coisa dessas. Eu garanto. Por que você tem tanta dificuldade em aceitar que Fernando não tem outra mulher? Até o detetive estranhou isso. Afinal, ele lhe deu uma notícia boa e você, em vez de pular de alegria, ficou irritada.

— Eu me baseio na mudança de Fernando nos últimos tempos. Noto que ele está diferente.

— As pessoas mudam com o tempo.

— Eu sei. Mas, se ele deixou de me amar, só pode ser porque tem outra mulher. É lógico!

— Não necessariamente. Ele está seguro em relação ao casamento e mais preocupado com a profissão.

— Você diz isso para me animar. Não acredito que pense assim de verdade.

Rute suspirou e respondeu:

— Vamos esperar para ver o que o doutor Martins vai dizer. Você pode estar exagerando.

— Seria bom que fosse verdade. Quero ver como ele vai chegar. Se eu estiver enganada, vou descobrir.

— Vocês são casados há doze anos e seria bom fazer alguma coisa, sair da rotina para incentivar o relacionamento. Compre uma roupa nova, mude o corte do cabelo, torne-se sedutora. Afinal, depois de tanto tempo, é preciso fazer algo para reviver o interesse. Você sabe como seduzi-lo. Use seu charme.

Dora sorriu e sentiu-se mais animada:

— Boa ideia! É o que farei.

Dora deixou Rute e foi embora.

Ao chegar em casa, ouviu risadas e a voz de Margarida cantando, enquanto Luiza batia palmas. Vendo-a entrar, elas se calaram.

— Do que estão brincando? — perguntou.

— Margarida está contando a história do Pinóquio. Ela sabe todas as músicas do filme e está me ensinando.

— Desde quando você canta, Margarida?

— Desde pequena. Tinha aulas de canto no colégio.

— Por que nunca me contou? Você tem uma voz bonita e afinada.

Os olhos de Margarida brilharam. Ela sorriu e respondeu:

— Obrigada. A senhora deseja alguma coisa, um chá, um refresco?

— Agora não. Vou subir, continuem brincando.

Ela subiu e Luiza aproximou-se de Margarida, dizendo baixinho:

— Mamãe fica mais bonita quando não briga e eu gosto mais dela.

— O passeio fez-lhe bem. Ela voltou mais alegre.

— Quero ouvir o resto da história. O que aconteceu depois?

— Vou contar só mais um pedacinho. Está quase na hora de você ir tomar banho e preparar-se para o jantar.

Dora foi para o quarto pensando no que Rute dissera. Apesar de ter concordado com suas palavras, no fundo não acreditava que tivessem tanto fundamento.

Se a rotina no casamento diminui o interesse, deveria ter acontecido a mesma coisa com ela. No entanto, a cada dia, ela sentia-se mais carente, desejando que Fernando correspondesse de maneira apaixonada.

Apesar disso, estava disposta a fazer uma tentativa. Era uma mulher exuberante, bonita. Iria se arrumar bem e o receberia como nos tempos de namoro, provocando admiração e desejo.

Abriu o guarda-roupa e escolheu o traje que vestiria. Depois estendeu-se na cama imaginando o que faria para seduzi-lo. Ao mesmo tempo, recordava-se dos momentos de paixão que tinham vivido, sentia-se confiante de que tudo voltaria a ser como antes.

Ela não viu que uma mulher, no canto do quarto, a observava irritada. Ela não permitiria que Dora conseguisse o que desejava. Isso jogaria por terra seus planos de vingança. Fernando não seria feliz com Dora. Ela estava lá para impedir. Fechou a mão com raiva e afirmou:

— Fernando me pertence! Ele é meu, só meu! Depois do que ele me fez, nunca será feliz com outra!

Dora sentiu uma leve tontura e um enjoo.

— Preciso comer alguma coisa. Quase não me alimentei hoje. Vou descer.

Respirou fundo e foi até a cozinha. O cheiro da comida a incomodou. Vendo-a chegar, Janete perguntou:

— A senhora deseja alguma coisa?

— Quero tomar um suco de frutas.

— Vou preparar e trazer algumas torradas daquelas que a senhora gosta.

— É melhor só o suco. O jantar vai demorar?

— Uma meia hora, mas as torradas são leves, não vão atrapalhar o jantar. A senhora não comeu nada hoje.

— Está bem. Vou esperar na sala.

Dora apanhou uma revista, foi para a sala, sentou-se e começou a folheá-la. Mas não conseguia prestar atenção ao que lia. Quando Janete colocou a bandeja sobre a mesinha ao lado, ela se apressou a tomar o suco e comer uma torrada.

Sentiu-se um pouco melhor, retomou a leitura e desta vez conseguiu interessar-se.

Todavia, o espírito da mulher continuava em um canto da sala e sua atenção não estava dirigida a Dora.

Pensava em Fernando, recordando os tempos em que tinham vivido juntos.

Muitos anos tinham decorrido, porém ela nunca esquecera nem perdera a esperança de reencontrá-lo. Foi na Itália que eles se conheceram. Mila era filha de camponeses; Antônio, um jovem estudante, filho de um rico comerciante.

Assim que o viu em uma festa na colônia, Mila se apaixonou. Bonito, elegante, alegre, carismático, chamava atenção das mulheres. Mila jurou conquistá-lo.

A princípio ele não a notou. Mas Mila, consciente de sua beleza, cortejada por muitos, provocou-o, fingindo-se indiferente, e acabou chamando sua atenção. Antônio então começou a cortejá-la.

O amor entre eles despontou forte. Em uma noite de verão, à luz das estrelas, ela se entregou a ele.

Ao se recordar daqueles momentos, Mila sentiu reacender a paixão que sentia. No mesmo instante, deixou a casa de Dora e dirigiu-se a Brasília, na sala onde Fernando, sentado atrás de uma mesa, examinava alguns papéis.

Mila aproximou-se e, vendo-o, a raiva que sentia reapareceu com força. Como ele podia estar tão indiferente?

Fernando desviou a atenção dos papéis e lembrou-se de Dora. Sentiu saudades. Ainda bem que logo mais estaria voltando para casa.

Apesar de ser muito assediado por mulheres, Fernando não correspondia. Estava muito empenhado em seus projetos políticos e pensava que, para ter maior credibilidade dos eleitores e até dos amigos, tinha que manter uma vida pessoal equilibrada. Continuava atraindo paixões, mas fugia delas.

Atribuía essa atitude a algumas experiências que tivera na juventude. Elas o assediavam e, se ele mostrasse algum interesse, tornavam-se inconvenientes, colando-se a ele, tentando interferir em tudo que ele fizesse.

Interessou-se por Dora porque ela, mesmo sentindo-se atraída, mostrara-se reservada. Era bonita, elegante, delicada e amorosa. Ele se apaixonou. Casaram-se por amor e Fernando sentia-se feliz com o casamento.

Dora era a companheira que ele idealizara. Com a família bem constituída, sentia-se apoiado para entregar-se aos projetos que sonhava realizar.

Desde muito jovem queria seguir a carreira política. Ainda estudante, viajara por outros países e, quando regressou ao Brasil, as diferenças culturais o incomodaram.

O atraso, a falta de conhecimento, a miséria, o analfabetismo não podiam continuar. Fernando sonhava poder resolver esses problemas.

Acariciando esse ideal, formara-se em direito, especializara-se nos Estados Unidos. Aprofundara-se nos estudos das leis desse país, que funcionavam de forma prática e sem tanta burocracia, com a intenção de poder adaptá-las ao Brasil.

Ele pensava que tivera a sorte de ter nascido em uma família abastada, de poder estudar e conhecer o mundo. Sentia vontade de fazer alguma coisa para melhorar as condições do país e retribuir o que a vida lhe dera.

Para ele a necessidade maior do povo era a educação. Tinha a certeza de que, uma vez adquirindo conhecimento, o progresso viria.

Desde muito jovem gostava de conversar com pessoas simples. Surpreendia-se com o bom humor, a alegria, a inteligência, a criatividade das pessoas e acreditava que, se lhes dessem os meios, elas sairiam da pobreza para uma vida melhor.

Desde os tempos de estudante, Fernando se preparou para esse ideal. Depois de eleito, durante o primeiro mandato, fez alguns projetos na tentativa de criar mais escolas de ensino técnico.

Conseguiu despertar o interesse de alguns empresários, o governo doou o local, e a primeira escola com vários cursos profissionalizantes foi criada. Houve entusiasmo, propaganda e muito interesse em fazer esses cursos. Fernando acreditava que, ao término de cada curso, a maioria dos alunos entraria no mercado de trabalho, cedendo lugar a novos estudantes.

Entretanto, depois de três anos de funcionamento, tantos foram os problemas, a falta de verba, que a escola acabou fechando.

Fernando fez o que pôde para continuar com esse projeto, mas foi forçado a admitir que não tinha dado certo. Porém, não desistiu e empenhou-se em pesquisar as causas do fracasso.

Conversou com professores e ouviu queixas de que os alunos não se esforçavam, eram preguiçosos, mal-educados, não mostravam interesse em aprender.

Inconformado, Fernando manteve contato com alguns alunos e percebeu que a maioria achava os professores implicantes, controladores. Reclamavam da ajuda financeira que recebiam e pensavam que estavam sendo explorados pelos patrões. Houve um que mencionou o fato de os produtos fabricados serem vendidos pelo preço de mercado, enquanto eles recebiam uma quantia irrisória.

Essa descoberta foi um balde de água fria sobre Fernando, mas ele decidiu continuar pesquisando. Conversou informalmente com diversos empresários, com pedagogos e até com psiquiatras.

Interessou-se pelo comportamento das pessoas e da sociedade como um todo. Na área empresarial, havia patrões que se comportavam como pais de seus empregados, mas havia também os que se aproveitavam da ignorância para explorá-los.

Os que estavam sendo explorados começaram a unir-se, logo surgiram pessoas que os apoiaram, dando força a que reagissem, fazendo disso um meio de vida.

O abuso de alguns e a preguiça de outros criaram uma situação antagônica entre patrões e empregados, o que impediu o sucesso do empreendimento.

Uma casa dividida não pode subsistir. Infelizmente, a ambição, o orgulho, a falta de respeito e de responsabilidade, com que muitas pessoas encaram as relações de trabalho entre patrões e empregados, impedem a realização de uma parceria inteligente e produtiva para todos.

Fernando finalmente entendeu que, para obter resultado em seus projetos, teria de dedicar-se ao ensino básico nas escolas e só conseguiria sucesso a longo prazo. O problema era de formação e renovação dos valores éticos, sem os quais a convivência torna-se difícil e ruinosa.

Ele sonhava estender o período escolar para o dia inteiro, com lazer, artes e esportes. Seus colegas o criticavam, alegando ser impossível porquanto não havia verba nem escolas suficientes para que esse projeto se tornasse viável. Contudo, Fernando continuava insistindo.

O espírito de Mila aproximou-se dele, dizendo ao seu ouvido:

— Você não pode me ver, mas eu estou aqui. Nunca o deixarei. Você me traiu. Não vou consentir que me troque por aquela infeliz que não valoriza o seu amor.

Fernando lembrou-se de Dora com carinho e antegozou o momento em que estaria em casa. Mila irritou-se e completou com raiva:

— Você não perde por esperar.

Algumas batidas na porta a fizeram distanciar-se dele. A porta se abriu, uma mulher bonita, elegante, entrou e o saudou:

— Como vai, deputado?

Fernando levantou-se sorrindo:

— Bem, doutora Glória, e a senhora?

— Estou bem. Vim visitar meu tio e aproveitei para cumprimentá-lo. Como vai aquele seu projeto?

— Não tão bem como eu gostaria, mas continuo trabalhando. Sente-se, por favor.

— O senhor não pode desistir. Tenho certeza de que vai conseguir. Vou pedir aos meus amigos espirituais que o auxiliem.

— Obrigado. A senhora, com o crédito que deve ter lá em cima, pode dar uma boa ajuda.

— Tenho um recado do meu guia para o senhor. Ele disse para o senhor procurar ajuda espiritual. É a segunda vez que ele lhe manda esse recado.

— Eu respeito sua fé, agradeço o interesse, mas está tudo bem.

— Sei que não acredita nos espíritos. Mas fiz a minha parte. O resto é com o senhor. Seria bom que procurasse ajuda espiritual, não custa nada, e sempre será um benefício.

— Obrigado pelo interesse. Mas estou bem.

Glória suspirou e acrescentou:

— Está certo. Em todo caso vou continuar orando em favor dos seus projetos. Eles são muito importantes.

Fernando agradeceu e Glória despediu-se. Ela era sobrinha de um colega, muito bonita, elegante, educada. Como médica, dedicava um dia por semana ao atendimento de pessoas pobres, muitas das quais, além do remédio, socorria em outras dificuldades financeiras.

Fernando tinha por ela admiração e respeito, mas daí a acreditar em espíritos, havia uma distância.

Depois que ela se foi, lembrando-se do que ela dissera, Fernando sorriu e pensou: "Ela é bondosa, idealista, mas iludida. De tanto desejar que suas orações fossem respondidas, ela entrou nessa fantasia de conversar com espíritos".

Meneou a cabeça negativamente, depois voltou ao trabalho.

Capítulo 5

No fim da tarde, Dora foi arrumar-se para esperar a chegada do marido. Caprichou na roupa, na maquiagem, no perfume. Estava disposta a testar o interesse dele, sentir se ele ainda a amava.

Pouco antes das seis, ouviu o ruído de um carro, olhou pela janela e viu que Fernando estava chegando. Mila estava do lado dele e lançou energias de raiva sobre Dora, que sentiu um aperto no peito e começou a sentir-se mal.

Fernando aproximou-se dela querendo abraçá-la. Mas parou observando sua palidez e perguntou:

— Você está bem?

— Não muito... de repente senti um mal-estar...

Fernando amparou-a preocupado:

— Você está pálida. Tem se alimentado bem?

— Sim. Só tenho sentido muito a sua falta.

Fernando suspirou desanimado. Voltara para casa querendo abraçá-la, dizer o quanto estava saudoso, imaginando uma noite de amor, mas ela não estava bem e ele não teve coragem de falar o que pretendia. Respondeu apenas:

— Eu estava trabalhando. Se pudesse, não me ausentaria tantos dias. Tenho trabalhado muito e pretendo realizar meus projetos o mais breve possível.

Mila aproximou-se de Dora, sussurrando em seu ouvido:

— Está vendo? O trabalho é mais importante para ele do que você. Ele não a ama. É a mim que ele quer.

Da palidez Dora sentiu o sangue subir e não se conteve:

— Você só pensa em trabalho. Sua família fica em segundo lugar.

Fernando sentiu-se injustiçado e irritou-se:

— Não seja injusta. Você deveria ser a primeira a me incentivar. Além de não se interessar pelos meus projetos, ainda fica me cobrando por coisas que não fiz. Tenho procurado dar todo o conforto para a família e estou presente todo o tempo que posso. Mais, não sei fazer.

Dora gostaria que tudo houvesse sido diferente, que ele tivesse chegado saudoso, amoroso. Não lhe dera sequer um beijo. Tentou contemporizar:

— Desculpe, não quis ofender. É que, de repente, eu me senti mal. Não sei o que foi...

Fernando suspirou e respondeu:

— Vamos esquecer isso. Talvez seja bom você procurar o doutor Gonçalves.

— Foi uma indisposição passageira. Não é preciso.

Eles entraram na sala. Ao ver Margarida ao lado de Luiza, aproximou-se delas, abraçou-as, beijou-as levemente na face e quis saber se estavam bem.

Ele colocou a pasta sobre uma cadeira, abriu-a, tirou dois pacotes caprichosamente embrulhados e entregou um para cada uma.

Depois de agradecer, Margarida ajudou Luiza a abrir seu presente. Era uma boneca linda. Ela a beijou com entusiasmo e exclamou:

— É muito linda, papai! Obrigada, mesmo! Abra o seu, Margarida, quero ver o que é.

Era um vidro de perfume. Luiza queria sentir o cheiro. Um pouco acanhada, Margarida abriu o frasco, que a menina cheirou, e completou entusiasmada:

— Que gostoso! Você vai ficar cheirosa!

Fernando não tinha o hábito de trazer presentes ao voltar de suas viagens. Mas estava saudoso e teve vontade de agradá-las. Vendo-as entusiasmadas, ele sorriu satisfeito.

Janete tinha levado a mala para o quarto. Fernando, olhando para Dora, disse:

— Não me esqueci de você. O seu está na mala. Venha comigo.

No quarto, ele abriu a mala e tirou um bonito pacote, entregou-o a ela e ficou esperando que ela o abrisse.

Era uma caixa. Dentro dela havia uma camisola transparente muito bonita. Ele a abraçou, dizendo:

— Não via a hora de chegar para estar com você.

Ela corou de prazer. Fernando apertou-a de encontro ao peito, beijando seus lábios com ardor. O coração de Dora disparou de emoção. Fazia muito tempo que o marido não a beijava com tanta volúpia.

Naquele momento, esqueceram as diferenças e se entregaram ao amor que os unia. Mila, contrariada, tentou aproximar-se deles, afastar um do outro, mas não conseguiu sair do lugar. Uma força maior a deixou paralisada enquanto eles trocavam carícias.

Mila usou de toda a sua força e conseguiu mover-se, disposta a atirar-se sobre os dois, porém um vulto escuro pulou sobre ela, ameaçando:

— Finalmente nos encontramos. Você vai me pagar por tudo que me fez!

Mila apavorou-se e gritou:

— De onde você saiu? Pensei que nunca mais aparecesse em meu caminho.

— Deixe Fernando em paz. Saia daqui agora!

Ele estendeu as mãos de onde saíam raios cor de fogo que atingiram Mila. Ela urrou de dor e fugiu apavorada.

Ele olhou para o casal, que continuava se beijando, e asseverou:

— Enquanto eu puder, nada de mal lhes acontecerá.

Em seguida, desapareceu.

Indiferentes ao que acontecia em volta, os dois continuaram se amando, esquecidos de tudo.

Depois, estendidos na cama, um ao lado do outro, permaneceram alguns minutos em silêncio.

Fernando acariciou levemente o rosto de Dora, dizendo:

— O tempo custou a passar. Eu estava com saudades. Não via a hora de estar em casa.

— Para mim o tempo custa a passar sempre que você viaja. Por que não veio embora?

Fernando suspirou, meneou a cabeça negativamente:

— Não podia. Tenho data marcada para apresentar meu projeto. Se tudo der certo, se ele for aprovado, trará mudanças significativas que beneficiarão a todos.

— Às vezes, penso que você dá mais atenção ao trabalho do que à sua família.

Ele fez um gesto de desagrado:

— Você não entende. Escolhi esta carreira por idealismo. Nosso país precisa crescer, e isso só acontecerá quando o povo tiver mais instrução.

Dora sentou-se na cama:

— Não entendo mesmo. Só você leva a sério e pretende mudar as coisas. O povo é preguiçoso, não gosta de estudar, não se esforça.

— Você está enganada. O brasileiro é criativo, inteligente, trabalhador. Só que não tem oportunidade de descobrir a própria capacidade. Temos que cuidar da educação, cuidar das escolas, principalmente no ensino básico. Gostaria que você me apoiasse em vez de me desestimular.

Dora notou a ruga de preocupação na testa do marido e mudou o tom:

— Não foi essa minha intenção. Sei que é um bom profissional, idealista, quer ter um bom desempenho. Mas, para mim, não é fácil aceitar ficar longe de você tanto tempo. Sei que você se esforça para realizar grandes coisas. Não deve ser fácil melhorar o mundo, penso até que é pura perda de tempo, uma vez que os políticos prometem fazer muitas coisas, mas sem resultado, porque tudo continua igual.

Fernando sentou-se ao lado dela, na beira da cama, e segurou sua mão:

— Os obstáculos são muitos, mas estou certo de que vou conseguir fazer a diferença.

Dora notou o brilho nos olhos do marido ao dizer isso e lembrou-se das palavras da cartomante: "Por que não tenta interessar-se pelos projetos dele? Garanto que lhe daria toda atenção e teria prazer em trocar ideias com você".

Apertou a mão dele com força, sorriu e concordou:

— Estou certa que sim. Vou torcer para que consiga.

Ele a abraçou contente. Pela primeira vez, Dora mostrava-se solidária com seu trabalho.

Mila deixou a casa de Fernando furiosa, sentindo dor no corpo.

— Aquele maldito me machucou. Se ele pensa que vou desistir, engana-se. Quanto mais ele me atacar, mais Fernando vai sofrer. Nunca pensei que ele fosse me achar. Deveria ter imaginado que ele não ia desistir. Preciso me refazer. Vou procurar o Dirso.

Ela se projetou para um lugar, muito próximo da crosta terrestre, onde havia uma névoa densa, que ela atravessou. Chegou a um aglomerado de pequenas casas, mal-acabadas e escuras.

Parou diante de uma delas e bateu levemente na porta. Uma mulher magra, pálida, de fisionomia triste, abriu. Mila entrou rapidamente, ordenando:

— Vá chamar o Dirso. Quero falar com ele.

A mulher fechou a porta e, antes que ela fosse, um homem baixo, atarracado, rosto marcado por cicatrizes, aproximou-se. Fez um gesto para que a mulher saísse, depois disse:

— Eu sabia que você vinha. Quem foi que lhe fez essas feridas?

Aproximou-se de Mila, examinando seus braços.

— Foi o Nilo. Ele apareceu de repente e me agrediu. Mas ele vai me pagar. Você vai ver.

— Ah! Esse Nilo é aquele que você me contou? Faz tempo que está lhe dando trabalho. Você precisa livrar-se dele de uma vez por todas.

— Pensei que ele tivesse me esquecido e não soubesse onde eu estava. Tudo estava indo bem quando ele apareceu e me expulsou.

Dirso examinava os braços dela com cuidado e considerou:

— Não sei o que ele usou, mas o estrago foi grande. Vai demorar algum tempo para você se recuperar.

Ela irritou-se ainda mais. Logo agora, que estava conseguindo impressionar Dora, Nilo havia surgido para atrapalhar.

— Não posso demorar para retomar o caso. Corro o risco de perder todas as vantagens que já consegui.

— É, mas não há outro remédio. Essas lesões são difíceis de curar. Precisa ter paciência.

Mila cerrou os punhos e tornou:

— Eles vão me pagar. Desta vez, quando eu voltar lá, será para agir com toda a minha força.

— Deite-se naquela cama que vou começar o tratamento.

Não era bem uma cama, mais parecia um catre velho e sujo. Mila obedeceu. Ele apanhou uma garrafa onde havia um líquido escuro, abriu-a e derramou um pouco sobre o local atingido. Mila gritou de dor e começou a praguejar.

— Cale-se — ordenou ele. — Aguente firme. Não gosto de ouvir gritos. Fico nervoso e não respondo por mim.

A dor continuava queimando seu braço, mas Mila mordeu os lábios e tentou obedecer. Sabia, por experiência própria, o que significava ele ficar nervoso. O remédio foi aguentar e ir até o fim.

Naquela noite, em casa de Dora, quando os dois sentaram-se à mesa para jantar, Fernando perguntou:

— Onde estão as meninas?

— Acho que no quarto.

— Por que não jantam conosco?

Dora olhou-o surpreendida. Tinha sido sempre assim e ele nunca dissera nada.

— Elas jantam antes. Luiza se levanta muito cedo para a escola e não pode dormir muito tarde.

— Precisamos mudar isso. De hoje em diante quero que elas sentem-se à mesa conosco.

— Por quê? Estão acostumadas dessa forma.

— Somos uma família. Quando meu pai era vivo, nós sempre jantávamos juntos. No almoço, podia variar porque cada um tinha seus compromissos, mas, no jantar, ele fazia questão.

— Você tinha muita afinidade com ele!

— É verdade. Hoje pensei várias vezes nele, senti saudades.

Dora olhou o marido surpresa, mas não disse nada. Fernando pareceu-lhe diferente. O que teria acontecido?

Ao lado de Fernando, olhando-os enternecido, estava o espírito de Otávio, seu pai. Fora ele quem expulsara Mila de lá. As palavras do filho o fizeram recordar-se dos tempos em que vivia na Terra. Não conteve as lágrimas.

As cenas daquele tempo apareceram em sua mente e, durante alguns minutos, ele reviveu os momentos felizes que vivera.

No entanto, tudo isso tinha ficado para trás e não adiantava nada se lamentar. Muitas vezes se arrependera por ter destruído sua felicidade pela maldade daquela mulher. Depois do que lhe fizera, ela agora queria destruir a vida de Fernando. Isso ele não ia permitir.

Depois que ele voltou para o astral, descobriu toda a verdade. Em uma encarnação anterior, quase cem anos antes, ele se chamava Nilo, era um homem muito rico e, ao conhecer Mila, uma jovem de beleza deslumbrante, apaixonou-se loucamente por ela. Cortejou-a, foi correspondido e se casaram. Nos primeiros tempos, tudo foi bem, mas três anos depois ele descobriu que estava sendo traído.

Surpreendeu os dois e, louco de ódio, atirou no rapaz, matando-o. Mila fugiu para outro país e, mais tarde, ele soube que ela levava vida desregrada, tinha vários amantes, os quais explorava.

O rapaz que ele matou era um jovem bonito, de boa família. Algum tempo depois, Nilo soube que ele era filho único e seus pais sofreram muito com sua morte. Soube também que, na época, o jovem estava noivo, pretendia se casar. Por fim chegou à conclusão de que tanto ele como o rapaz tinham sido usados por Mila. Ela, sim, era culpada de tudo.

Depois da morte, Nilo descobriu que, quando Mila voltou ao astral e tomou consciência, foi à procura do antigo amante, mas ele, arrependido por haver se envolvido com ela, desprezou-a, alegando que amava a noiva e era com ela que pretendia ficar.

Nilo arrependeu-se do crime e foi procurá-lo. Pediu-lhe perdão e se mostrou disposto a reparar o erro cometido, dando-lhe a chance de devolver-lhe a vida.

Tudo deu certo. Otávio nasceu, apaixonou-se por Nilce, uma boa moça, e tiveram dois filhos: Fernando e Clara. Foram felizes durante vinte anos até que ele conheceu uma mulher fascinante, que despertou nele uma louca paixão. Uma bailarina russa cujo nome era Vladimila. Tornaram-se amantes.

Algum tempo depois, ela foi embora do país e não deixou endereço. Desesperado, Otávio fez de tudo para encontrá-la, mas foi em vão. Tentando se acalmar, mergulhou na bebida, perdeu o gosto pela vida e anos depois acabou morrendo.

Quando regressou de novo ao astral, ele soube que Mila e Vladimila eram a mesma pessoa. Uma raiva surda tomou conta dele contra si mesmo por haver se deixado envolver duas vezes por ela e ter estragado sua vida. Jurou para si mesmo nunca mais deixar-se levar por uma paixão.

Arrependido de seus erros, Otávio esforçou-se por elevar seu espírito. Filiou-se a uma comunidade de progresso, para estudar as leis cósmicas, aprendeu a viver melhor, com vontade de evoluir e fazer felizes as pessoas que amava.

Ao descobrir que Mila, para vingar-se de Fernando, pretendia separá-lo de Dora, não conseguiu dominar o rancor e jogou sobre ela toda a sua revolta.

Otávio deixou a casa de Fernando e regressou à sua comunidade. Ao chegar à porta, não conseguiu entrar. Uma sensação de culpa o acometeu. Ao agredir

Mila, jogara fora todas as energias boas que conquistara com tanto esforço.

O portão abriu-se e Alípio estava diante dele.

— Mestre, perdoe-me. Errei, mas estou arrependido! Deixe-me entrar.

Alípio olhou-o nos olhos e respondeu com voz calma:

— Você pode entrar, mas precisa ficar algum tempo recluso nas câmaras de limpeza. Venha comigo.

Otávio foi conduzido a um corredor, depois a uma pequena sala, onde uma luz azul brilhava, e ele se emocionou:

— Mestre, quando vi aquela infeliz, que destruiu nossas vidas, querendo acabar com a felicidade de Fernando, perdi o controle.

— Eu sei o que sentiu. Mas quero que saiba que há outros meios para proteger Fernando. Hoje passará a noite aqui. Amanhã virei buscá-lo. Você vai ter de aprender a lidar melhor com as energias poluidoras sem se contaminar. Essa é a forma de se fortalecer, aumentar suas defesas de maneira correta.

— Obrigado, mestre. Farei tudo para isso!

Alípio se foi. Otávio sentou-se na cama, pensativo. Depois de tanto esforço para conquistar um pouco de paz, em poucos segundos ele havia regredido, perdido tudo. Sentia-se como um barco perdido em meio a uma tempestade.

Deitou-se e rezou, pedindo o auxílio de Deus. Ele não queria mais sofrer. Havia descoberto que, em outras dimensões, muitas pessoas vivem felizes e, para conquistar uma vida dessas, teria que amadurecer, aprender a tomar conta de si mesmo, dirigir a própria vida com responsabilidade e escolher o bem maior.

Em sua mente, como um filme, reviveu o passado em todos os detalhes. Muitas vezes, desde que regressara ao astral, havia feito isso com o propósito de tomar consciência de seus erros e evitar uma recaída. Mas sempre colocara toda a culpa em Mila. Ele e Fernando tinham sido vítimas da maldade dela.

Desta vez, foi diferente. Assistindo às cenas dos acontecimentos, notou detalhes que antes não havia percebido. À medida que assistia, notou que Mila sempre fora uma mulher leviana e não se esforçava para encobrir isso. Vaidosa, ambiciosa, venal, ela se atirava em aventuras sem se importar com os sentimentos dos outros.

Envergonhado, Otávio recordou ter percebido os pontos fracos dela. Ainda assim, insistira em casar-se com ela, pensando que depois do casamento a faria mudar. Mas ela não mudou, continuou sendo como sempre fora.

Uma sensação desagradável tomou conta de Otávio, que se sentou na cama, nervoso. Ele também tinha sido culpado. Preferira fechar os olhos para satisfazer sua paixão e acabara se tornando um assassino.

Passou as mãos pelos cabelos nervosamente. Mila era uma mulher sem escrúpulos e só podia dar no que deu.

Ele estragara sua vida, infelicitara duas famílias, ao unir-se a uma mulher como ela. Ela era uma pessoa cujos valores eram falsos, mas ele, que sempre se vangloriava de ser um homem de bem e tivera a ajuda de pais bem formados, deveria ter se controlado, não entrando naquele romance extraconjugal.

Descobrir essa verdade deixou-o deprimido. Ele também não tinha moral para agredi-la daquele jeito. Lágrimas

de arrependimento banharam seu rosto, e ele soluçou durante algum tempo. Depois ajoelhou-se e pediu:

— Senhor, não quero mais agir dessa forma! Inspire-me, ajude-me a ser forte. Quero me tornar digno, ficar no bem e conquistar a paz. Sei que ainda não tenho condições de ajudar os que amo, mas estou disposto a fazer tudo para me tornar uma pessoa melhor e poder auxiliá-los de alguma forma.

Depois disso, sentiu-se menos oprimido. Deitou-se de novo e finalmente conseguiu adormecer.

Capítulo 6

No dia seguinte, Dora acordou bem-disposta. Olhando o marido adormecido, emocionou-se recordando os momentos de amor que tinham vivido durante a noite e aconchegou-se a ele com carinho.

Ela notou que Fernando estava diferente, interessado nela, nas filhas, como nos primeiros tempos. O que teria acontecido? Fosse o que fosse, o fato era que ele voltara a ser o mesmo de antes. Deixou-se ficar ali, abraçada a ele, usufruindo o momento, com receio de que, ao acordar, ele voltasse a ser como antes.

Fernando abriu os olhos e, vendo-a em seus braços, beijou-lhe a testa, dizendo:

— Que bom estar aqui com você! Não via a hora de voltar. Não quero mais ficar fora tantos dias. Vou ver se consigo estar mais tempo em casa.

— Que bom! Nós sentimos muito sua falta.

— É que fui eleito duas vezes com expressiva votação. O povo votou em mim, quero fazer o que lhes prometi.

Dora lembrou-se das palavras de Márcia, a cartomante: "Por que não tenta interessar-se pelos projetos dele? Garanto que lhe daria toda a atenção e teria prazer em conversar com você".

— Em campanha você prometeu muitas coisas, mas será que vai conseguir cumprir?

— Não é fácil, mas estou tentando.

— O que foi que lhes prometeu?

— Fazer leis que ajudem a viver melhor. Um deputado é representante do povo. É eleito para fazer leis que melhorem a qualidade de vida.

Dora meneou a cabeça negativamente:

— De que adianta se as pessoas não cumprem as leis e sempre encontram uma forma de burlá-las?

Fernando sentou-se na cama e olhou firme nos olhos de Dora quando respondeu:

— Está vendo como é difícil? Por esse motivo é que as coisas estão como estão.

— Em nosso meio, ouço as pessoas reclamando da burocracia e das leis complicadas que cada um interpreta como lhe convém.

— Ah! Até você sabe disso. Não pensei que prestasse atenção a essas coisas. Você sempre diz que odeia política.

Dora tentou contemporizar:

— É que não vejo vantagens em trabalhar tanto, ficar longe da família para fazer leis em favor do povo, que não as leva a sério. Por isso é que eu gostaria que você tivesse escolhido outra profissão.

— Então é isso que você pensa? Sei que muitos não respeitam as leis, mas há os que fazem o contrário e se beneficiam delas. Nós precisamos conscientizar o povo de que as leis existem para melhorar a sociedade.

— Se é assim, por que tantas pessoas se queixam delas?

— Porque se habituaram a fazer como querem, sem pensar que estão indo pelo caminho mais difícil ou prejudicando os outros.

Dora pensou um pouco e replicou:

— De fato, as pessoas são egoístas. Mas, se você não tomar conta de sua vida, vai ser passado para trás pelos desonestos.

— Aí está, é a falta de educação, de entender como o mundo funciona. Nós fazemos parte da sociedade e, quando ela vai mal, fatalmente seremos prejudicados de uma forma ou de outra. Se quisermos ter uma vida boa, sermos bem-sucedidos em nossos negócios, precisaremos, além de cuidar dos nossos interesses, zelar para que a sociedade melhore. Só quando entendermos isso é que as coisas vão melhorar de fato. Trabalho por esse ideal. Escolhi ser deputado para ter mais condições de influenciar nesse processo.

Fernando proferiu essas palavras com entusiasmo, seus olhos brilhavam, e Dora percebeu que ele estava determinado. Embora não sentisse o mesmo entusiasmo, ela entendeu que a cartomante tinha razão. Se quisesse aproximar-se mais do marido, seria melhor se interessar pelo assunto.

— Sinto-me orgulhosa. Você é um idealista.

Fernando suspirou levemente, beijou-a delicadamente na face e completou:

— Fico feliz que tenha entendido.

— Vou prestar atenção. Quero entender como é isso.

Levantaram e pouco depois desceram para o café.

Era domingo. O dia estava ensolarado. Margarida e Luiza já tinham tomado café e estavam brincando no jardim. Podiam-se ouvir as risadas das duas.

Fernando abriu a porta e chamou-as. Elas se aproximaram caladas.

— Venham sentar-se à mesa conosco — pediu ele.

— Nós já tomamos café — esclareceu Margarida admirada.

— Sentem-se assim mesmo. Vamos conversar.

As duas entreolharam-se admiradas e obedeceram em silêncio.

Fernando continuou:

— Nós não temos conversado muito nos últimos tempos, por causa do meu trabalho. Tenho estado fora muitos dias. Gostaria de ficar mais com vocês, saber como estão os estudos, trocar ideias.

Notou que ambas estavam constrangidas. Enquanto se servia de café com leite e passava manteiga no pão, Fernando perguntou com naturalidade:

— Margarida, você terminou o colegial. Já decidiu que curso quer fazer?

— Talvez seja bom parar. Não sei se serei capaz de fazer uma faculdade.

Fernando olhou nos olhos dela quando observou:

— Claro que é capaz. Por que pensa que não vai conseguir?

A voz dela tremia um pouco ao responder:

— Não sou muito inteligente.

Dora interveio:

— Por que diz isso? Você nunca repetiu o ano!

— Sempre passei raspando. Sou grata por tudo que já fizeram por mim. Fazer faculdade é muito caro... Não quero que gastem mais dinheiro comigo... Tenho medo de não conseguir...

Dora franziu a testa, um pouco irritada, mas não teve tempo de responder, porque Fernando levantou-se, foi ter com Margarida. Colocou a mão sobre o ombro dela asseverando com voz firme:

— Não acredite nisso, Margarida. Você é uma moça forte. Não deixe que as dificuldades por que passou na vida a prejudiquem. O conhecimento é uma bênção. Você, que tem chance de estudar, precisa aproveitar o que a vida está lhe oferecendo.

Os olhos de Margarida brilharam, e seu rosto cobriu-se de rubor. Fernando prosseguiu:

— Eu tenho andado ocupado, negligenciado meus deveres de pai, mas, de hoje em diante, farei tudo para cuidar de vocês duas. Vamos conversar muito, estudar juntos e vocês vão aprender!

Os olhos de Margarida se encheram de lágrimas, que ela se esforçou por conter, mas desceram por suas faces. Envergonhada, ela pediu licença e saiu apressada.

Luiza, aflita, ia atrás dela, porém Fernando a impediu:

— Ela está emocionada, deixe-a só. Vai passar.

A menina olhou-o triste e acrescentou:

— Você fez Margarida chorar. Não gosto mais de você!

As lágrimas rolavam por suas faces. Dora ia intervir, mas Fernando não lhe deu tempo. Pegou a filha no colo, enxugou suas lágrimas com carinho e esclareceu:

— Não foi nada disso. O que eu disse tocou o coração dela. Seu choro foi de emoção e foi bom.

A menina olhava-o hesitante e ele completou:

— Vá falar com ela e verificar se estou certo.

Em seguida, colocou-a no chão. Luiza saiu correndo para procurar Margarida. Com calma, Fernando sentou-se novamente e começou a tomar seu café. Dora não se conteve:

— Não entendo Margarida. Isso me incomoda. Ela treme por qualquer coisa, fica assustada, com medo. Fez mal em encorajá-la. Não creio que seja mesmo capaz de fazer um curso superior.

— Não gosto de prejulgar ninguém. Principalmente uma menina que perdeu a mãe e o pai muito cedo, viveu alguns anos em um orfanato e teve uma infância infeliz. Nós a adotamos e somos responsáveis por ela. É nosso dever fazer tudo para que ela se desenvolva e seja feliz. Afinal, agora ela só tem a nós. Somos seus pais.

Dora olhou o marido admirada. Fernando parecia outra pessoa. O que teria acontecido para ele mudar tanto?

— Eu tenho procurado fazer o que posso com ela.

— Sei disso, minha querida. Mas eu não. Sinto que não posso trabalhar pela educação dos outros enquanto em minha própria casa uma moça, pela qual sou responsável como pai, permanece sem o apoio que merece.

Dora não respondeu. Estava contente por ele se interessar mais pela família e, principalmente, por ter prometido ficar menos tempo fora. Era o que ela mais queria.

Luiza entrou no quarto de Margarida e, vendo-a sentada na cama, com as mãos cobrindo o rosto, aproximou-se e colocou suas mãos sobre as dela, perguntando:

— Você está chorando por causa de meu pai?

Margarida segurou as mãos dela, beijou seus dedinhos com carinho e respondeu:

— Não, querida. Ele foi tão bom comigo! Eu é que sou uma boba.

— Você não é boba nada! Eu gosto muito de você e não quero que fique triste e chore.

— Não estou chorando de tristeza, mas de saudade. Meu pai falava comigo da mesma maneira, e eu me lembrei dele.

Luiza abraçou-a, beijando seu rosto com carinho:

— Ele está lá no céu, mas eu estou aqui.

— Ainda bem. Não sei o que seria de mim se Deus não tivesse me colocado aqui, com você.

— Você não vai chorar mais?

— Não. Vou voltar lá e pedir desculpas. Fui indelicada com seu pai.

— Nosso pai. Ele disse que é seu pai também.

— É... Vamos lá.

Elas voltaram à copa. O casal ainda estava à mesa. Margarida parou diante deles hesitante:

— O que foi, Margarida? — indagou Dora.

— Quero me desculpar por ter saído daquela forma.

— Ela se lembrou do pai e sentiu saudades — informou Luiza.

— É...

— Não precisa se desculpar. Nós entendemos. Sentir saudades das pessoas que amamos é natural — tornou Fernando, olhando-a firme nos olhos.

Rosto corado, Margarida continuou:

— O senhor pode escolher um curso para mim e eu prometo me esforçar muito para não decepcioná-lo.

Fernando sorriu e seus olhos brilharam ao explicar:

— Não é assim que funciona, Margarida. Você é quem precisa escolher o curso, de acordo com a sua vocação.

Ela arregalou os olhos admirada:

— Mas eu não sei se tenho vocação...

— Claro que tem. Ela está guardada dentro do seu coração e é preciso descobrir qual é.

Ela hesitava e ele seguiu:

— Mas eu vou ajudá-la a descobrir. Eu prometo.

Margarida suspirou aliviada e seu rosto distendeu-se em um sorriso:

— Nesse caso, vai dar certo. E se mesmo assim eu não conseguir?

— Se pensa assim antes de começar, não vai conseguir mesmo. Você precisa ser mais otimista, acreditar que pode.

— Bom, eu garanto que vou me esforçar.

— Vamos voltar ao jardim — pediu Luiza puxando-a pela mão.

— Vamos sim. Com licença.

Elas saíram e Dora comentou:

— Foi a primeira vez que vi Margarida manter uma conversação sem tremer.

— Sabe, Dora, eu tenho visto muitas coisas. Em campanha, visitei orfanatos, vi muitas crianças que perderam ou nem conheceram os pais. Elas são tímidas, medrosas, têm dificuldade para se expressar. Margarida passou por situações que deixaram sua marca. A insegurança dela pode ser uma consequência.

— Mas ela já está conosco há cinco anos. Tem recebido todo apoio. Está uma moça, já era tempo de ter vencido tudo isso.

Fernando ficou pensativo durante alguns segundos, depois, olhos perdidos em um ponto indefinido, comentou:

— Talvez tenha lhe faltado amor, carinho.

Dora fixou-o surpreendida e respondeu:

— Nós lhe dispensamos o mesmo tratamento de nossa filha. Às vezes penso que ela pode ser um tanto retardada.

— Não creio. Ela não repetiu nenhum ano na escola. Parece que ela está insegura em relação a nós. Tem medo.

— Ela não tem nenhum motivo para isso. Nunca a castigamos, nem a forçamos a nada. Você está enganado.

— Com a irmã ela age de forma diferente. É dedicada, amorosa, tanto que Luiza a adora. Estava observando as duas sem que me vissem. São muito carinhosas uma com a outra.

— Não sei se é bom esse apego. Luiza prefere a companhia dela à nossa. Afinal, nem irmãs de sangue elas são.

— A afinidade não depende do parentesco. Elas têm uma cumplicidade, que é o mais importante. Eu tenho estado muito tempo fora de casa e, quando estou aqui, nunca me dediquei a elas como deveria, mas você também não lhes dá muita atenção.

Dora franziu o cenho irritada:

— Faço o que posso. Nada lhes falta, mas não tenho paciência para ficar brincando com elas.

Fernando não respondeu logo. Ficou pensando, calado, e Dora sentiu uma ponta de receio. Não gostava quando ele adotava aquela postura. Tinha impressão de que estava sendo excluída de sua vida.

Ele continuava calado e ela tornou:

— Tenho a impressão de que você está insinuando que não sou boa mãe.

Arrancado de seus pensamentos íntimos, ele respondeu:

— Não disse isso, mas nem eu nem você somos pais amorosos e presentes.

— O que deu em você? Por que está dizendo isso?

— É que de repente tive a sensação de que estou sendo um pai omisso. Não gostei de me sentir assim.

— Você está errado. Nós temos dado às nossas filhas tudo que podemos, proporcionamos a elas uma vida muito boa, equilibrada. Nada lhes falta. Agimos melhor do que certos pais que cobrem os filhos de mimos e os estragam.

Fernando sorriu ao dizer:

— Você arranjou um jeito para atenuar as coisas. Mas de hoje em diante vou me interessar mais pelas nossas filhas. Há mais de cinco anos adotamos Margarida e até hoje ainda não a conheço bem. Não sei o que ela deseja, o que pensa, seus medos, seus sonhos. Como vou poder ensinar-lhe alguma coisa, ajudá-la a vencer seus desafios?

— Você me surpreende...

— Seria muito bom se você fizesse o mesmo.

— Não sei como. Para ser franca, nestes cinco anos com Margarida, tenho tido dificuldade em lidar com ela. Tenho a impressão de que entre nós há uma barreira. Ela é muito fechada. Nunca me procurou para pedir conselho, e eu respeito. Ela veio para cá já crescida. Teria sido diferente se a tivéssemos adotado quando bebê.

— Você a escolheu justamente porque, na idade dela, ninguém a adotaria. Fizemos bem. Ela merece, é dedicada, nunca nos deu problema. Nós não tínhamos experiência e não soubemos derrubar a barreira emocional dela. Mas ainda é tempo para resolvermos isso.

— Eu não sei como.

— Eu vou conversar mais com as duas, saber como pensam, o que desejam. Principalmente Margarida, que precisa encontrar seu caminho na vida. Quero que estude, mas que o faça por vocação. Que tenha prazer em aprender. Quero que você me ajude. Converse com as duas sobre outros assuntos. Sempre a vejo só dando ordens. Nunca as vi trocando ideias sobre nada. Você fala, elas ouvem e fazem.

— Do jeito que você fala, parece que sou ruim. Não tenho muito jeito para o que você deseja.

— Tente, Dora. Conte histórias a Luiza, troque ideias com Margarida. Estou certo de que você saberá fazer isso e vai se divertir muito com elas. Reparou como elas riem quando estão juntas?

Dora não teve coragem para revelar que ela se irritava com as risadas das duas. Sorriu e respondeu:

— Farei o possível.

— Ótimo.

Ele a beijou na testa e foi atrás das duas no jardim.

Fernando parou na porta da sala e ficou observando as filhas.

Luiza brincava com suas panelinhas. Margarida lia, sentada do lado. A menina chegou perto de Margarida segurando uma panelinha:

— Você precisa pôr a mesa. A comida está quase pronta.

Margarida parou de ler e respondeu:

— O que vamos ter hoje de almoço?

— Arroz, bife e salada.

Margarida abriu o pequeno armário e foi colocando os pratos e talheres na mesa. As duas estavam tão entretidas que não perceberam a presença de Fernando. Na pequena travessa Luiza colocara grama picada para fingir ser salada, em outra, grãos de areia simulavam o arroz, e o bife era feito de massinha plástica.

Margarida aproximou-se da mesa, serviu-se de salada, simulou comer e de repente reclamou:

— Você não lavou esta salada direito! Está cheia de bichinhos. A patroa é muito exigente e, se não tomar jeito, você vai ser mandada embora.

Luiza levantou as mãos, suplicante:

— Por favor, não conte nada a ela. Não posso ser mandada embora. Como vou sustentar minha filha?

Margarida começou a rir sonoramente:

— Você fez igual a Janete.

— Você estragou tudo, não era para rir.

— Sua cara estava tão engraçada... não deu para segurar!

Luiza tentava conter o riso e Margarida colocou um espelho diante dela, que soltou uma gostosa gargalhada.

Fernando aproximou-se delas dizendo:

— Esse almoço sai ou não sai? Estou com muita fome.

As duas o olharam admiradas. Luiza ficou séria e respondeu:

— Vai demorar. Tenho que fazer outra salada.

— Margarida, você sabe cozinhar? — indagou ele.

— Muito pouco.

— Não é verdade. Ela sabe fazer bolo, panqueca, pipoca, suco e muito mais. Tudo muito gostoso — apressou-se a informar Luiza.

— Quando eu era criança, minha irmã pegava frutas e alguns alimentos na copa para brincarmos. Eu era o pai, ela a mãe e a boneca a filha. Era muito divertido — comentou Fernando.

— A Janete não deixa porque mamãe fica zangada com ela. Diz que nós fazemos muita sujeira. Se você quiser brincar, eu posso ser a mãe, você o pai, e Margarida a filha — disse Luiza.

Margarida olhou-a escandalizada e Fernando riu gostosamente.

— Vou pensar nisso — respondeu satisfeito.

Dora apareceu na porta e ele foi ter com ela:

— Tinha me esquecido de como é bom ser criança.

— Não vejo nada de bom nisso. Eu não via a hora de crescer e tomar conta da minha vida.

— Pois eu tive uma infância muito boa e sinto saudade daqueles tempos. Agora vou subir para trabalhar um pouco.

— Hoje é domingo! Você vai trabalhar mesmo?

— Vou ler um livro que um colega sugeriu e tem a ver com os meus projetos. Só até a hora do almoço. Depois estarei à disposição.

Ele subiu e Dora foi à cozinha dar as ordens para o almoço.

Capítulo 7

Mila remexeu-se na cama, nervosa. As feridas doíam, ardiam, impedindo-a de descansar. Fazia mais de um mês que estava em tratamento, mas não melhorava.

"Desta vez os remédios do Dirso não estão funcionando. Isso não pode continuar", pensou. "Talvez seja bom procurar alguém melhor. Mas quem?"

Ela conhecia alguns curadores, mas não confiava neles. Só trabalhavam em regime escravo. Ela gostava de ser livre. Não queria ficar reclusa, tendo de fazer tudo que eles mandavam.

Ao pensar nisso, sua raiva contra Otávio crescia. Quando estivesse bem, iria dar-lhe o troco. O miserável não podia dar-se ao luxo de agredi-la daquele jeito e ficar impune.

O ardume das feridas aumentou, e Mila decidiu procurar o Dirso. Foi até ele, que, ao vê-la, comentou:

— Desta vez está difícil! Em vez de melhorar, você fica pior!

— Seus remédios não estão fazendo efeito como das outras vezes. Será que está perdendo seus poderes?

— Você se mete em encrencas cada vez maiores e quer jogar a culpa em cima de mim? Se não confia em minha capacidade, saia, vá procurar outra pessoa. Não vou tratar mais de você.

Mila esforçou-se para controlar a raiva:

— Não me abandone, Dirso. Estou sofrendo muito. Por favor! Você sabe que sei retribuir muito bem quem me ajuda.

Ele ficou pensativo durante alguns segundos, meneando a cabeça negativamente:

— Não sei. Você é uma ingrata. Há um mês estou me dedicando e você ainda se queixa...

— É que está doendo muito... Não estou duvidando da sua capacidade, mas não melhorei nada... Por que será?

Dirso olhou-a sério e respondeu:

— Acho que desta vez você ultrapassou os limites.

— Como assim? Eu fiz o mesmo de sempre.

— Acho que você abusou demais. Quando acontece isso, o remédio não funciona. É hora do ajuste.

— Nem diga uma coisa dessas! Já não basta o que tenho sofrido?

— Por que não esquece essa paixão louca e cuida de sua vida de outra forma? Você pode encontrar outro amor e recomeçar. Se quiser, sei quem pode arranjar isso para você.

— Eu nunca precisei de ninguém para me arranjar um homem. Não vai ser agora. Eu quero o Fernando. Aquela sonsa não vai tirá-lo de mim. Ele será meu nem que eu tenha de apressar a vinda dele.

— Não entre nessa cilada! Ele não quer nada com você!

— Nunca! Fernando não vai escapar, será meu para sempre.

Dirso deu de ombros:

— Faça como quiser. A vida é sua. Não diga depois que não avisei.

— Eu preciso que você me ajude a ficar boa de novo.

— Vou pesquisar o seu caso e ver o que posso fazer. Deite-se na maca. Vou passar um creme que vai aliviar um pouco, pelo menos enquanto tento encontrar uma solução.

Mila deitou-se tentando controlar a irritação. Sabia por experiência própria que não devia provocar a raiva de Dirso. Ele ficou ao lado dela, olhos fechados durante alguns segundos, depois sentenciou:

— Não vai dar. Nem adianta tentar.

Mila sentou-se aflita:

— Como assim? Garanto que não vou me queixar mais. Você não pode me abandonar. Nós temos uma parceria! Eu tenho trabalhado muito para você.

Dirso meneou a cabeça:

— Eu sei. Mas agora não depende de mim. É melhor procurar outros recursos.

Mila olhou-o com raiva. Dos seus olhos saíam raios de energia escura que envolveram Dirso. Ele deu um pulo para trás, gritando, nervoso:

— Saia já daqui! Estou cansado de você, não quero mais ver sua cara!

Vendo que ela continuava na sua frente, apanhou uma arma que estava sobre a mesa, apontou para ela que, assustada, saiu rapidamente.

Fora, o ar estava pesado. Ela respirou com dificuldade e arrependeu-se de tê-lo desafiado. Mas sabia que de nada valeria voltar e pedir perdão. Pensou em Otávio, sentindo a raiva aumentar. Ele era o culpado de tudo que estava passando.

Sentou-se em uma pedra na beira do caminho, corpo ardendo, pernas pesadas. De repente ficou mais claro e ela viu dois homens caminhando em sua direção. Pareciam pessoas do campo, roupas simples, aspecto comum.

Pararam perto dela e um deles a abordou:

— Você está se sentindo bem?

— Não é da sua conta. Deixem-me em paz.

— Meu nome é Mário, gostaria de ajudá-la — explicou o outro.

Ela o olhou de alto a baixo e respondeu:

— Vocês não podem me ajudar. Vão embora.

— Eu tenho o remédio para curar a sua dor.

Mila levantou-se, colocou as mãos na cintura, desafiadora:

— Não acredito. Vocês estão querendo me enganar.

— Posso provar.

Mário colocou a mão espalmada sobre o braço dela. Da mão dele saiu uma luz verde que foi envolvendo a ferida. Em seguida o ardume passou como que por encanto.

Maravilhada, ela quis saber:

— Quem são vocês? Como fizeram isso?

— Nós somos curadores. Estamos aqui para ajudar os que sofrem.

Ela se afastou, um pouco assustada:

— Vocês não me enganam. Fazem magia, me iludem, querem me prender como fizeram a muitos. Comigo, não! Não quero nada com vocês! Vão embora, deixem-me em paz.

— É uma pena. Nós podemos ajudá-la a melhorar. Você está cansada de sofrer. Sua dor no braço passou.

Mila viu que no lugar onde a luz verde caíra, além de a dor cessar, a pele estava normal. Olhou-os um tanto desconfiada:

— É verdade. Vocês são poderosos, a dor passou mesmo, sem usar nenhum remédio. Mas as outras feridas continuam doendo muito. O que vocês querem para me curar completamente?

— Nós, nada. Mas, para que fique completamente curada, terá que se internar no hospital da nossa comunidade.

Ela olhou para eles assustada:

— Vocês querem é me prender nesse lugar para me fazer de escrava. Isso eu não aceito. Sou uma mulher livre!

— Você está escrava da doença e da dor — anunciou Mário. — Nós estamos lhe oferecendo a libertação. Mas terá de pagar o preço.

— Eu sabia! Ninguém dá nada de graça! O que vão querer de mim?

— Ao aceitar o tratamento, você terá que ficar no hospital até ter alta. Quando se curar, poderá sair e ir para onde quiser. Essa é a única condição.

Ela ficou pensando durante alguns segundos. As dores continuavam fortes. Olhou o braço onde antes havia uma ferida que ardia e decidiu:

— Eu não estou mais aguentando tanta dor. Eu aceito as condições, mas desde já esclareço: se, depois que eu estiver curada, vocês não me deixarem ir embora, eu não vou aceitar. Vocês vão provocar uma guerra. Tenho amigos influentes que irão me libertar de qualquer jeito.

— Não se preocupe. Tudo será como dissemos. Depois de curada, você estará livre para ir embora. Vamos.

Mário chamou e imediatamente apareceram mais dois enfermeiros carregando uma padiola, onde Mila se deitou. Em alguns segundos eles deixaram o local.

Durante o trajeto, Mila, apesar das dores e do mal-estar, foi relaxando até que adormeceu.

Pouco depois chegaram a um prédio antigo, cercado por altos muros. Mário acionou um botão, o portão se abriu, eles entraram, conduziram-na a uma sala e a colocaram na cama. Ela continuava dormindo, mas seu sono era agitado e sua respiração pesada.

Uma enfermeira entrou. Mário, vendo-a, disse:

— Foi difícil, Ofélia. Ela ainda está muito perturbada. Mas, pelo menos, conseguimos trazê-la.

— Obrigada. Sei que o caso é grave. Pedi e Bartolomeu nos permitiu fazer uma tentativa, mas com a ressalva de que o tratamento poderá não dar o resultado que gostaríamos. Ela ainda está muito imatura.

— Vamos ter fé. É difícil saber até que ponto uma pessoa pode resistir. Se veio a permissão, é sinal de que há alguma chance de ela reagir melhor.

— Tem razão. De minha parte farei tudo para sensibilizá-la e tocar-lhe a alma.

Mário olhou-a comovido e respondeu:

— Não há nada que o amor não consiga curar.

Ele saiu. Ofélia ligou um aparelho que havia sobre a cama e a sala toda ficou iluminada por uma luz azul, enquanto uma energia suave pairava no ar.

Depois, ela sentou-se ao lado da cama, colocou a mão direita sobre a testa de Mila e começou a orar, pedindo a intervenção espiritual para ela.

Ofélia lembrava-se do passado, quando Mila fora sua filha. Ela havia errado muito, mergulhado na maldade, e Ofélia, em vez de ter tido compaixão, tê-la auxiliado, além de omitir-se, havia mergulhado na crítica, na revolta e no orgulho.

Tinha acontecido havia muito tempo, e agora, mais amadurecida, Ofélia reconhecia sua falha, arrependia-se, mas era tarde. Mila havia entrado em um círculo vicioso difícil de sair. Ela, bonita, exuberante, apaixonou-se por Fernando violentamente. Ele, jovem impetuoso, ficou fascinado por ela durante algum tempo, mas, quando a ilusão passou, ele sentiu que não a amava e não se deixou mais envolver por ela. Mila não aceitou a separação, e sua paixão por ele tornou-se uma obsessão. Inescrupulosa, ela usou várias artimanhas para prendê-lo sem conseguir.

Durante muitos anos, Mila não soube onde ele estava, mas não desistiu e continuava procurando. Só pensava nele, desejava encontrá-lo, certa de que ainda conseguiria reconquistá-lo.

Fernando havia mudado, evoluído, nem se recordava mais da antiga paixão. Arrependido dos abusos que cometera naquele tempo, fez o que pôde para esquecer e dedicou-se a aperfeiçoar seus conhecimentos a respeito da vida, do espírito e da evolução. Tendo se elevado espiritualmente, a vida o protegera do assédio de Mila durante muito tempo.

Entretanto, apesar de haver mudado, melhorado, seu relacionamento com Mila não fora resolvido de maneira adequada. Ela fora responsável por tudo que fizera com ele, por outro lado, ele também alimentara o desequilíbrio dela e contribuíra para que ela se afundasse naquela situação. Havia ainda uma ligação que precisava ser modificada para que cada um se libertasse e pudesse seguir um caminho melhor.

Quando o tempo mostrou que o espírito de Mila já estava cansado de tanto sofrer e Fernando havia amadurecido o bastante, ela ainda no astral, ele reencarnado, a vida permitira que ela o encontrasse, para que cada um enfrentasse a situação e pudessem solucioná-la de forma que beneficiasse a ambos.

Ofélia estava pronta para auxiliá-los como pudesse, mas sabia que os resultados dependeriam das escolhas e atitudes de cada um.

Depois da oração, ela sentiu-se mais confiante. Olhando a fisionomia de Mila, notou que seu rosto estava mais distendido e sua respiração mais calma.

Horas depois, Mila ainda dormia, quando um homem alto, moreno, rosto jovem, que contrastava com seus cabelos grisalhos, entrou na sala. Ofélia levantou-se para recebê-lo.

Bartolomeu aproximou-se, colocou a mão sobre a testa de Mila e ficou alguns minutos em silêncio. Depois constatou:

— Ela tem piorado. Mais um pouco e não nos seria possível intervir.

Ofélia suspirou triste e ele continuou:

— Mas vamos tentar. Há uma possibilidade, ainda que pequena, de ela sensibilizar-se. Lembre-se de que o amor vence todos os obstáculos.

— Estou disposta a auxiliar. Tudo farei para que ela desperte e se liberte desse círculo vicioso. Tenho carregado o peso da culpa e há tempo venho pedindo que me seja permitido reencarnar na Terra e recebê-la novamente como filha. Estou certa de que, se me derem essa oportunidade, conseguirei educá-la melhor. Talvez o senhor possa interferir em nosso favor.

Bartolomeu olhou-a sério e respondeu:

— Tenha paciência. O que lhe garante que hoje a situação seria diferente? Aqui tudo fica mais claro. Você conhece o passado, mas, vivendo no magnetismo terrestre, esquecida do que foi, as emoções se misturam. Se ainda não lhe foi concedido o que pediu, é porque não está na hora. Seu sacrifício não beneficiaria nenhuma das duas.

Ofélia baixou a cabeça, triste, depois fixou seus olhos nos dele e perguntou:

— O que me aconselha?

— Agradeça a Deus por colocá-la aqui, permitir que você a auxilie. Não sabemos por quanto tempo terá essa chance.

— O que posso fazer aqui, agora?

— Não rememore o passado, jogue fora a sensação de culpa, limpe seu coração, fortaleça seu espírito na fé e no bem, ligue-se com a luz. Depois, cultive todo o amor que sente por ela, derrame-o como um bálsamo sobre as feridas que ela materializou. Acredite, o amor incondicional vence todo o mal.

Lágrimas desciam pelas faces de Ofélia, que segurou a mão de Bartolomeu, levando-a aos lábios, e depois disse:

— Obrigada por ter me lembrado. Vendo-a nesse estado, perdi a calma. Eu estava errada. Não tenho ainda condições de reencarnar ao lado dela. O senhor está certo. Vou fortalecer-me, tornar-me uma pessoa melhor para ter condições de auxiliá-la.

Bartolomeu passou a mão com carinho nos cabelos dela, dizendo com voz suave:

— Faça isso, minha filha. Lembre-se de que é apenas uma questão de tempo. O progresso é fatal para todos os seres. A hora dela chegará.

— É verdade. Não vou mais me queixar.

— Fazendo isso, se sentirá melhor e ainda a beneficiará. Mila dorme, mas seu sono não é tranquilo. Seu espírito está angustiado, inquieto, contaminando o ambiente. Vou pedir ao grupo de socorro que venha renovar as energias. Ambas ficarão bem.

— Obrigada.

Ele se foi. Ofélia sentou-se ao lado da cama, sentindo-se mais calma e disposta a não se deixar mais contaminar pelas recordações tristes do passado. Cada vez que um pensamento negativo surgia em sua mente, ela não lhe dava importância e procurava recordar momentos bons, coisas positivas.

No começo não foi muito fácil, mas ela continuou firme nessa intenção e aos poucos notou que o ambiente foi se tornando mais leve, e a respiração de Mila, mais serena.

Aliviada e mais confiante, Ofélia fez uma prece agradecendo a Deus pela ajuda recebida. Em seu coração havia a certeza de que um dia tudo se resolveria pelo melhor.

O domingo amanheceu bonito. Margarida levantou-se apressada. Tomou um banho e arrumou-se alegre. Era dia de festa. Luiza completava dez anos. Tudo estava preparado para a comemoração logo mais, à tarde, quando a aniversariante receberia os convidados.

Diante do espelho, Margarida se olhou satisfeita. Seus olhos brilhavam, havia muita vida neles. Seus gestos, mais espontâneos, não lembravam de forma alguma a menina medrosa que estremecia e chorava por qualquer coisa.

Antegozando a alegria de Luiza com as surpresas que lhe estavam reservadas na festa, ela sorria feliz.

Desde que Fernando se dedicara mais às suas tarefas de pai, as coisas haviam mudado. Ele se esforçava para estar em casa o máximo que podia e, mesmo trabalhando distante, encontrava tempo para telefonar, inteirar-se de como elas estavam e orientá-las nos estudos.

Dora, apesar de feliz por ele estar mais em casa, irritava-se vendo-o permanecer a maior parte do tempo conversando com as filhas. Mas se controlava para que ele não notasse. Ela gostava de representar o papel de mãe dedicada. Na presença dele esforçava-se para isso, porém, quando ele se ausentava, ela continuava como sempre fora.

Luiza ressentia-se disso e muitas vezes Margarida procurava fazer com que ela entendesse esse comportamento.

À medida que crescia, Luiza ia revelando um temperamento forte e apaixonado. Tinha para com Margarida e o pai um amor sem limites. Via-os como pessoas perfeitas. Quando Fernando viajava, as atitudes de Dora, implicando com tudo, deixavam-na revoltada e desabafava:

— Ela é muito falsa! Quer parecer boazinha na frente do papai, mas não gosta de nós. Qualquer dia desses vou contar como ela faz quando ele não está aqui. Não gosto dela!

Ao que Margarida contemporizava:

— Calma, Luiza. Dona Dora é sua mãe, você deve respeitá-la e entender como ela se sente na ausência do nosso pai. Ela gosta muito dele e fica triste quando ele não está.

— Se ela gostasse mesmo dele, não fingia. Eu não consigo mentir para ele, porque eu lhe quero muito bem.

— As pessoas são diferentes. Cada uma tem seu jeito de amar. Você precisa entender como é que ela expressa seu amor.

— Ela nunca expressa amor. Só implica com tudo que nós fazemos.

— Ela acha que fazendo isso está nos ensinando a sermos pessoas bem-educadas.

Margarida notara como Dora era insegura quanto ao amor do marido e não tinha paz. Percebia sua inquietação quando Fernando se ausentava e, penalizada, rezava pedindo a Deus que ela se acalmasse.

Apesar do temperamento de Dora, Margarida era-lhe muito grata por tê-la adotado e colocado Luiza no seu colo. Além disso, Fernando havia substituído o pai que ela perdera.

À medida que observava a nobreza dos seus sentimentos, sentia-se privilegiada por tê-lo como pai.

Com paciência, ele lhe ensinara a assumir seu lugar na vida, a acreditar que ela era inteligente, capaz de estudar, progredir, tornar-se uma pessoa de bem e sentir-se feliz. Conversava com ela sobre todos os assuntos, ouvia sua opinião, fazendo-a pensar e enxergar os vários lados possíveis de uma situação, para que ela pudesse escolher melhor e sentir-se segura em suas decisões.

Conforme aprendia, Margarida interessava-se muito pelos problemas da educação e decidira especializar-se nessa área. Ingressara na faculdade de pedagogia e estava para se formar. O fato de ter vivido em um orfanato, tido uma vida difícil, a fazia valorizar a oportunidade de estudar, progredir, para vir a ser uma pessoa melhor.

A preocupação maior de Fernando, como deputado, era com a educação. A escolha de Margarida o aproximou ainda mais dela. Passaram a conversar mais. Fernando expunha suas ideias, seus projetos, e ela, por sua vez, falava da sua experiência durante o tempo em que vivera no orfanato, as dificuldades e os problemas que havia presenciado e sentido pela falta de conhecimento.

Dora odiava quando os dois entravam nesse tema, para ela sem graça e inútil. Muitas vezes Margarida notava e procurava abreviar a conversa, mas Fernando entusiasmava-se e nem sempre ela conseguia seu intento.

— Quando você se formar, vou levá-la para trabalhar comigo. Vai ser minha assessora — dizia ele satisfeito.

Ao que Luiza protestava:

— Nada disso. Margarida não vai viajar com você. Eu não quero. Ela fica comigo. Nunca vou me separar dela!

— Nesse caso, eu levo você também. Nós vamos trabalhar os três juntos!

— Oba! Isso sim.

— Mas para isso você terá de estudar tanto quanto Margarida.

— Pode deixar, eu estudo.

Fernando comemorava com elas cada vitória que obtinham nos estudos. Luiza não gostava muito de estudar, mas Margarida tentava entusiasmá-la, tornando agradáveis os momentos em que ela precisava estudar, explicando-lhe de maneira alegre e criativa os pontos em que ela tinha mais dificuldade, despertando-lhe a curiosidade e fazendo com que ela descobrisse o prazer de aprender.

Dessa forma, Luiza, embora não fosse uma aluna brilhante, nunca repetira um ano. Não passava despercebido a Fernando o jeito especial com que Margarida despertava o interesse em Luiza e pensava, satisfeito, que ela escolhera a carreira certa.

Margarida deu uma volta diante do espelho olhando-se satisfeita e sorriu imaginando a alegria de Luiza logo mais na festa. Depois desceu pensando em vistoriar os preparativos e verificar se tudo estava em ordem.

Dora deixara a organização da festa sob sua responsabilidade. Fernando convidara alguns casais amigos, pessoas importantes no meio social, e Dora desejava se preparar devidamente para recebê-los.

Margarida foi até a copa e sentou-se para tomar café. Estava se servindo quando Luiza aproximou-se, e ela foi abraçá-la com carinho:

— Hoje é seu dia! Quero que seja muito feliz!

As duas ficaram abraçadas durante alguns segundos, emocionadas. Depois Margarida continuou:

— Ainda é cedo, você deveria descansar para ficar mais bonita do que nunca.

— Eu sei, mas acordei e não consegui dormir de novo. Estou ansiosa.

Margarida sorriu e respondeu:

— É natural.

— Eu quero ajudar você e ver o que estão preparando.

— Tudo vai ser do jeito que você pediu. Será uma festa linda!

— Eu convidei minha professora nova. Quero que a conheça. Você vai adorá-la!

— Se você gosta, também vou gostar. Agora sente-se e tome seu café.

— Estou sem fome.

— Nada disso. Tem de se alimentar para ficar corada e linda.

Luiza sorriu e concordou. Sentou-se e, enquanto comiam, as duas conversavam sobre a festa de logo mais.

Capítulo 8

Pouco depois das quatro horas, os convidados começaram a chegar. Fernando e Dora davam as boas-vindas a todos enquanto Luiza, olhos brilhantes de emoção, recebia os cumprimentos e os presentes, auxiliada por Margarida. Esta se encarregava de mandar levá-los para o quarto da aniversariante, onde os pacotes seriam abertos, arrumados sobre a cama, para que os convidados pudessem apreciá-los, como era costume, e ela os agradecesse mais uma vez.

A tarde estava fresca e agradável, o céu azul e sem nuvens. Enquanto as crianças se entretinham, brincavam, os adultos, acomodados na sala de estar, elegantemente decorada para a ocasião, conversavam alegres e despreocupados.

No sofá, Dora conversava com Rute e Júlia. Do outro lado da sala, Fernando, satisfeito, observava a alegria de Luiza com as amigas, o vaivém de Margarida entre elas, a animação dos presentes.

Geraldo, marido de Rute, sorrindo, aproximou-se de Fernando, dizendo:

— E então, doutor Fernando, como vão as coisas lá em Brasília?

Apanhado de surpresa, Fernando sorriu e respondeu:

— Como sempre, doutor Geraldo. Aliás, pelo que sei, o senhor é sempre bem informado, talvez saiba mais do que eu.

— Nem tanto. Mas eu estava ansioso para conversar com você. Vamos nos sentar.

Fernando procurou esconder a contrariedade, sorriu e acomodou-se na cadeira ao lado dele. Ele não simpatizava com Geraldo e só o recebia por ser marido da amiga de Dora. Embora Geraldo não pertencesse a nenhum partido, vivia circulando pela Câmara e mantinha um relacionamento íntimo com certos parlamentares. Ele não sabia bem o que Geraldo ia fazer lá. Imaginava que, como advogado, ele prestasse serviços a algumas empresas e lá estivesse cuidando dos interesses delas.

— Bonita sua festa. Luiza está muito feliz — começou ele, sorrindo.

— Obrigado.

— Não desejo ser importuno, não é hora para este assunto. Mas eu gostaria que me recebesse em seu escritório em Brasília para tratar de um assunto importante e, acredito, será do seu interesse.

— Infelizmente tenho estado muito ocupado com um projeto urgente e não poderei atendê-lo pessoalmente, mas meu assessor o receberá com prazer. Eu o avisarei da data.

— O meu assunto é muito importante e eu gostaria de falar diretamente com você. Afinal, somos amigos, prometo que não tomarei muito do seu tempo.

Fernando olhou-o sério e respondeu:

— No momento é impossível. Espero que compreenda. Meu assessor é sério e competente, trabalha comigo há anos. Ele poderá atendê-lo com atenção e presteza.

Geraldo franziu o cenho, tentando não deixar a irritação transparecer, adoçou a voz e insistiu:

— Em nome da nossa amizade, não me recuse esse simples favor!

Pelo tom da voz, pela insistência forçando uma situação desagradável, Fernando ia responder quando ouviu a voz do seu amigo, doutor Emiliano, marido de Júlia, dizendo:

— De cá um abraço, Fernando! Parabéns para a nossa menina!

Ele estava em pé na sua frente, braços abertos estendidos. Fernando, aliviado, levantou-se sorridente, abraçou o amigo e respondeu:

— Estava sentindo sua falta! Júlia me disse que não sabia se você viria.

— De fato, vida de médico, sabe como é. Tive uma chamada de urgência, mas não poderia faltar. Mas, pelo que estou vendo, a festa está animada! As meninas estão se divertindo muito.

Em seguida segurou no braço de um rapaz que estava do seu lado, dizendo:

— Este é o doutor Ernesto. Filho de um amigo meu. Veio do Rio para trabalhar em São Paulo e está hospedado em minha casa. Tomei a liberdade de convidá-lo para sua festa.

Fernando sorriu, estendeu a mão replicando:

— Fez muito bem! Seja bem-vindo, espero que goste da nossa cidade.

— Obrigado, gosto muito de São Paulo. Sinto que serei muito feliz aqui.

— Assim é que se fala! — tornou Emiliano sorrindo.

Os três embalaram em uma conversa animada. Geraldo, procurando esconder a raiva, foi ter com Rute, que conversava com duas senhoras. Vendo-o chegar, pediu licença e aproximou-se do marido, falando baixinho:

— Pela sua cara, vejo que não deu certo. Eu disse que ele não era fácil.

— Ele me esnobou. Mas eu sei esperar. Ele vai chegar aonde eu quero.

— Cuidado. Eu já lhe avisei, ele é durão. É melhor procurar outro. Fernando não vai entrar na sua.

— Eu sei o que estou fazendo. Você vai ver.

Rute balançou a cabeça pensativa. Sabia que, quando Geraldo queria uma coisa, não desistia. Ela temia que ele acabasse criando algum caso com o marido de Dora e viesse a ser malvisto por eles. Ela se orgulhava muito de ser amiga deles. Preferia que ele nunca tentasse envolver Fernando em suas atividades, nem sempre elogiáveis.

Enquanto isso, Fernando continuava conversando com seus amigos. Chamou as filhas para que os cumprimentassem.

Elas se aproximaram, e Luiza abraçou Emiliano exclamando:

— Padrinho! Estava sentindo sua falta!

— Eu queria passar este dia todo com você, mas, como não foi possível, vamos aproveitar o tempo.

Luiza pensou um pouco e respondeu:

— Eu gostaria de ficar aqui com você, mas tenho de dar atenção a todos os convidados.

— Você é uma mocinha muito educada — voltando-se para Margarida, Emiliano continuou: — Como vai, minha querida?

— Muito bem, doutor. Feliz por vê-lo em nossa casa.

Emiliano apresentou-lhes o amigo, que entregou para Luiza um pequeno pacote, caprichosamente embrulhado, cumprimentando-a pelo aniversário, e apertou a mão de Margarida.

Conversaram durante alguns minutos, depois Luiza puxou Margarida para conversar com suas amiguinhas. Enquanto elas circulavam pela casa, ora falando com uns, ora com outros, Margarida sentia que os olhos de Ernesto estavam fixos nela.

Não era a primeira vez que um rapaz a olhava com certo interesse; no entanto, ela nunca dera importância a nenhum deles. Com Ernesto estava sendo diferente. Ela não sabia definir o que estava sentindo. Era um misto de satisfação misturada a uma sensação de medo, inquietação.

"Isso não se justifica", pensou, tentando controlar o que sentia. Ernesto era um rapaz elegante, alto, bonito, olhos grandes, pele clara, lindo sorriso. Talvez tenha se impressionado pelo seu charme.

Depois do parabéns, os garçons serviam bolo aos convidados, mas Luiza fez questão de servir, ela mesma, aos seus amigos, e Margarida a ajudou. Enquanto Luiza entregava o prato a Emiliano, Margarida entregou o seu a Ernesto, que agradeceu, sorriu e, olhando-a fixamente, indagou:

— De onde nos conhecemos?

— É a primeira vez que nos encontramos. Você deve ter se confundido.

— Eu morava no Rio. Você costuma ir para lá?

— Não, não conheço o Rio.

Luiza puxou-a para continuarem circulando, e Margarida a seguiu pensando nas palavras dele. Tinha certeza de nunca tê-lo encontrado antes, mas como explicar as sensações fortes que sua presença estava lhe causando?

Luiza aproximou-se de Júlia, dizendo:

— Madrinha, escolhi o melhor pedaço para você!

— Obrigada, querida! Estou muito honrada.

Margarida entregou o prato com bolo para Olívia. Júlia olhou-a e falou sorrindo:

— Quero lhe apresentar o doutor Ernesto. Ele é filho de um amigo de Emiliano, veio do Rio, está morando em nossa casa. É médico e um excelente rapaz.

— O doutor Emiliano já nos apresentou — respondeu Margarida.

Olívia interveio:

— Ele é novo na cidade, não conhece ninguém. Papai pediu-me para introduzi-lo em nossa roda de amigos. Estou pensando em fazer uma reunião informal em casa, por estes dias. Posso contar com sua presença?

— Vamos ver, farei o possível.

— Nada disso. Não aceito uma recusa. Assim que marcar a data, eu ligo e você terá que ir. Sempre que organizo alguma coisa e a convido, você tem uma desculpa. Acho que não gosta de ir à nossa casa.

O rosto de Margarida cobriu-se de rubor. Ela se esforçava para gostar de Olívia, por amor aos seus pais, mas não se sentia à vontade do lado dela. Não gostava da maneira maldosa como ela se referia a certas pessoas e evitava sua companhia. Respirou fundo e justificou-se:

— Não é nada disso. Eu sou mesmo retraída, prefiro ficar em casa. Não tenho muita disposição para sair.

— Assim que marcar a data, vou avisá-la e não aceitarei uma recusa.

— Está bem, irei.

Margarida afastou-se, e Luiza comentou:

— Não gosto dela! Tem o nariz empinado, acha que é dona do mundo!

— Não diga isso, Luiza. Olívia é uma boa moça, e você não deve ficar falando isso. Se seus padrinhos a escutarem, ficarão muito tristes.

Luiza bateu levemente na boca:

— Prometo que não falo mais. Mas que ela é isso tudo, isso é!

Margarida meneou a cabeça, sorriu e propôs:

— Vamos ver se os presentes estão arrumados. É hora de os convidados subirem.

Tudo estava bem exposto sobre a cama, e elas pediram aos convidados que fossem apreciá-los. As amiguinhas de Luiza chegaram primeiro, as senhoras pouco depois. Luiza agradecia cada presente e oferecia para cada pessoa uma caixinha contendo um cartão, agradecendo a presença, e um chocolate. Os homens, como de hábito, continuaram conversando na sala.

Quando todos desceram, Luiza distanciou-se com as amigas, e Ernesto aproximou-se de Margarida, comentando:

— Você se dá muito bem com Luiza. Mesmo com as amiguinhas, ela está sempre à sua volta.

— Eu vim para cá quando ela nasceu, temos afinidade. Luiza é amorosa, inteligente. Sinto prazer em conversar com ela.

Pelos olhos de Ernesto passou um lampejo de emoção quando disse:

— É muito bom ter alguém para compartilhar nossos sentimentos.

Margarida sorriu e comentou:

— Luiza foi o anjo que Deus colocou do meu lado para trazer alegria à minha vida!

— Eu gostaria de ter uma irmã como você!

— Você é filho único?

— Não. Tenho um irmão mais velho.

Luiza aproximou-se, pendurou-se no braço de Margarida, reclamando:

— Você está demorando... Não combinamos de fazer aquele ensaio?

— Vocês já se prepararam?

— Já.

— Então vamos — voltando-se para o rapaz: — Com licença.

Luiza arrastou-a para a varanda, onde algumas meninas esperavam ansiosas.

Margarida gostaria de ter conversado mais com Ernesto, mas Luiza não lhe deu tempo. A fim de não perturbar os convidados que conversavam na sala, Margarida reuniu as seis meninas e os três meninos presentes e levou-os para o pequeno salão de estudos no jardim. Fez um círculo com as cadeiras e, depois de ver todos acomodados, anunciou:

— Cada um de vocês tem vários talentos, mas há sempre um que é o preferido. Cada um vai dizer o que lhe dá mais prazer de fazer.

Eles ficaram pensativos e Luiza tornou:

— O que eu mais gosto mesmo é de cantar.

— Mas cantar sem o acompanhamento de um instrumento musical? Como poder ser? — questionou um menino.

— É verdade... — concordaram os outros em coro.

— Não seja por isso — tornou Margarida.

Levantou-se, abriu um armário, pegou o violão e foi aplaudida com entusiasmo. Acomodou-se e perguntou:

— Que música vocês querem cantar?

Todos responderam ao mesmo tempo citando várias músicas em voga, formando um tumulto.

— Cada um vai falar na sua vez. Tem que ser uma música que todos saibam. Vamos cantar juntos! Vocês conhecem esta?

Aos primeiros acordes de *Carinhoso,* as meninas começaram a cantar, enquanto os dois meninos, mais tímidos, cantarolavam baixinho.

Margarida parou de tocar:

— Cantar é muito bom. Para cantar bem, ficar bonito, temos de ensaiar e saber soltar a voz. Vocês querem aprender?

Todos concordaram e Margarida começou a trabalhar com cada um orientando-os. Aos poucos, os mais tímidos, encorajados por ela, foram se soltando e, quando ela julgou o momento certo, incentivou:

— Agora vamos todos juntos. Com sentimento em cada palavra.

Ela começou a tocar, e as vozes se misturaram, primeiro com certo receio, mas, à medida que sentiam a beleza da melodia, integraram-se com prazer. Quando a música acabou, olhos brilhantes de emoção, ficaram em silêncio.

Margarida bateu palmas com entusiasmo:

— Muito bem! Quero que cada um me conte o que sentiu.

Com entusiasmo, cada um falou sobre os sentimentos que a música despertara. E queriam mais.

— Vamos cantar a mesma música para que não se esqueçam.

Eles se entretiveram a tal ponto que, quando alguns dos pais foram chamá-los, não queriam ir embora. Margarida prometeu que marcaria outro dia para continuar a ensiná-los a cantar. Mas os convidados insistiram em ouvi-los, e Margarida não se fez de rogada.

Sentou-se novamente com o violão e esclareceu:

— Foi apenas o primeiro ensaio. Eles podem melhorar muito mais. Vamos mostrar a todos o que vocês aprenderam.

Ela começou a tocar, eles começaram com timidez, e Margarida parou e pediu:

— Esqueçam onde estão, fechem os olhos, sintam a música e o prazer de cantar.

Ela recomeçou a tocar e desta vez eles soltaram a voz. Os presentes também se sentiram tocados pela beleza da melodia.

Quando terminaram, todos os convidados estavam na sala e aplaudiram com entusiasmo.

Margarida teve de lhes prometer que marcaria outro dia para continuarem ensaiando.

Os convidados foram se despedindo. Júlia e Emiliano ficaram um pouco mais, usufruindo o ambiente agradável com prazer. Enquanto o casal conversava animadamente com Dora e Fernando, Ernesto aproximou-se de Margarida:

— Você tem muito jeito para lidar com crianças. Elas adoraram.

— A música eleva o espírito e toca o coração.

Olívia aproximou-se:

— Não sabia que você tocava e cantava. Sempre que nos encontramos é tão retraída... Na próxima semana vou marcar uma reunião em casa. Leve o violão.

— Não toco tão bem. Brinco com Luiza, me atrevi a tocar com as crianças, mas não estou preparada para fazê-lo diante das pessoas.

— Por que você sempre recusa meus pedidos? Você vai levar o violão e tocar sim.

Margarida olhou-a séria e respondeu com voz firme:

— Não espere por isso.

Olívia meneou a cabeça negativamente, ia responder, mas Ernesto foi mais rápido:

— Eu gostei de ouvi-la cantar, apreciaria ouvi-la de novo. Mas você tem todo o direito de não querer se expor.

— Quem canta é porque deseja mostrar seus dons. Você é que gosta de se fazer de rogada. Mas não vou insistir. Faça como quiser.

Ernesto olhou para Olívia, tentando dissimular a contrariedade. Convivendo com ela havia alguns dias, já tinha percebido sua falta de tato. Disse com delicadeza:

— Espero vê-la em breve. Tem certeza mesmo de que não nos conhecemos?

Margarida sorriu:

— Nesta vida, tenho. Mas quanto às vidas passadas... quem sabe!

— Que disparate, Margarida! Só você para sair com essa! Vidas passadas... — comentou Olívia.

Os pais de Olívia aproximaram-se para despedir-se e Ernesto segurou a mão de Margarida, dizendo baixinho:

— Pode ser! Eu acredito em outras vidas.

Os olhos de Margarida brilharam, mas ela não teve tempo de responder. Júlia lhe estendeu a mão para despedir-se:

— Adorei o que você fez hoje com as crianças! Elas ficaram tão comportadas!

Depois que todos se retiraram, Margarida foi para o quarto com Luiza a fim de arrumarem os presentes e deixar tudo em ordem. As duas sabiam que Dora gostava de ver tudo organizado.

Enquanto colocavam cada coisa em seu lugar, em dado momento Luiza fixou Margarida:

— Pensa que eu não vi? O Ernesto não tirava os olhos de você! Está caidinho!

O rosto de Margarida cobriu-se de rubor, e Luiza não se conteve:

— Você notou! Claro. E gostou! Eu observei que você o seguia com os olhos, quando ele não estava olhando.

— É melhor não ficar repetindo isso pela casa. As pessoas poderão achar que é verdade. O que aconteceu é que eu sou parecida com alguém que ele conhece e ele ficou confuso. Só isso!

— Pode dizer o que quiser, mas ele ficou muito interessado em você.

— Vamos mudar de assunto.

— Você vai mesmo a essa reunião na casa da Olívia?

— Não sei. Ainda não decidi.

— É melhor não ir. Ela gosta de aparecer.

— Se eu for, gostaria que fosse comigo.

— Oba! Eu adoraria. Afinal, já sou quase uma mocinha.

— Só não sei se sua mãe vai permitir.

— Ela gosta de criar caso. O que tem demais? Adoro a madrinha.

— Eu não deveria ter dito nada. Esqueça isso. Já arrumamos tudo. Vou descer e ajudar Janete na arrumação.

— Estou cansada.

— A festa é sua, e você até há pouco estava muito bem-disposta. Vamos descer sim. A festa foi muito bonita e você deve agradecer a todos que trabalharam nela.

Janete já havia arrumado quase tudo. Na sala, Fernando e Dora conversavam satisfeitos.

Naquela noite, quando todos estavam recolhidos, Margarida, deitada, pensava em Ernesto e se perguntava por que sua presença despertara tantas emoções, mas não encontrava resposta.

Em suas orações, pediu a Deus que a protegesse como sempre fizera. Por fim, cansada e em paz, adormeceu.

Capítulo 9

O dia amanheceu chuvoso. Dora revirou-se na cama sem coragem de levantar. Sempre que Fernando se ausentava, ela se deixava ficar desanimada, insatisfeita. Espreguiçou-se entediada, pensando que o tempo ia custar a passar até que ele voltasse, no fim da semana.

Virou para o lado tentando dormir de novo. Mas o sono não vinha. Por que tinha que ser assim? Sabia de outros deputados que ficavam mais tempo com a família, mas Fernando nunca faltava. Às vezes tinha a sensação desagradável de que ele gostava mais de ficar em Brasília do que com a família.

A esse pensamento, sentiu-se inquieta. Uma onda de irritação a acometeu e ela decidiu levantar, enfrentar o dia. Sentia o corpo pesado, e tinha a impressão de que o tempo ia demorar muito para passar.

Mas reagiu. Tomou um banho, arrumou-se e decidiu descer para o café. Ao passar diante do quarto de Luiza, ouviu risadas e, nervosa, abriu a porta repreendendo:

— Não se pode dormir com esse barulho! Por que não se comportam como pessoas educadas?

As duas olharam o rosto contraído de Dora. Margarida apressou-se em desculpar-se. Mas isso não bastou para acalmá-la:

— Estou com dor de cabeça e não quero ouvir mais nenhum ruído.

Ela desceu. Luiza fez uma careta imitando-a. Margarida segurou o riso, tentou ficar séria e disse:

— Ela tem razão. Somos muito espaçosas. Vamos falar mais baixo para não incomodá-la.

— Ela sempre fica com raiva quando papai vai viajar, e nós pagamos o pato.

— Ela fica triste, sente saudades dele.

— Mas nós não temos culpa por ele ter de viajar...

Margarida sacudiu a cabeça, olhou-a séria e respondeu:

— Nós somos boas filhas e devemos fazer tudo para que ela se sinta bem. Vamos descer e brincar lá fora.

— Está chovendo, você esqueceu?

— Não, mas podemos ficar no salão e estudar um pouco.

Luiza fez uma careta enjoada, mas concordou. Elas desceram. Janete olhou para Margarida e disse:

— A Olívia está no telefone, quer falar com você. Ela já ligou duas vezes, é melhor atender antes que dona Dora se zangue. Ela está de mau humor.

Margarida apanhou o telefone contrariada, mas tentou ser amável:

— Alô, Olívia, como vai?

— Por que você não atende quando eu telefono? É a terceira vez que eu ligo.

Margarida controlou a raiva:

— Desculpe. Tenho andado ocupada. Por que está me ligando?

— Quero convidá-la para vir aqui em casa no próximo sábado. Convidei alguns amigos para apresentar o Ernesto.

Margarida hesitou um pouco, e ela insistiu:

— Conto com você. Traga o violão.

— Farei o possível.

— Nada disso. Você não pode me deixar na mão. Quero que nossa festinha seja um sucesso.

— Está bem. Irei com Luiza.

— É melhor vir sozinha. Ela é criança e vai atrapalhar.

— Ela está na idade de começar, não vai atrapalhar porque é muito bem-educada. Só vou se ela for.

— Está bem... Mas não esqueça o violão.

— Quanto a isso, não sei... Não me sinto à vontade para tocar diante dos outros.

— Bobagem! Nossa reunião é informal, entre amigos. Depois, ninguém que eu conheço entende de música. Tocou com os meninos, e meus amigos já sabem que você toca. Diga que vai tocar!

Margarida suspirou e prometeu:

— Está bem. Se você faz tanta questão, eu toco.

— Então combinado. Sábado às quatro horas. Seja pontual.

Margarida concordou e desligou o telefone. Dora aproximou-se:

— Com quem você estava falando tanto?

— Com Olívia. Ela vai fazer uma reunião sábado à tarde e convidou a mim e a Luiza. Pediu para levar o violão.

— Você pode ir, mas Luiza é melhor ficar.

Luiza, que estava radiante com a ideia de ir a uma festa de pessoas mais velhas, não se conteve:

— Por quê? Eu quero ir.

— Você ainda é criança para ir a festinhas de gente mais velha.

— Mas eu estou com saudades da madrinha! Depois, sei me comportar. Margarida vai levar o violão. Olívia deve ter convidado os meninos que vieram à minha festa. Eles querem cantar com Margarida, e eu quero ir.

Dora fixou Margarida e perguntou:

— Você vai mesmo a essa festinha?

— Se a senhora permitir, vou. Olívia insistiu muito que eu leve o violão.

Dora pensou um pouco, olhou para Luiza, depois para Margarida e tornou:

— Está bem. Pode levar Luiza, mas só porque é em casa de Júlia.

Luiza pulou de alegria, segurou a mão de Dora, dizendo eufórica:

— Obrigada, mamãe. Vou me comportar muito bem. Pode acreditar.

— Não sei, não. Com toda essa gritaria, começo a me arrepender de deixar.

Margarida apressou-se em comprometer-se:

— Vou tomar conta dela. Pode deixar.

Dora afastou-se. Margarida e Luiza foram para o quarto de fora. Assim que fechou a porta, ela questionou:

— De onde você tirou a ideia de que no sábado os meninos estariam na casa da Olívia?

Luiza hesitou um pouco, depois respondeu:

— Bem... ela insistiu tanto para levar o violão, então eu pensei que fosse por causa deles...

Margarida, mãos na cintura, olhava-a tentando esconder o riso:

— Você mentiu, sabe muito bem que eles não vão estar lá. Eu não gostei do que você fez. Eu só não disse nada para não aborrecer sua mãe, que está mal-humorada hoje.

— Que roupa você vai vestir para essa festa?

— Ainda não sei.

— Esta festa é especial. Você precisa estar bem bonita.

— Vou me arrumar como sempre.

— Eu vi como o doutor Ernesto olhava para você e percebi que você também estava de olho nele. Tenho certeza de que Olívia vai convidar mais mocinhas do que rapazes. Elas vão dar em cima do Ernesto o tempo todo. Ele é elegante, bonito.

— Você está se tornando muito fofoqueira. Nós só nos vimos uma vez. Além disso, ele ficou me olhando porque imaginou que nos conhecíamos. Não ouviu ele me perguntar isso? Vamos esquecer o assunto. Você já fez o dever de casa?

— Ainda não. É cedo.

— Nada disso. Faça primeiro a lição, depois, se der tempo, poderemos brincar um pouco.

Enquanto Luiza lentamente dispunha os cadernos e começava a estudar, Margarida apanhou um livro, sentou-se e começou a ler, mas sua atenção não conseguia fixar-se na leitura. Seu pensamento estava em Ernesto.

Ela não estava com vontade de ir a essa festa. Gostaria de encontrá-lo em outro lugar, sem os mexericos e a presença das amigas de Olívia, que ela conhecia e de quem não fazia nenhuma questão de aproximar-se.

Várias vezes Olívia a convidara para reuniões em sua casa, mas, apesar de Júlia insistir que ela comparecesse, Margarida não apreciava esses encontros. Os assuntos eram sempre sem graça ou maldosos, tecendo comentários sobre a vida alheia. Margarida achava aquilo pura perda de tempo e preferia ocupar-se de coisas que lhe davam prazer.

Entretanto, a presença de Ernesto, apesar de tudo, tornava esse encontro mais interessante. Pressentia que, conforme Luiza dissera, as outras moças ficariam em torno dele e, como ela não sentia vontade de entrar nessa concorrência, não teria oportunidade para conversar com ele.

O sábado amanheceu chuvoso. Luiza, assim que acordou, levantou-se de um salto. Aproximou-se de Margarida, que ainda dormia, colocou a mão em seu braço e chamou:

— Acorda, Margarida. É tarde.

Margarida abriu os olhos e tornou:

— O que foi, Luiza? Aconteceu alguma coisa?

— É hora de levantar. Hoje é o dia da festa. Temos que nos preparar. Eu já escolhi meu vestido. E você, vai vestir aquele novo que papai trouxe e nunca usou?

Margarida olhou o relógio de cabeceira:

— São só sete horas! É muito cedo. Sossega, vamos dormir mais um pouco!

Luiza sacudiu a cabeça negativamente:

— Nada disso. Eu me arrumo rápido, mas você hoje precisa caprichar. Talvez seja bom ir ao salão do Miguel, arrumar o cabelo e fazer uma maquiagem. A mãe da Mirela vai sempre lá. Você viu como ela é linda? Parece até uma artista de cinema.

— Pare com isso, Luiza. Nós vamos a uma simples reunião na casa da tia Júlia e não precisamos de nada disso.

Luiza sentou-se na cama amuada:

— Puxa vida, Má! Você não se anima com nada. Já viu como as amigas da Olívia são? Você precisa ficar mais linda do que elas.

Margarida sorriu, balançou a cabeça, sentou-se na cama ao lado de Luiza e, olhando-a nos olhos, disse:

— Nós não vamos a uma competição. Eu vou me arrumar sim, mas do meu jeito. E você me parece eufórica demais com essa reunião. Estou quase arrependida de haver insistido para levá-la. Quero que você se porte de maneira natural e educada. Caso contrário, viremos embora logo e nunca mais a levarei comigo.

— Puxa vida, Má... Você é mais bonita que todas elas... Eu quero que você brilhe.

Margarida abraçou-a com carinho, alisou seus cabelos e continuou:

— Você gosta de mim, mas cada pessoa tem seu jeito de ser e, quando é verdadeira em suas atitudes, sincera, sendo aquilo que é, torna-se respeitada. Não é preciso que todos gostem de mim. Isso é impossível. Sempre haverá os que gostam e os que não. Isso é da vida. Você precisa aprender: por melhor que você tente ser, nunca conseguirá agradar a todos.

Luiza ficou pensativa durante alguns segundos, depois disse:

— Eu quero que todos gostem de mim. Sou uma boa menina.

— Mas você não gosta de todo mundo igual. Há várias pessoas que você não tolera.

Luiza olhou-a surpreendida, pensou um pouco e respondeu:

— Não gosto de quem é ruim, como minha professora de história. Dona Odete é implicante, fala difícil e, quando eu não entendo, ela fica brava. Não gosto dela mesmo.

— Ela está lá para lhe ensinar. Em vez de ficar com raiva, deveria prestar mais atenção quando ela fala para entender o que ela ensina. Não é fácil ficar diante de tantos alunos, a maioria desatenta, distraída, sem interesse de estudar. Não sei se eu teria paciência para isso.

Luiza tentou mudar de assunto:

— Vamos falar da festa. Você está querendo me confundir.

Margarida sorriu:

— Você sabe que não é isso. Preste atenção, você tem de aprender uma coisa: todos nós temos certa sabedoria, porém ainda não sabemos tudo. E, como ignoramos, acabamos errando de vez em quando. Mas podemos nos esforçar para não fazer o mesmo erro de novo. Entendeu?

— Eu entendi. Por que dona Odete ainda não entendeu isso?

— Porque ela estudou história, aprendeu e dá a sua aula do jeito certo. Já você, vai à escola para aprender, tem de prestar atenção quando ela fala. É só isso.

— Tá bom... agora chega. O tempo está passando e ainda não fizemos nada. Levanta...

Margarida sorriu:

— Vamos sim... Anda. Você precisa ficar muito linda para ir comigo hoje à tarde na casa de sua madrinha. Vamos logo. Por que está demorando?

Luiza saiu na frente correndo e Margarida atrás. No corredor, lembrando que Dora ainda dormia, ela fez sinal para que Luiza se calasse e falou baixinho:

— Sua mãe está dormindo! Vamos sem fazer barulho!

Mais tarde, as duas, arrumadas, foram despedir-se de Dora, que estava na sala de estar, tentando prestar atenção no livro que tinha nas mãos, mas seu pensamento estava longe. Imaginava o que Fernando estaria fazendo àquela hora, longe de casa, diante das mulheres bonitas que circulavam em volta, sempre interessadas em pendurar-se em alguém como seu marido.

As duas ficaram paradas diante dela, que levantou os olhos. Vendo-as prontas para sair, franziu o cenho e perguntou:

— Vocês vão mesmo a essa reunião da Olívia?

— Você nos deu permissão — apressou-se a responder Luiza, com medo de que ela tivesse mudado de ideia.

— É, eu disse que Margarida poderia ir, quanto a você... não sei se será adequado. Não é um ambiente para crianças.

— Já completei dez anos e você falou que sou uma mocinha.

Dora lembrou-se de quando tinha essa idade e uma vontade muito grande de ser adulta. Sorriu e respondeu:

— Está bem... podem ir. Quanto a você, espero que se comporte mesmo como uma mocinha.

— Pode deixar, mãe. Serei uma *lady*.

— Peça ao motorista para vir falar comigo antes de ir. Divirtam-se.

Luiza não se conteve, deu um sonoro beijo na face da mãe e saiu correndo para chamar o José.

Depois de mais algumas recomendações, finalmente elas foram para a casa de Olívia. Conforme Margarida esperava, não era uma simples reunião de amigos, mas uma festa. A casa estava muito bem decorada e lá estavam muitas pessoas, algumas das quais Margarida sequer conhecia. Olívia recebia a todos com elegância e estava rodeada pelos seus amigos mais próximos, que circulavam ao redor dela, elogiando-a o tempo todo.

Margarida não gostava desse grupo. Essa atitude parecia falsa, soava mal. Mas Olívia adorava ter esse séquito à sua volta. Por esse motivo é que ela não gostava de frequentar esses encontros.

Vendo-as entrar, Margarida segurando o violão, Olívia aproximou-se dizendo:

— Finalmente você veio! Trouxe o violão. Que bom! — e voltando-se para os amigos continuou: — Vocês precisam ver, Margarida toca e canta muito bem.

— Olívia exagera. Não sou cantora. Estou estudando violão.

Algumas das moças crivaram Margarida de perguntas, querendo saber que músicas ela sabia tocar. Falavam todas ao mesmo tempo e Margarida já começava a arrepender-se de ter ido.

Foi quando Ernesto aproximou-se:

— Com licença, posso cumprimentar as moças?

O grupo abriu a roda e Ernesto estendeu a mão:

— Como estão?

Luiza fez pose e com um leve sorriso estendeu a mão.

— Como vai, doutor Ernesto?

— Muito bem e feliz porque você veio nos ver. E você, Margarida, como está?

Ela apertou a mão dele e tentou sorrir:

— Bem... Mas um tanto surpresa. Não esperava uma recepção como esta. Se me dão licença, gostaria de cumprimentar dona Júlia.

— Ela está na outra sala. Fique à vontade.

Ernesto as acompanhou. Assim que as duas entraram, Júlia, que conversava com um casal e o marido, levantou-se para abraçá-las.

— Ainda bem que vieram. Eu sei que você é uma pessoa mais reservada e não gosta da agitação que eles fazem.

— Eles são muito alegres e gostam do que fazem. Já eu sou um tanto tímida. Mas vim para enfrentar as feras. Só vim cumprimentá-los, vou ficar com eles.

Ernesto olhou-a e havia um certo brilho de malícia em seus olhos quando ele disse divertido:

— Eu as acompanho! Posso colocar seu violão em lugar seguro e, quando for tocar, é só pedir.

— Obrigada. Espero que se esqueçam desse detalhe.

— Eu não. Estou ansioso para ouvi-la de novo.

Margarida entregou-lhe o instrumento, que ele colocou em cima de uma poltrona, junto de Júlia, que se sentara de novo, continuando a conversar com os amigos.

Ao voltarem para a outra sala, Olívia aproximou-se:

— Quero apresentá-las a algumas pessoas que ainda não conhecem. Venham comigo.

Elas acompanharam Olívia e, enquanto eram apresentadas a algumas pessoas, Margarida sentia o olhar de Ernesto seguindo-as.

Mais à vontade, conversou com algumas pessoas que lhe pareceram mais naturais e notou logo que elas não tinham o hábito de frequentar a casa de Olívia. Algumas eram colegas de Ernesto no hospital e haviam levado um acompanhante.

Logo percebeu o assédio das moças a Ernesto. Estavam em volta dele o tempo todo, querendo conversar, fazendo perguntas, e ela se divertia vendo o que elas faziam para chamar a atenção dele, que não se deixava envolver sem perder a elegância.

Olívia pediu para Margarida tocar, e Ernesto entregou-lhe o violão. Com naturalidade, ela se acomodou em uma cadeira, começou a dedilhar o violão e, vendo que as pessoas sentaram-se em volta, perguntou:

— O que querem cantar?

Pediram algumas canções em voga e ela começou a tocar uma bem conhecida. Duas moças e um rapaz começaram a cantar com timidez. Margarida parou:

— Cantar é um prazer e precisa ser feito com alma. Só assim vocês vão sentir a emoção que a música pode proporcionar. Vou começar de novo e espero que todos cantem. Tenho certeza de que esta música todos sabem.

Ela começou de novo e avisou:

— Vou cantar com vocês, mas, se não me acompanharem, eu desisto.

Ela começou a cantar e desta vez a maioria das pessoas a acompanhou. Quando a música acabou, ela comentou:

— Vamos fazer uma brincadeira. Se vocês gostam de cantar, não devem se privar deste prazer. Para isso, precisam fazê-lo da forma adequada. Querem tentar?

Foi aplaudida com entusiasmo. Da mesma forma que ela fizera com os meninos na festa de Luiza, fez com os convidados de Olívia, que adoraram sua forma alegre e natural de fazer com que eles aprendessem.

Ernesto olhava a cena, olhos brilhantes, admirando a capacidade que Margarida tinha de envolver as pessoas. Até aquelas eufóricas e estouvadas estavam atentas procurando fazer o que ela orientava. Parecia um milagre.

Olívia observava surpreendida. Sempre achara Margarida insignificante. Vendo todos à sua volta, pensou: "Eles não sabem que ela não é filha de Dora. É uma órfã, que só foi adotada para servir de ama a Luiza. Logo vão perceber que ela não tem classe".

Indiferentes ao que ela pensava, as pessoas prestavam atenção ao que Margarida ensinava, a encontrar o tom e colocar a voz. Meia hora depois, ela pediu:

— Agora vamos repetir essa música, todos juntos, e ver como ficou.

Todos começaram a cantar e foram se entusiasmando à medida que notavam que as notas saíam com facilidade e o som estava bonito. Quando terminaram, Júlia e os amigos estavam na sala aplaudindo muito.

— Que beleza! — comentou Júlia. — Não sabia que vocês cantavam tão bem.

— Margarida nos ensinou, madrinha — apressou-se a dizer Luiza, alegre com o sucesso dela.

Júlia olhou para Margarida elogiando-a:

— Você tem o dom de ensinar! Parabéns! Continuem, queremos ouvir.

— Talvez vocês prefiram conversar. Podemos continuar outro dia.

— Vamos continuar, por favor! Eu não sabia que podia cantar e sentir tanto prazer — pediu um rapaz.

— Eu também senti isso. Está tão bom! Vamos cantar outra — insistiu uma das moças.

Observando tudo, Olívia a custo dominava a irritação. Margarida estava roubando seu lugar. Ela fazia tudo para ser o centro das atenções e não podia aceitar o que estava acontecendo. O que a irritou ainda mais foi notar como Ernesto olhava fascinado para Margarida.

Ela não estava interessada em Ernesto, mas parecia-lhe um desaforo que justamente a insignificante Margarida lhe despertasse o interesse, enquanto todas as suas amigas o estavam disputando entre si.

Eles continuavam cantando com animação, ao mesmo tempo em que Olívia estava pensando em um jeito de acabar com aquele sucesso. Teve uma ideia que poderia dar certo.

Deixou a sala discretamente e foi ao telefone. Conversou com uma pessoa. Vinte minutos depois, chegaram três rapazes e ela se colocou no centro da roda, anunciando:

— Eu preparei uma surpresa que vocês vão adorar. Vejam. Eles tocam nos bailes, vieram animar nossa festa. Quero ver todos dançando!

Em um canto da sala, os três rapazes estavam com seus instrumentos, violão, clarineta, contrabaixo, preparando-se para tocar.

Júlia olhou admirada. Olívia não lhe dissera que havia contratado esses músicos.

Todos aplaudiram com entusiasmo. Margarida guardou o violão na caixa, e Ernesto aproximou-se:

— Vou guardar seu violão.

— Obrigada.

Pouco depois estava de volta.

O conjunto começou a tocar e alguns casais já começavam a dançar.

Ernesto aproximou-se de Margarida:

— Vamos dançar?

Ela olhou para ele surpreendida e revelou:

— Eu não danço muito bem. É melhor não arriscar.

— Não creio. Uma pessoa sensível como você já nasceu sabendo. Venha, vamos dançar.

Ele segurou a mão dela, enlaçou sua cintura e começaram a dançar. Era uma música romântica. Margarida sentiu uma forte sensação de prazer. Ele a conduzia com delicadeza e carinho, e ela sentia a respiração dele muito próxima do seu ouvido.

Seu coração batia forte. Ela fechou os olhos, emocionada, deixando-se levar, sentindo-se flutuar.

A uma certa altura, ele disse baixinho:

— Eu conheço você! Não sei quando, nem de onde, mas sinto que não é a primeira vez que abraço você!

Ela parou e respondeu:

— É tarde, preciso ir embora.

Ele olhou-a sério:

— Não fuja. Do que tem medo? Tenho a impressão de que você sente o mesmo que eu. Diga a verdade.

— Estou confusa. Não sei o que dizer. Desculpe, preciso ir.

Rapidamente ela saiu da sala, procurou Luiza, que estava observando os casais dançar, e disse:

— Vamos, temos de ir.

— Já?

— Sim. É tarde e sua mãe está sozinha. Vamos nos despedir de dona Júlia.

— Já vai? É cedo! — considerou Júlia.

— Precisamos ir. Mamãe está sozinha. Agradeça Olívia pelo convite. A festa está maravilhosa. Obrigada.

Elas se despediram e Ernesto aproximou-se segurando o violão.

— Obrigada por tudo — tornou Margarida sem fixá-lo.

— Foi um prazer. Voltaremos a conversar sobre aquele assunto.

Margarida não respondeu. Segurou a mão de Luiza, dizendo:

— Vamos. Mais uma vez, obrigada.

Elas saíram e Ernesto acompanhou-as até o carro onde o motorista as esperava. Luiza despediu-se dele estendendo a mão, Margarida entrou no carro e puxou Luiza para dentro.

O carro começou a andar, Margarida não se virou, mas tinha certeza de que Ernesto a estava olhando fixamente até desaparecerem.

Capítulo 10

Dora olhou no espelho e sorriu satisfeita. Estava linda. Havia comprado um vestido para a ocasião e sentia-se feliz. Depois de duas semanas de ausência, Fernando estaria de volta. Desceu as escadas antegozando o prazer de abraçá-lo e foi diretamente à cozinha para verificar o andamento do jantar caprichado que mandara preparar para recebê-lo.

Queria que ele se sentisse bem em casa e sonhava que ele se cansasse de ir trabalhar tão longe, desistisse daqueles projetos que nunca conseguia realizar. Por que insistir em uma coisa que nunca dera certo?

Não podia entender que um homem tão inteligente e instruído como ele perdesse tanto tempo com uma ideia que só ele desejava, mas seus colegas não faziam nada para apoiar. Aliás, ela não queria que seus projetos se concretizassem. Preferia que ele desistisse da política e se dedicasse ao trabalho privado.

No começo, ela se sentira orgulhosa por ele ser deputado, mas agora, depois de dois mandatos, sua prioridade era outra. Estava cansada de ficar sozinha enquanto ele participava dos acontecimentos na capital federal, onde certamente havia muitas mulheres bonitas, inteligentes, rodeando, ávidas por encontrar um amor que lhes rendesse destaque e posição social.

Sonhava com o momento em que ele chegasse e lhe dissesse que na próxima eleição não disputaria mais nenhum cargo público. Enquanto isso não acontecia, ela precisava esconder seus pensamentos íntimos.

Dora foi até a sala, onde Margarida, ao lado de Luiza, colocava um vaso com rosas vermelhas sobre a mesinha lateral do sofá.

Luiza não se conteve:

— Veja, mamãe, que lindo o arranjo que Margarida fez! Um dia eu ainda vou aprender arranjar as flores como ela.

— Está lindo mesmo. Estou vendo que você ainda não se arrumou. Quero ver você muito elegante. Seu pai não deve demorar. Vá com ela, Margarida.

Margarida levou Luiza para o quarto e ela reclamou:

— Mamãe acha que eu não sei me arrumar. Ela quer que eu vista aquelas roupas de criança. Eu já sou uma mocinha, quero vestir roupas mais modernas, como as moças que estavam na casa da Olívia.

— Tenha paciência. Você está no meio do caminho. É uma adolescente, mas ainda não é adulta. Não pode vestir-se como uma moça.

— Tenho dez anos, e o tempo parece que não passa. Não vejo a hora de crescer, ser como você, passar batom, usar salto alto, vestir-me na moda.

Margarida sorriu alegre:

— Mas o tempo está passando e um dia você chega aonde quer. Você tem lindos vestidos. Por que

não veste aquele que papai lhe deu no mês passado? Ele escolheu e vai ficar feliz por vê-la usando-o.

— Está bem. Estou com saudades dele. Você acha mesmo que ele vai gostar de me ver com esse vestido?

— Claro que sim.

Luiza vestiu-se, olhou-se no espelho e falou:

— Vou passar um pouco de batom, minha boca está muito sem cor.

— Nada disso. Seus lábios estão rosados e muito bonitos. Vamos cuidar dos seus cabelos e pronto.

Elas estavam descendo quando ouviram o ruído do carro entrando no jardim. Desceram as escadas correndo e encontraram Dora no hall, perto da porta principal.

— Vocês parecem duas crianças. Quando vão aprender a comportar-se como pessoas bem-educadas? Comportem-se. O que seu pai vai pensar?

As duas fizeram silêncio e colocaram-se um pouco atrás de Dora, conforme ela lhes ensinara. Quando ele voltava de viagem, ela queria ser a primeira a abraçá-lo.

Pouco depois, Fernando entrou sorrindo, e Dora correu para abraçá-lo.

— Seja bem-vindo, Fernando! Que saudade!

Ele correspondeu ao abraço e beijou-a na face, depois olhou as filhas mais atrás e foi até elas. Luiza atirou-se nos braços dele, que a apertou de encontro ao peito beijando repetidamente seu rostinho bonito. Depois, abraçou Margarida com carinho, beijou-a na testa, dizendo:

— Você está linda, Margarida.

— E eu? — reclamou Luiza.

— Você está maravilhosa com esse lindo vestido.

— Que meu pai me deu!

— Ficou muito bonito em você.

Dora aproximou-se, passou o braço no do marido enciumada e perguntou:

— Por que desta vez você demorou tanto? Agora você tem demorado mais para voltar do que das outras vezes.

Fernando passou a mão pelos seus cabelos, e seu rosto anuviou-se durante alguns segundos. Depois sorriu e respondeu com tranquilidade:

— É engano seu. Fiquei o mesmo tempo de sempre.

— Espero que, pelo menos desta vez, você demore mais para viajar novamente.

Fernando não respondeu, olhou para as filhas e perguntou:

— Como estão? Fiquei sabendo que vocês brilharam na festa em casa de Júlia. Gostaram de ter ido?

— Eu adorei. Acho que já estou mocinha, posso começar a ir às festas. Quero aprender a dançar.

— Viu só no que deu? — tornou Dora. — Estou começando a me arrepender de ter consentido que você fosse. Ainda não tem idade para tanto.

Luiza fechou a cara, e Margarida apressou-se a acrescentar:

— Foi uma festa muito boa, gostamos muito.

— Margarida foi o sucesso da festa! Ela tocou violão e fez todo mundo cantar. Você precisava ver.

— Que maravilha! Tenho duas filhas lindas e muito prendadas. Agora vou subir, tomar um banho e mais tarde vamos conversar bastante. Tenho uma surpresa para vocês, mas fica para mais tarde.

Os olhos de Luiza brilharam e ela pediu:

— Não pode contar o que é?

Fernando riu com gosto e respondeu:

— Não posso estragar a surpresa.

Ele subiu e Dora o acompanhou. As duas foram para o quarto e Luiza comentou:

— Não sei por que mamãe é tão desmancha-prazeres. Fica cobrando a gente o tempo todo. Ela me irrita.

— Não fale assim de sua mãe. É falta de respeito. Você precisa entendê-la.

— Eu queria ficar com papai. Agora ela vai ficar lá em cima com ele e nós teremos de esperar para ver a surpresa.

— Você pode esperar, imaginando qual foi o presente que ele trouxe desta vez.

— Não gosto de esperar.

Margarida suspirou e esclareceu:

— Essa é uma coisa que terá de aceitar e aprender. As coisas nem sempre são como nós gostaríamos. Por que você não tenta ler aquele livro tão bonito que ganhou de sua madrinha?

— Não tenho vontade. E você, o que vai fazer?

— Vou descer e verificar se tudo está do jeito que sua mãe gosta. Não quero que nada estrague a felicidade dela.

— Vou descer com você.

Assim que entraram na sala, o telefone tocou e Margarida atendeu:

— Alô.

— Aqui é Emiliano. Como vai, Margarida?

— Bem obrigada. Deseja falar com papai?

— Sim. Ele já chegou? Posso falar com ele?

— Já chegou, mas foi tomar um banho. Pode ligar mais tarde?

— Vamos fazer melhor. Assim que ele terminar, diga-lhe que preciso conversar com ele ainda hoje. Peça-lhe para me ligar. É urgente.

— Pode deixar. Darei o recado.

Margarida desligou o telefone pensativa. Sabia que, quando Fernando voltava de viagem, Dora queria ficar sozinha com ele e não tolerava que ninguém os interrompesse.

— O que foi? — indagou Luiza.

— O doutor Emiliano precisa falar com papai ainda hoje.

— Mamãe não vai gostar. Você vai falar com ele?

— Preciso dar o recado.

— Xii! É melhor não dizer nada.

— O assunto pode ser sério. Não tenho como evitar. Vamos ver como vai o jantar.

Elas foram até a cozinha e Janete perguntou:

— Posso tirar o jantar?

— Eles ainda estão lá em cima.

— Espero que não demorem porque senão a comida vai perder o sabor.

Margarida suspirou e disse séria:

— Vou ter de subir e dar um recado do doutor Emiliano. Não sei como fazer isso.

— Ainda bem. Assim, quem sabe, eles descem logo.

Luiza, que observava com ar malicioso, olhou para Margarida e questionou:

— Você vai mesmo fazer isso agora?

— Vou. A voz do doutor Emiliano estava tensa. Parecia nervoso. Preciso ir agora. Seja o que Deus quiser.

Margarida subiu e Luiza foi atrás. Decidida, Margarida bateu na porta, e Dora indagou nervosa:

— Quem é?

— Sou eu. Margarida. Tenho um recado urgente do doutor Emiliano para o papai.

Antes que Dora respondesse, a porta se abriu e Fernando surgiu. Dora, mais atrás, fuzilou-a com o olhar.

— O doutor Emiliano ligou e quer falar com o senhor. Disse que é urgente e pediu para lhe telefonar.

— Obrigado, Margarida. Vou descer imediatamente.

Margarida desceu quase correndo, levando Luiza pela mão. Fernando foi telefonar. Dora, cenho franzido, o acompanhou. Emiliano atendeu imediatamente:

— Desculpe ter ligado no dia da sua chegada. Mas é uma emergência. É um assunto que não posso falar pelo telefone. Você pode receber-me daqui a uma hora?

— Claro. Estarei esperando.

Assim que desligou, Fernando pediu:

— Peça a Janete para tirar o jantar, estou com fome. Dentro de uma hora Emiliano vai vir para conversar.

Dora não se conteve:

— Por que não pediu para ele vir amanhã?

— Por que ele disse que é urgente. Peça a Janete para se apressar.

Fernando falou com voz firme. E Dora sabia que, quando ele usava esse tom, era para obedecer. Fez o que ele pediu, depois, irritada, encarou Margarida:

— Você podia ter dito que Fernando não havia chegado ainda. Viu o que fez? Estragou a nossa noite. Eu estava esperando, pelo menos uma vez, ficar a sós com o meu marido.

Margarida não respondeu. Luiza não se conteve:

— Você queria que ela mentisse? Não vive dizendo que quem mente não tem caráter?

— E você não se meta em conversa de gente grande. É feio ser intrometida.

Margarida arrastou Luiza pela mão até a outra sala e pediu:

— Fique quieta. Não vê que sua mãe está nervosa?

Uma hora depois, Emiliano chegou, fisionomia preocupada. Depois dos cumprimentos, Fernando levou-o até o escritório.

— Passe a chave na porta, por favor. Não quero que ninguém escute o que vou lhe dizer.

Fernando obedeceu, indicou uma cadeira para que ele se acomodasse e sentou-se a seu lado, afirmando:

— Você me deixou preocupado. O que houve?

Emiliano passou a mão pelos cabelos, nervoso, e Fernando percebeu que ele estava muito angustiado.

— Fale. O que aconteceu?

— Estou agoniado. É um assunto que não sei como resolver. As coisas estão se confundindo em minha cabeça. Você é meu amigo, confio no seu bom senso. Preciso de ajuda.

— Fale. Vamos ver o que podemos fazer.

— Estou entre a cruz e a espada. A qualquer momento minha vida pode desmoronar. Tudo quanto eu construí durante toda a vida está em risco. Minha família, meus bens, minha reputação.

Fernando olhou-o surpreendido e assustado. Eles eram amigos havia muitos anos e ele nunca o tinha visto tão nervoso.

— Continue — pediu Fernando.

— Esta história começou há mais de quinze anos, quando Olívia ainda era pequena. Uma tarde apareceu em meu consultório uma moça desesperada, chorando muito. Contou-me que se casara havia três anos e o marido era um homem violento, perverso, que a seviciava, induzindo-a a fazer coisas que ela odiava. Quando ela se recusava, ele a espancava. Tentei acalmá-la, aconselhei-a a separar-se dele. Mas ela temia por sua vida, também não tinha coragem de procurar a polícia porque, além da costumeira violência, ele ganhara dinheiro de forma obscura e vivia rodeado de seguranças que obedeciam às suas ordens.

Fernando percebeu o quanto estava sendo difícil para Emiliano falar nesse assunto, levantou-se, encheu um copo de água, colocou diante dele e sugeriu:

— Acalme-se. Tome um pouco de água.

Emiliano segurou o copo com mãos trêmulas e aceitou. Depois, respirou fundo e admitiu:

— Foi difícil tomar coragem para vir contar-lhe tudo. Mas estou nos limites das minhas forças.

— Desabafar faz bem. Continue.

— Tentei acalmá-la, você sabe, sou pessoa de fé. Aconselhei-a a procurar ajuda espiritual para se fortalecer e poder decidir o que fazer para libertar-se daquele suplício. Receitei-lhe um calmante suave, ela sentiu-se melhor e saiu. Mas, a partir daquele dia, passou a ir ao meu consultório muitas vezes. Marcava consulta, sentava-se contando seus problemas, eu a ouvia, e ela ia embora mais calma.

Ele ficou em silêncio durante alguns segundos, passou a mão pelos cabelos e prosseguiu:

— Ela é uma mulher muito atraente. Desde o primeiro dia eu me senti atraído, mas garanto a você que nunca fiz nada para me envolver com ela. Contudo, eu pressentia o perigo porque essa atração a cada dia tornava-se mais e mais forte. Mas eu não tinha coragem para acabar com nossos encontros. Não lhe cobrava pelas consultas porque na verdade não seria honesto. Até que, uma tarde, aconteceu. Não resisti diante de seus olhos molhados, seu rosto corado, suplicante, seu peito arfando, e nos beijamos loucamente. Foi um deslumbramento.

Fernando ouvia surpreendido. Nunca imaginara que o discreto Emiliano, correto, seguro de si, houvesse se envolvido em uma aventura.

— A partir desse dia, as coisas se transformaram. Eu trabalhei muito, ganhei mais dinheiro e não suportava saber que, depois de mim, ela ia para os braços do marido. Ela também já não suportava mais a convivência com ele e fizemos um plano. Uma noite ela abandonou o lar e refugiou-se em outra cidade, com identidade falsa, e, a partir de então, demos vazão ao nosso amor. Eu mantive as aparências, mas sempre que podia ia ter com ela. Essa situação durou até poucos meses atrás. Durante todos esses anos, eu continuei assumindo minhas responsabilidades com a Júlia e a Olívia. Elas nunca souberam de nada. Só que, agora, estourou a bomba.

— Como assim?

— Há dois dias fui ter com Anita. Quando cheguei lá, a casa estava vazia. As roupas dela estavam no armário, os pertences todos no lugar, mas Anita havia desaparecido.

— Ela teria ido embora?

— Sem dizer nada, ou levar seus pertences? Não creio. Alguma coisa aconteceu.

— O quê, por exemplo?

— Não sei. Décio, o ex-marido dela, pode tê-la descoberto e sequestrado.

— Nesse caso, precisa ir à polícia!

— Pensei nisso, mas não posso. Seria envolver minha família nesse doloroso assunto. Para ser sincero, eu me envolvi com Anita, mas nunca deixei de respeitar e amar minha família. Pode entender isso?

— Você é meu amigo. Eu o respeito e admiro. Não o estou julgando, mas o desaparecimento dela dá o que pensar. Principalmente pelos antecedentes do caso. Se o ex-marido descobriu onde ela estava, pode ter ido até lá e se vingado da traição.

— É isso que eu temo. Eu soube que ele a procurou durante muito tempo. Para termos segurança, nos primeiros tempos, nós contratamos um detetive para vigiá-lo, saber todos os passos que ele dava. Nunca descobriu nada. Depois de algum tempo, julgamos que ele tivesse se conformado.

— Você pode fazer o mesmo agora. Contratar novamente aquele detetive para investigar o caso.

— Pensei nisso, mas aquele detetive mudou, perdi o contato. Posso procurar outro. O que acha?

Fernando pensou um pouco, depois interrogou:

— Nos últimos tempos você não notou nada de diferente no comportamento dela?

— Por quê?

— Ela pode ter se cansado de levar essa vida, com nome falso, sempre se escondendo, e ter decidido ir embora e ter uma vida mais livre em outro lugar.

Emiliano olhou-o surpreso durante alguns segundos, depois tornou:

— Não creio. Se ela houvesse mudado, eu teria percebido. Ela sempre me pareceu feliz, alegre. Depois, como iria embora sem dinheiro, sem as roupas nem nada? Não foi isso que aconteceu.

— Nesse caso, o melhor será mesmo contratar outro detetive.

Emiliano pensou um pouco e decidiu:

— Vou fazer isso mesmo. O problema é que não conheço ninguém confiável e receio colocar alguém desconhecido. Sabe como é, nesses casos, trazer uma pessoa na intimidade de um assunto desses pode ser uma faca de dois gumes.

Fernando ficou silencioso durante algum tempo, depois exclamou:

— Já sei. Conheço uma pessoa que tem me prestado serviços lá em Brasília. Durante seis anos foi policial, não era isso o que ele queria. Deixou a polícia e, como era muito eficiente, coloquei-o como meu assessor. Ele possui elementos para investigar seu caso e é de toda minha confiança.

Emiliano meneou a cabeça pensativo:

— Mas não tem experiência para um caso delicado como esse. Além disso, pode ser perigoso. Não sabemos com quem Anita anda envolvida.

— Quanto a isso não se preocupe. Ele tem experiência para isso e muito mais. Você não sabe o que acontece por baixo do pano na política. O Bruno é jeitoso, carismático e sempre muito bem informado, principalmente sobre as armadilhas que certas pessoas preparam para mim. Age de uma forma que as pessoas o consideram amigo, é muito respeitado até pelos meus adversários.

— Acha que trabalharia para mim?

— Fará o que eu pedir.

— Você chegou hoje. Quando pretende regressar a Brasília? Estou muito angustiado.

— Ficarei aqui uma semana. Mas não se preocupe, vou ligar para ele agora mesmo e pedir-lhe que venha para cá amanhã.

— Obrigado, meu amigo. Eu sabia que você iria me ajudar!

Fernando ligou para Bruno e ele prometeu estar em São Paulo na manhã seguinte.

— Vamos fazer o seguinte: amanhã, assim que ele chegar, iremos ao seu consultório conversar. Acho que será o melhor lugar para combinarmos tudo. Ele vai querer ir até a casa dela para investigar.

— Eu lhe darei as chaves e o endereço. Talvez seja melhor eu não acompanhá-lo.

— Veremos isso amanhã.

Emiliano levantou-se:

— Desculpe tê-lo incomodado na noite da sua chegada.

— Fez muito bem. Só espero que tudo se resolva e que nada de mal tenha acontecido.

— Eu também! Isso tem sido um pesadelo. Obrigado por ter me ouvido. Pelo menos estamos fazendo alguma coisa. Eu estava me sentindo de mãos amarradas.

Emiliano despediu-se e Fernando acompanhou-o até a porta. Quando ele voltou, Dora o esperava no hall e perguntou:

— Aconteceu alguma coisa com o Emiliano? Ele estava com uma cara... Nem me viu ao sair.

— Não aconteceu nada de mais. Ele estava muito preocupado com um cliente que precisa urgente de um remédio e pediu-me para interceder com o laboratório.

— Não podia esperar até amanhã para vir incomodá-lo a esta hora?

Fernando olhou-a sério:

— É um caso de vida ou morte. Nesses casos o tempo é precioso. Vou subir, quero conversar um pouco com as meninas.

Dora franziu a testa, irritada:

— Elas estão no quarto conversando. Não sei o que tanto elas conversam. Deixe para falar com elas amanhã.

— Não. Estive fora duas semanas e estou com saudades. Quero saber tudo, como estão, o que têm feito.

Dora suspirou resignada. Às vezes arrependia-se de ter adotado Margarida e tido Luiza. Ela gostaria de ter o marido só para si.

Fernando sorriu, passou o braço sobre os ombros dela e pediu:

— Venha. Elas vão ficar felizes em nos ver. Somos uma família unida.

Dora tentou dissimular a contrariedade, sorriu, concordou com a cabeça e subiram para o quarto das filhas.

Capítulo 11

Passava das onze da manhã quando Bruno chegou e Fernando foi recebê-lo. Dora, vendo-o entrar, depois dos cumprimentos, indagou temerosa:

— Aconteceu alguma coisa para você vir até aqui?

Antes que ele respondesse, Fernando explicou:

— Não. Eu pedi que viesse. Preciso dele aqui durante alguns dias. Bruno, vamos ao escritório.

Eles se afastaram. Dora ficou pensativa. Bruno não costumava vir a São Paulo. Ao contrário do que ela desejava, Fernando não tinha negócios na cidade.

Quando se dirigiam ao escritório, cruzaram com Margarida e Luiza, pararam, e Fernando comentou:

— Lembram-se do Bruno? Ele trabalha comigo.

Luiza olhou-o, sorriu e estendeu a mão:

— Não me lembro de você, mas seja bem-vindo.

Bruno fixou-a e apertou a mão que ela lhe oferecia:

— Você não deve lembrar-se de mim. Quando estive aqui, você era muito pequena. Agora está uma mocinha!

Luiza levantou a cabeça orgulhosa. Margarida a custo segurou o riso, olhou curiosa para Bruno. Vira-o duas ou três vezes de relance. Ele pareceu-lhe mais alto, mais elegante, moreno, olhos e cabelos castanhos, vestia-se bem e, quando sorria, duas covinhas apareciam na face.

Bruno fixou-a:

— Prazer em vê-la, Margarida.

Voltando-se para Fernando, continuou:

— Estou muito feliz de estar aqui.

Fernando sorriu e convidou-o a entrar. Uma vez sentados um diante do outro, falou-lhe sobre Emiliano e o motivo que o fez chamá-lo:

— Emiliano é meu amigo de muitos anos. Um homem íntegro, respeitado, um médico famoso. Está vivendo uma situação delicada. Se lhe pedi que viesse, foi porque confio em você.

— Compreendo sua posição. Neste mundo qualquer um de nós pode um dia ver-se em uma situação como esta. É difícil controlar nossos sentimentos. Quando a paixão aparece, nem sempre nos lembramos das convenções sociais. Agradeço sua confiança. O que deseja que eu faça?

— Bem, hoje mesmo iremos ao consultório de Emiliano conversar. Lá estaremos mais à vontade. Ele vai inteirá-lo do caso e juntos vamos ver o que será possível fazer.

— Estou à disposição.

— Como estão nossas coisas lá em Brasília? Alguma novidade?

— Nada. Tudo continua igual. Não está fácil convencer a oposição a colocar o nosso projeto em votação. No momento eles são maioria. Como o projeto é bom e, se for bem aplicado, será um sucesso, eles não querem aprová-lo.

— De nada valerá resistir. Um dia terão de entender.

— Isso só acontecerá quando o povo reagir a esse tipo de política e fizer valer sua vontade. Infelizmente a maioria das pessoas não sabe o poder que tem nas mãos.

— Enquanto isso, teremos de trabalhar para acordar os que já são capazes de entender isso. A educação é o caminho.

Bruno meneou a cabeça pensativo depois concluiu:

— A educação é a base, mas é mais do que isso. É preciso que as pessoas acordem para a própria responsabilidade diante da vida. Afinal, estamos vivendo em um planeta onde recebemos tudo, o corpo, o ar que respiramos, os alimentos, a possibilidade de aprender a viver.

— Eu sinto isso. O que mais quero é conscientizar a população, fazê-la entender que não basta votar, dar poder a algumas pessoas para que façam. É preciso que todos se interessem pelas coisas públicas, participem.

Bruno ficou pensativo durante alguns segundos, depois acrescentou:

— Infelizmente em nosso país, grande parte da população ainda não valoriza devidamente os benefícios que recebe. Em sua ignorância, depredam os bens do patrimônio público, criados para melhorar o padrão de vida das pessoas. Isso tem feito com que, mesmo os políticos idealistas, como você, percam o entusiasmo e desistam.

Fernando meneou a cabeça e afirmou convicto:

— Eu não vou desistir. Permanecerei no posto enquanto as pessoas acreditarem em mim e me elegerem.

— Estou certo disso. O movimento da Nova Era está crescendo, abrindo as consciências para a responsabilidade individual. Um dia, que não está muito longe, a população do nosso país vai amadurecer.

Fernando fixou-o sério e questionou:

— Não estará sendo muito otimista?

— Não. Na vida tudo anda, progride, se modifica, trazendo mudanças constantes. Nada fica parado.

Fernando sorriu e comentou:

— Entendo. Quisera ter a sua fé. Você é espiritualista. Mas, olhando em volta, fica difícil acreditar.

— As coisas acontecem na hora certa.

Bruno levantou-se e quis saber:

— A que horas terei de vir para irmos ao consultório do doutor Emiliano?

— Vou ligar e combinar. Emiliano tem uma agenda cheia.

Fernando conversou com o amigo, desligou o telefone e comentou:

— Emiliano está nervoso, não se sente em condições de trabalhar e encarregou um dos assistentes de atender os clientes.

Fernando olhou o relógio e pontuou:

— Estaremos lá às duas horas. Teremos tempo de almoçar e ir. O almoço já deve estar pronto.

Os dois voltaram para a sala. Dora, sentada no sofá, folheava uma revista. Vendo-os, levantou-se.

Fernando avisou:

— Bruno vai almoçar conosco hoje. Temos um compromisso e teremos de sair em seguida.

Dora olhou-os curiosa, mas apenas informou:

— Está tudo pronto. Vou mandar servir.

Na cozinha, Dora verificou se tudo estava em ordem. Mandou colocar mais um prato na mesa e avisar as filhas que teriam um convidado.

As duas estavam no quarto. Amélia abriu a porta e deu o recado:

— O almoço está sendo servido. Dona Dora mandou avisar que teremos um convidado. É bom se arrumarem, porque é um moço bonito!

Amélia, ajudante de Janete, era jovem, falante e bem-humorada. Controlava-se diante de Dora, mas dava vazão à sua verve quando ao lado das duas.

— Ele não é para o seu bico! — preveniu Luiza, maliciosa.

— Hum! Nem para o seu! Você ainda é muito criança e ele não vai nem olhar para você!

Luiza levantou a cabeça orgulhosa:

— Pois ele me cumprimentou muito interessado! Não sei se você reparou, mas eu já sou uma mocinha!

— Parem com isso as duas. Se mamãe as ouvir, não vai gostar. Vamos lavar as mãos e descer.

Notando que Margarida passou uma escova nos cabelos e retocou os lábios, Luiza comentou:

— Você está se arrumando por causa do nosso convidado?

— Não. Estou me arrumando porque sua mãe não gosta de nos ver mal-arrumadas. Você deve fazer o mesmo.

As duas foram para sala, onde Fernando estava com Bruno no momento exato em que Dora convidou-os para sentarem-se à mesa.

Durante o almoço, a conversa decorreu agradável. Fernando tinha por Bruno uma consideração especial.

Além de instruído, inteligente, tinha valores éticos que granjearam sua confiança.

Embora Dora estivesse cheia de curiosidade para descobrir aonde eles iriam e que tipo de compromisso seria esse, como eles não falaram no assunto, não teve coragem de perguntar. Imaginou que Fernando, cansado por não ter conseguido realizar seus projetos, talvez estivesse pensando em dedicar-se a outro trabalho.

A esse pensamento, sentiu-se esperançosa e feliz. Era seu sonho de felicidade tê-lo sempre ao seu lado.

Após o almoço, enquanto saboreavam o café, Dora não se conteve e perguntou:

— O Bruno agora vai trabalhar em São Paulo?

— Não. Ficará apenas alguns dias — respondeu Fernando e, voltando-se para Bruno, continuou: — Está na hora. Vamos embora.

Dora acompanhou-os até a porta e ficou olhando pensativa até o carro desaparecer.

Faltavam alguns minutos para as duas quando entraram no consultório de Emiliano. Depois de abraçar o amigo, Fernando apresentou seu assessor:

— Este é Bruno, meu amigo e homem de confiança. Estou certo de que poderá nos ajudar.

Emiliano apertou a mão de Bruno e respondeu:

— Vieram em boa hora. Sentem-se, por favor. Estou desesperado, não sei o que fazer, nem por onde começar.

— Gostaria que o senhor me falasse detalhadamente sobre o caso.

Emiliano repetiu o que havia contado a Fernando e finalizou:

— É tudo que sei. Não tenho a menor ideia do que pode ter acontecido. Receio que o ex-marido a tenha sequestrado.

— Depois de tanto tempo! Não acha que pode ter sido outra pessoa, um assaltante, por exemplo? — indagou Bruno.

— Não creio. Nada foi roubado. Só pode ter sido o ex-marido dela. Ele era um homem possessivo, violento e muito perigoso. Temo por sua vida.

Bruno pensou um pouco, depois articulou:

— O senhor descreveu um psicopata. Se ele a raptou, não vai querer acabar com ela, mas sim atormentá-la, descarregar sobre ela toda sua raiva.

— Isso é ainda pior. Meu Deus! O que será que está acontecendo? Essa situação está me matando.

— Tente se acalmar. Faça um esforço, procure lembrar-se de tudo que aconteceu nos últimos dias em que esteve em contato com ela. Não notou nada de diferente? Ela estava bem?

Emiliano ficou silencioso durante alguns minutos, depois tornou:

— Na última vez que estivemos juntos, senti que ela estava muito sensível e amorosa. Afirmou que eu fui a luz que apareceu em sua vida. Pareceu-me muito feliz!

— Você acha que ela pode ter pressentido o que iria acontecer? — indagou Fernando.

— Não. Ela estava calma, serena. Acompanhou-me até a porta quando me despedi. Seu rosto estava alegre.

Bruno levantou-se resoluto:

— Quero a chave da casa e o endereço. Vou até lá investigar, ver se descubro alguma pista.

Emiliano escreveu o endereço e entregou-o a Bruno explicando:

— Indaiatuba é uma cidade do interior de São Paulo, não muito distante. Fica perto de Campinas. Você pode alugar um carro, as despesas ficam por minha conta. Eis o cartão da empresa.

— Está bem. Diga-me, doutor Emiliano, quando esteve na casa e deu pela falta de Anita, não notou nada diferente, fora do lugar habitual?

— Não. Tudo estava como sempre, arrumado, em ordem.

— Vou alugar o carro e seguir imediatamente para este endereço. Assim que puder, darei notícias. Para onde deverei ligar?

Fernando respondeu:

— Ligue para minha casa. Todo cuidado é pouco. É melhor preservar Emiliano. Não sabemos quem pode estar envolvido. Ficarei aqui mais um pouco, depois estarei em casa. Se descobrir qualquer coisa, me ligue.

Depois que Bruno saiu, Fernando procurou distrair o amigo, falando sobre outros assuntos. Mas, percebendo o quanto ele estava nervoso e sequer entendia o que ele dizia, olhou-o sério e com voz firme pediu:

— Sei que está difícil, mas você precisa reagir. Pode ser que nada de grave tenha acontecido. Controle-se. Do jeito que está, Júlia pode desconfiar. É isso que quer?

— De modo algum! Farei tudo para preservar minha família e evitar que saibam desse drama.

— Não seria melhor ir para casa, alegar que está adoentado, tomar um bom calmante e descansar?

— De modo algum! Neste momento Anita pode estar sendo maltratada, correndo risco de vida. Estou certo de que, esteja onde estiver, ela está precisando de ajuda, fará tudo para poder dar notícias e nunca ligará para minha casa. Por isso, devo ficar aqui.

— Não pode ficar aqui o tempo todo.

— Dou uma desculpa.

— Você precisa descansar, refazer-se. Vá para casa, Cuide de sua saúde. Assim que Bruno me ligar, entrarei em contato.

— O que me martiriza é não saber o que houve. Se ao menos eu pudesse contar com a ajuda da polícia...

— Eu confio no Bruno. Estou certo de que ele vai desvendar esse mistério. Talvez você esteja se precipitando. Não pense no pior.

— Eu sinto que algo muito ruim está acontecendo.

Fernando continuou conversando, tentando acalmar o amigo, mesmo notando que estava difícil. Depois de muito falar, percebeu que ele estava um pouco mais calmo. Despediu-se prometendo dar notícias.

Nesse meio tempo, Bruno chegou à pequena cidade no fim da tarde. Depois de tomar um lanche, deixou o carro perto da lanchonete, que ficava a duas quadras, e dirigiu-se à casa de Anita.

Ele havia comprado um par de luvas e mais algumas coisas que julgou necessário. O caso era complicado e ele não queria deixar suas impressões digitais em nada.

Era uma casa térrea, rodeada de jardim, bem cuidada e bonita. Bruno parou diante do portão, tocou a campainha várias vezes e esperou, para ver se havia alguém em casa. Como não obteve resposta, olhou em volta. A rua estava deserta. Ele calçou as luvas, abriu o portão e entrou.

Apesar de as janelas estarem fechadas, as cortinas descidas, pôde observar que, à primeira vista, tudo parecia estar no lugar.

Entrou em um dos quartos. A cama de casal estava arrumada. Parou diante de um porta-retratos e observou o rosto da linda mulher, de fisionomia serena e alegre, que sorria feliz. No canto da foto, uma dedicatória: "Ao meu amor, com todo carinho, Anita".

Como não havia o nome da pessoa a quem ela dedicara a foto, concluiu que deveria ser para Emiliano. Esse era o quarto do casal.

Começou a abrir as gavetas e notou que tudo estava arrumado com capricho. A porta do banheiro privativo estava aberta e Bruno entrou. Apesar de tudo estar arrumado, ele sentiu um cheiro forte de um perfume delicado e agradável.

Olhou em volta tentando descobrir de onde vinha. Não conseguiu e ficou intrigado. Os vidros de perfume estavam todos fechados. De onde viria?

Na sala, sentira o ar abafado, demonstrando que a casa estivera fechada por vários dias.

Sentou-se em uma poltrona ao lado da cama e pensou:

"Isso não é natural. Alguém está querendo dizer-me alguma coisa. Será meu anjo da guarda?"

Quando era criança, ele via um menino que costumava vir brincar e ninguém mais via. Sua mãe levava em conta o excesso de imaginação, mas ele não. Com os anos, isso acabou, mas algumas vezes, em determinadas ocasiões, ele sentia a presença de alguém do seu

lado, ajudando-o. Aceitava com naturalidade e costumava dizer que seu anjo da guarda o estava protegendo.

Ao fazer essa indagação, ficou arrepiado e sentiu uma brisa suave envolvê-lo e não se conteve:

— Quem é você? Por que está me envolvendo? Sabe de alguma coisa?

Alguém respondeu telepaticamente:

— Tome muito cuidado e observe tudo nos mínimos detalhes. Não deixe nada de lado. A verdade pode estar onde menos espera.

— Anita teria sido sequestrada?

— Se tivesse sido, o sequestrador já teria pedido resgate.

— Foi o ex-marido dela?

— Não tente adivinhar. Pesquise. Lembre-se de que o mal nunca é perfeito. Sempre deixa um rastro e é por aí que você deverá seguir.

— Obrigado por me auxiliar. Acha que conseguirei?

— Vamos ver o que a vida permite. Estarei por perto e farei o que puder.

— Quem é você?

— Um amigo espiritual. Pode me chamar de Lívio. Lembre-se, não deixe nenhum detalhe de fora. No momento, tudo é importante.

Bruno sentiu uma sensação agradável e sorriu. Ele sempre soubera que, depois da morte do corpo, o espírito continua vivo em outras dimensões. Pesquisara os fenômenos da mediunidade, sentia que o menino que brincava com ele na infância era um espírito amigo de outras vidas, mas isso havia terminado e nunca mais tivera uma experiência como a que estava tendo naquele momento.

— Você vai me ajudar neste caso?

— Sim. Farei o que for permitido.

— Obrigado.

Bruno ficou feliz por haver encontrado um amigo para ajudá-lo e, animado, recomeçou a busca. Não sabia o que estava procurando, mas sentia que deveria ser minucioso.

A casa tinha três quartos, duas salas, copa, cozinha. Fora, garagem, lavanderia e uma pequena horta em um canto do quintal.

Estava examinando os armários da sala de estar quando a campainha tocou. Bruno estremeceu e, por alguns segundos, ficou indeciso. Preferia não ser visto, mas depois pensou que, se fosse alguém mal-intencionado, não teria tocado a campainha. Decidiu enfrentar. Tirou as luvas e foi abrir.

Era uma mulher de meia-idade, que foi logo dizendo:

— Meu nome é Angélica, sou amiga da Anita. Ela já voltou de viagem?

— Ainda não. A senhora já recebeu notícias dela?

— Não. Por isso estou preocupada. Ela viajou sem se despedir. Nós tínhamos combinado de fazer algumas coisas e estou esperando que ela volte. O senhor é parente dela?

— Não. Sou amigo da família. Estou aqui para cuidar da casa e ver se está tudo em ordem.

— Se ela tivesse falado comigo antes dessa viagem, eu faria isso com muito carinho. Eu sei o quanto ela gosta das coisas de casa. Aliás, se o senhor quiser, posso ajudá-lo nessa tarefa.

— Obrigado, mas não é preciso. Anita é uma pessoa muito agradável, ela deve ter muitos amigos aqui.

Angélica balançou a cabeça negativamente:

— Anita sempre foi discreta. Apesar de ser alegre e comunicativa, não faz amizades com facilidade. Gosta de ficar em casa, lendo, fazendo trabalhos manuais. Toca piano muito bem. Sabe quando ela vai voltar?

— Não. Ela foi tratar de um parente muito doente e talvez demore.

Angélica pensou um pouco, depois comentou:

— Ela nunca falou sobre seus parentes. Pensei que ela só tivesse o irmão que sempre a visita.

— A senhora o conhece?

— Não muito. Uma vez vim aqui e ela nos apresentou. Mas, segundo sei, ele é muito ocupado e vai logo embora. Ela vive muito sozinha.

— Mas ela não se sente solitária. Gosta de ler, ouvir música, faz trabalhos manuais.

— Isso é verdade. Já viu os desenhos e as pinturas que ela faz? São lindos. Estou com saudades dela. Não tem ideia mesmo de quando ela vai voltar?

— Não. Se soubesse, eu lhe diria.

— O senhor vai ficar morando aqui?

— Não. Virei de vez em quando. Mas, assim que souber a data, avisarei. Vou anotar seu nome e telefone.

— Promete?

— Sim.

Bruno apanhou a caneta, um bloco de anotações e registrou tudo. Depois de lançar um olhar investigador pela sala, Angélica despediu-se e saiu.

Depois que ela se foi, Bruno ficou pensando. Apesar de ela parecer natural, havia alguma coisa nela que o intrigou. Seus olhos não o encaravam e pareceu-lhe que, enquanto conversavam, ela observava disfarçadamente a casa com curiosidade. Estaria falando a verdade? Emiliano fazia-se passar por irmão de Anita?

Continuou sua busca, mas não encontrou nada de diferente. Foi caminhar em volta da casa, parou diante de uma pequena fonte de parede que, apesar de ter água, estava desligada. Ao lado dela, observou que no canteiro havia uma folhagem que, embora parecesse estar ali há muito tempo, estava com a terra fofa, diferente do resto do canteiro.

Bruno lembrou-se do conselho do espírito de Lívio para que investigasse todos os detalhes. Foi até a lavanderia, onde havia algumas ferramentas de jardinagem, pegou uma pequena pá, com ela removeu um pouco da terra fofa e sentiu que a ponta da pá bateu em uma coisa dura.

Cavoucou mais e encontrou uma caixa de madeira que, pelo seu estado de conservação, não deveria estar ali há muito tempo. Cavou mais ainda e, ao tirá-la, notou que era pesada e estava fechada com um cadeado.

Colocou a terra no lugar e arrumou a planta como estava. Não queria deixar vestígios de sua descoberta. Aquela mulher poderia ter mentido e estar ali para vigiar a casa. Ele não deixara o carro na frente da casa, não abrira janelas, não chamara atenção, como é que ela sabia da sua presença?

Entrou na cozinha e fechou a porta. Pegou um pano de prato, que estava pendurado ao lado do fogão, e limpou cuidadosamente a terra que entrara nos desenhos da caixa, que era lavrada. Depois pensou em um jeito de abrir o cadeado. Fez várias tentativas sem conseguir.

Decidiu procurar a chave. Fez uma busca pelas gavetas, mas não encontrou. Poderia levar em um chaveiro, mas seria sensato? Não sabia o que havia dentro dela nem o que acontecera com Anita. E se ela tivesse sido vítima de um crime, e a casa estivesse sendo vigiada pelos criminosos?

Não queria envolver-se com a polícia, muito menos correr perigo de morte. Estava se metendo em uma aventura que não sabia aonde o levaria. Achou melhor continuar procurando a chave.

Encontrou algumas que não eram do pequeno cadeado.

Anoiteceu. Bruno sentiu fome. Apanhou seus pertences, fechou a casa e saiu levando a caixa. No carro, decidiu procurar um lugar para passar a noite. Deu algumas voltas e encontrou um hotel modesto e se registrou como representante comercial. Sempre que ele ia fazer alguma investigação, portava documentos dessa profissão que Fernando lhe dera para preservar sua identidade. Instalou-se, tomou banho, desceu e jantou no refeitório do hotel.

Depois saiu, deu uma volta pela praça principal, sentou-se em um banco no jardim e ficou observando. Não havia muitas pessoas, mas a brisa estava agradável, e ele ficou quase uma hora. Mais tarde, tentando imaginar o que havia dentro daquela caixa, voltou para o hotel.

Achou melhor não ligar de lá para Fernando, preferiu esperar a manhã seguinte para falar de um orelhão.

Tendo decidido isso, deitou-se e, cansado, logo adormeceu.

Capítulo 12

Na manhã seguinte, Bruno levantou cedo, tomou café, saiu e ligou para Fernando, contando o que acontecera.

— Você acha que essa caixa tem a ver com o desaparecimento de Anita? — questionou Fernando.

— Não sei. Estou certo de que ela foi enterrada há pouco tempo porque a terra, apesar de bem-arrumada, ainda não se solidificara. Se não conseguir abri-la, vou levá-la. Talvez o doutor Emiliano possa nos dizer algo sobre ela.

— Faça isso. E a mulher que foi até a casa? Você notou alguma coisa suspeita?

— À primeira vista, não. Parecia à vontade, falava com naturalidade, mas, durante a nossa conversa, senti que havia alguma coisa que não estava no lugar certo. Tive a sensação de que alguém estava do lado querendo me dizer alguma coisa.

— Mas você estava sozinho.

— Percebi nitidamente uma presença de alguém querendo me proteger e ajudar.

— Você sempre fala que há um anjo da guarda que o protege. Teria sido ele?

— Creio que sim. Desta vez, foi mais forte. Uma voz falou dentro da minha cabeça.

— Não foi imaginação sua?

— Não. A voz era de homem, falava claro e forte. Aconselhou-me a ter o máximo cuidado e analisar todos os detalhes por mais insignificantes que possam parecer.

— Deu um sábio conselho.

— Durante essa conversa, eu senti uma sensação muito agradável. O ar estava levemente perfumado.

— Não está exagerando?

— Não. O ar dentro da casa estava abafado, desagradável por ter estado fechada durante vários dias. Eu só não abri as janelas para não chamar a atenção. Mas, quando entrei no quarto de Anita, comecei a sentir uma brisa leve e um agradável perfume. Foi depois disso que a voz começou a falar comigo. No final deu o nome de Lívio.

Fernando ficou em silêncio durante alguns segundos, depois respondeu:

— Tenho ouvido pessoas contar experiências como essa, mas é a primeira vez que acontece com alguém tão próximo. Faz pensar!

— Há muito eu acredito que a vida continua em outras dimensões do universo depois da morte. Os que viveram neste mundo, em determinadas condições, podem comunicar-se conosco.

— Ele falou sobre a mulher que apareceu na casa?

— Não. Mas a inquietação que senti na presença dela já tem me acontecido diante de algumas pessoas. Mais tarde acabo descobrindo que eram pessoas dissimuladas e maldosas. Mesmo sem falar sobre ela, Lívio pediu que eu ficasse atento, observasse os mínimos detalhes de tudo e fosse discreto, o que pode significar que estamos correndo um certo risco.

— Tem razão. Todo cuidado é pouco. O que pensa fazer agora?

— Vou fingir que estou trabalhando para não despertar suspeitas. Conversar com algumas pessoas, tentar me informar sobre a Angélica, como ela é vista na cidade. Depois visitarei uma loja de ferragens, vou ver se encontro alguma coisa que me ajude a abrir aquela caixa. Ainda hoje pretendo voltar à casa de Anita e observar tudo de novo. Quanto tempo acha que posso ficar por aqui?

— O que precisar. Você decide. Ligue para mim se souber de mais alguma coisa. Emiliano está muito nervoso, ansioso por notícias. Faça uma descrição da caixa e da Angélica. Vou descrevê-los para ele e ouvir o que ele sabe desse assunto.

Bruno fez a descrição sem esquecer nenhum detalhe e Fernando deu-se por satisfeito. Foi até o escritório, fechou a porta, ligou para o consultório de Emiliano e avisou que iria vê-lo.

— Soube de alguma coisa? O que foi?

— Prefiro falar pessoalmente. Logo estarei aí.

Fernando abriu a porta do escritório e encontrou Dora. Esta, ao vê-lo, comentou:

— Você levantou tão cedo! Ouvi o telefone tocar, quem era?

— Bruno, coisas de trabalho.

— Ele deveria respeitar seu horário. São sete horas da manhã. Onde já se viu?

— Ele está obedecendo às minhas ordens. Não precisa se preocupar. Peça a Janete para servir o café. Preciso sair.

Dora surpreendeu-se:

— A esta hora? Você não costuma sair sozinho quando está aqui.

— Tenho alguns assuntos a resolver e tenho pressa.

Antes que ela retrucasse, ele foi para o quarto e Dora tratou de fazer o que ele lhe pedira.

Sentia vontade de perguntar aonde ele ia, mas tinha receio. As coisas estavam tão bem entre eles que Dora não queria fazer nada que o desagradasse.

Pouco depois, quando ele sentou-se à mesa para tomar café, ela engoliu a curiosidade e sentou-se ao lado dele para fazer-lhe companhia. Mas Fernando estava com pressa, falou pouco, comeu rápido e saiu em seguida.

Dora foi até a janela. Sua curiosidade aumentou quando viu que ele dispensou o motorista. Fernando não gostava muito de dirigir em São Paulo. Por que teria ido sozinho?

Sentiu uma onda de ciúmes e uma sensação desagradável. Margarida e Luiza desciam as escadas conversando animadas, mas se calaram quando viram a mãe.

Dora fuzilou-as com o olhar, porém não disse nada. Foi para o quarto.

— Ela está assim porque o papai saiu sozinho, você viu? — comentou Luiza.

— Não. Como você sabe?

— Porque eu vi da janela do quarto. Ele dispensou o motorista, por que será?

— Vai ver que ele sentiu vontade de dirigir um pouco.

— Mas ela não gostou, viu a cara dela?

— Não vi nada. Não seja maldosa.

— Não é maldade. Você sabe que ela fica brava quando ele não faz o que ela quer. Vai ver que ele não disse aonde vai e ela não teve coragem de perguntar. Vai ficar mal-humorada o dia inteiro. Eu não quero ficar perto dela para nada.

— Você está imaginando coisas. Vamos tomar café e depois subir para estudar. Você vai ter provas na semana que vem. Como está de matemática?

— Você faz questão de falar sobre isso logo cedo? Isso sim que é maldade.

Margarida abraçou-a sorrindo e comentou:

— O dia hoje vai ser muito feliz e todos vão ficar bem. Isso é o que precisamos pensar em uma linda manhã como esta.

Fernando entrou no consultório e Emiliano crivou--o de perguntas:

— Você disse que tinha novidades. Ele encontrou alguma pista de Anita?

Pedindo calma, Fernando relatou o que Bruno descobrira e, ao mencionar a caixa, Emiliano colocou a mão no braço do amigo, revelando emocionado:

— Eu dei essa caixa para Anita no começo do nosso relacionamento. Nas datas importantes eu costumava presenteá-la com uma joia, que ela guardava nessa caixa. Ela adorava tudo que havia dentro dela por representar nossos momentos de felicidade. Ela nunca se separaria dessa caixa. Estou com medo. O que fizeram com Anita? Quem teria enterrado essa caixa no jardim e por quê?

— Pensei muito sobre isso. Quem a enterrou quis protegê-la e evitar que fosse roubada. Teria sido a própria Anita?

Emiliano sentou-se, passou a mão pelos cabelos, semblante preocupado, e respondeu:

— Anita não colocaria essa caixa em um lugar que qualquer um pudesse encontrá-la. Não, não pode ter sido ela. Mas quem então? Meus Deus, até quando teremos de esperar para saber o que houve?

Fernando meneou a cabeça pensativo, procurando palavras para suavizar a situação, mas não encontrou.

Emiliano sentou-se desanimado, abatido. Fernando colocou a mão sobre o ombro do amigo:

— Procure não pensar no pior. Pense em sua família.

— Júlia percebeu que estou agitado, nervoso. Mas não consigo controlar. Estou desesperado.

— Tente. Se Júlia souber, será pior.

— Não quero nem pensar nisso...

— Diga que tem trabalhado demais, que se sente estressado. Tire alguns dias de férias e vá viajar. Pode ir para um *spa* refazer as energias.

— Não tenho condições de deixar o consultório. Anita pode vir a precisar de ajuda. Tenho de ficar aqui.

— Para manter as aparências, você terá de agir como sempre fez.

— Não dá! Quando penso que ela pode ter sido sequestrada pelo ex-marido e estar sendo maltratada, ferida, talvez morta, sem que eu possa fazer nada, fico sufocado. Cada vez que o telefone toca, fico apavorado.

Diante do drama do amigo, Fernando não sabia como acalmá-lo. É que ele também temia pelo pior. Uma pessoa não desaparece assim, só com a roupa do corpo, deixando tudo. Estava claro que algo muito ruim teria acontecido.

Desde que Anita desaparecera, Emiliano ia para casa tarde da noite e, quando a manhã despontava, ele voltava ao seu consultório no hospital.

Fernando tentou convencê-lo a retomar seus horários habituais, a fim de preservar a própria família e manter as aparências, mas ele não conseguia.

O tempo foi passando. Fernando tanto fez que convenceu o amigo a tirar um dia de folga, ir para casa, tomar um bom calmante e descansar.

Passava das duas da tarde quando Fernando voltou para casa. Dora o esperava, preocupada, tentando dominar a inquietação.

Assim que ele entrou, ela reclamou:

— Você demorou, fiquei preocupada. Não me ligou, não veio almoçar. O que aconteceu?

— Estive ocupado. Fui ver Emiliano e ele não estava bem. Tem trabalhado muito, anda estressado. Ficamos conversando e o tempo foi passando.

— Ele tem trabalhado demais mesmo. Ainda ontem Júlia me disse que está preocupada com a saúde dele.

— É muito dedicado. Mesmo se sentindo cansado, queria ficar trabalhando. Custou-me convencê-lo a tirar um dia de folga e ir para casa descansar.

— Ele foi?

— Foi. Amanhã estará bem. Peça a Janete para me preparar um lanche.

— Posso mandar esquentar o almoço.

— Não é preciso. Prefiro um lanche agora e à noite ter um bom jantar.

Dora foi providenciar. Fernando subiu e, ao passar pelo quarto das filhas, ouviu Margarida tocando violão e cantando uma canção que ele não conhecia.

Depois da conversa com Emiliano, aquela música soava para ele como um oásis. Margarida tinha uma voz doce, cheia, afinada, e cantava com emoção.

Encantado, ele ficou parado ouvindo. Não abriu a porta para não interromper. Apesar de haver melhorado muito sua postura, Margarida ainda conservava um pouco de timidez, e ele não quis entrar.

Sorrindo, foi para seu quarto, tirou o paletó, calçou uma sandália confortável, lavou as mãos, o rosto, penteou os cabelos e desceu. Dora o esperava na copa. Ele sentou-se, notando a calma prazerosa do ambiente.

Dora sentou-se ao lado dele e, enquanto Fernando comia silencioso, observava-o disfarçadamente. Sentia que Fernando estava diferente, mais sério, preocupado, porém não ousava perguntar.

Alguma coisa estava acontecendo, mas o quê? Por que Fernando não lhe contava? Chamara Bruno. Sabia que o marido tinha especial consideração por ele, delegando-lhe todos os assuntos mais delicados, que exigiam discrição e eficiência.

O que a incomodava era perceber que Fernando não queria falar no assunto. Ela era uma esposa dedicada, por que ele não confiava em sua discrição?

Uma sensação de medo a acometeu. Talvez a calma de sua casa fosse apenas aparente. Fernando havia mudado, se aproximado mais da família, talvez estivesse sendo ameaçado de alguma forma. Um político como ele, sempre em evidência, é invejado por quem não consegue manipulá-lo e cercado de interesseiros dispostos a qualquer coisa a fim de obter vantagens, quando não conseguem o que desejam.

Dora suspirou e olhou o rosto do marido, pensativo e distante, que parecia ignorar sua presença ali.

Dora não suportou e tornou:

— Você está calado, pensativo... parece preocupado.

Fernando olhou-a surpreendido e respondeu:

— Desculpe. Estava pensando em assuntos de trabalho.

— Alguma coisa não está indo bem?

— Tudo está andando do jeito que pode ir. Não estou preocupado com nada.

— Tenho vontade de conhecer alguns detalhes do seu novo projeto. Não quer contar-me agora?

Fernando fez um gesto vago:

— Não. Depois conversaremos sobre isso.

Dora sentiu aumentar sua preocupação. Era ele que sempre insistia em falar sobre seu trabalho. Ela imaginara que ele fosse mostrar-se alegre e discorrer com entusiasmo sobre os detalhes. Não era com o trabalho que Fernando estava se preocupando.

Teria alguma mulher metida nisso? Sua mãe sempre dizia que, quando um marido se apaixona por outra mulher, sente-se culpado e dá mais atenção à família, dedica-se mais aos filhos. Talvez a mudança de Fernando tivesse sido por esse motivo.

Dora sentiu um arrepio e uma leve tontura, e não se conteve:

— Nos últimos tempos você mudou, está diferente. Por quê?

Fernando olhou-a sério e respondeu:

— Está imaginando coisas! Que ideia!

— Você ficou mais afetuoso com nossas filhas, tem dedicado mais tempo à nossa família.

— Não estou entendendo você. Vivia reclamando que eu dava mais atenção ao trabalho do que à família e senti vontade de me dedicar mais, cuidar das minhas responsabilidades de pai e de marido. Pensei que estivesse feliz.

— E estou. Só que estão acontecendo algumas coisas diferentes. Sinto certo temor, e você não me conta nada. Isso me deixa inquieta, nervosa. Por que não fala a verdade?

Fernando levantou-se, sorriu, acariciou os cabelos dela e respondeu:

— Você tem uma imaginação muito fértil. De onde tirou essa ideia?

— Você chamou Bruno, fechou-se no escritório com ele, depois saiu sem dizer para onde ia.

Fernando olhou firme nos olhos dela e afirmou:

— Eu garanto a você que os assuntos que o Bruno veio tratar não têm absolutamente nada a ver com nossa família. Pode ficar tranquila.

— Por que não me conta o que é?

— Porque é um assunto que não me pertence. Preciso ser discreto e não tenho o direito de falar sobre ele. Esqueça isso.

Dora ia retrucar, mas Fernando foi incisivo:

— Não quero falar sobre isso. Não insista. Vamos conservar a nossa paz.

Dora não se deu por satisfeita; contudo, o tom dele fê-la engolir a raiva, esboçar um sorriso e concordar.

Margarida entrou na copa. Fernando aproximou--se dela, beijou-a na testa e observou:

— Adorei a música que estava cantando.

Margarida corou levemente:

— Não sabia que estava ouvindo.

— Gostei muito. Não a conhecia. De quem é?

Margarida ficou silenciosa durante alguns segundos, depois respondeu:

— Para ser sincera, eu não sei.

— Nesse caso, vamos pesquisar e descobrir o autor. Deve haver alguma gravação dela.

Margarida meneou a cabeça negativamente:

— Não tem.

— Como sabe?

Margarida pensou um pouco e arriscou:

— Eu ouvi esta música várias vezes, gostei e aprendi.

Dora comentou:

— Você não está sendo coerente. Como pode ter aprendido se não tem gravação e não sabe quem é o autor?

— Acontece que eu, às vezes, quando estou sozinha, escuto músicas. Esta não foi a primeira. Sei outras também.

Dora irritou-se:

— Como pode escutar se elas não existem?

Fernando interveio:

— Espere, Dora. Deixe-a explicar. Fale, Margarida. Conte como isso acontece.

— Eu pego o violão para tocar e logo começo a ouvir uma música. Não sei explicar como, mas elas tocam dentro da minha cabeça. São lindas e eu as aprendo.

Dora abriu a boca e fechou-a de novo sem saber o que dizer. Fernando segurou a mão de Margarida, levou-a até a sala, fê-la sentar-se do seu lado no sofá e explicou com voz calma:

— Há pessoas dotadas de muita sensibilidade que possuem essa capacidade. Eu já tenho lido a respeito, mas nunca tive certeza de que isso fosse mesmo possível. Como você se sente nesses momentos?

— Muito bem. Uma emoção prazerosa, como se eu estivesse em um lugar muito lindo e agradável. Não penso em nada, fico leve. É muito bom.

Fernando ficou silencioso durante alguns segundos. Dora meneou a cabeça e tornou:

— Isto não pode ser. Você está fantasiando.

— Ela está contando um fato. Vivendo uma experiência que você nunca teve, por isso não pode avaliar.

Dora calou-se. Embora não concordasse, não queria discutir com o marido. Pouco lhe importavam as bobagens que Margarida dizia. Estava mais interessada no segredo que Fernando escondia.

Naquele momento, Luiza entrou na sala e aproximou-se:

— Vocês estavam tão entretidos que nem me ouviram chegar. Está acontecendo alguma coisa que eu não sei?

— Nada importante — comentou Dora. — Vá lavar as mãos que logo vou servir o jantar.

Luiza franziu a testa e ia responder, mas Fernando não lhe deu tempo:

— Estávamos conversando sobre as músicas que Margarida canta.

Os olhos de Luiza brilharam, e ela acrescentou com alegria:

— Eu adoro. Quando estou nervosa, não consigo pegar no sono, Margarida canta suas canções, vou me acalmando e durmo.

Dora, irritada por Fernando dar tanta importância a Margarida, que ela considerava pessoa insignificante, avisou com voz firme:

— O jantar já deve estar pronto. Vou até a cozinha mandar servir. Luiza, vá tirar o uniforme e lavar as mãos.

Luiza ficou contrariada, olhou para o pai, que resolveu contemporizar:

— Faça o que sua mãe mandou. Mas, depois do jantar, Margarida vai pegar o violão e cantar para nós.

Luiza deu um salto, beijou o rosto do pai com alegria, dizendo:

— Oba! Vamos ouvir as músicas dos anjos.

— Luiza, não blasfeme!

Margarida, a custo, continha a vontade de rir da cara de Luiza e dos seus exageros, como da expressão escandalizada de Dora. Abraçou a irmã dizendo:

— Eu vou com você.

As duas foram abraçadas para o quarto. Dora foi até a cozinha ver o jantar e Fernando sentou-se na poltrona pensando nos últimos acontecimentos.

Margarida era uma moça de sentimentos delicados, serena, esclarecida, incapaz de mentir. Muitas vezes ela surpreendera Fernando manifestando com inteligência pensamentos elevados. Sentia muito carinho por ela. Acreditava que estivesse falando a verdade.

Diante de certos fatos, muitas vezes Fernando se perguntara o que haveria depois da morte. Seria o fim de tudo, ou a vida continuava em outras dimensões do universo, segundo alguns diziam ter comprovado?

O que estava acontecendo com Margarida dava-lhe a sensação de que estava na hora de estudar a fundo esse assunto. Ele nunca acreditara na comunicação dos espíritos. Sua amiga Glória referia-se a eles com naturalidade, Bruno também.

De onde viriam essas músicas que Margarida ouvia e aprendia? Quem as estaria ensinando? O espírito de quem morre teria esse poder? Para obter essas respostas, estava disposto a ir fundo e pesquisar.

Se conseguisse comprovar que o espírito continua vivo depois da morte do corpo, vai viver em outras dimensões do universo, onde continuará sua trajetória de progresso e iluminação até conquistar a sabedoria, teria de reconhecer que a vida trabalha em favor do desenvolvimento do ser. Algumas pessoas falam de experiências vivenciadas em outras vidas. Seria esse o futuro reservado para toda a humanidade?

Se isso fosse mesmo verdade, a vida valeria a pena. Ele jogaria fora a imensa frustração que vinha sentindo nos últimos tempos, recobraria o grande entusiasmo que sentira na juventude e voltaria a trabalhar com alegria pelo progresso da humanidade.

Nesse instante, Fernando sentiu-se envolvido por uma grande sensação de bem-estar e respirou satisfeito.

Ele não viu e não podia saber que o espírito de Otávio, acompanhado de Bartolomeu, estava do seu lado, vibrando amor e orando em favor dele.

Capítulo 13

Depois do jantar, Fernando foi tomar o café na sala, pediu que Margarida fosse pegar o violão e Dora se sentasse a seu lado. Ela preferia ficar a sós com o marido, mas tentou dissimular a insatisfação e obedeceu. Quando Margarida desceu, segurando o instrumento, a campainha tocou e Janete foi abrir.

Dora, curiosa, foi atrás dela. Doutor Ernesto estava na soleira. Ao vê-la, cumprimentou-a sorrindo:

— Boa noite. Desculpe ter vindo sem avisar, mas gostaria de falar com o doutor Fernando. Ele está?

— Sim. Entre por favor — pediu Dora.

O jovem médico entrou:

— Obrigado.

Fernando aproximou-se, cumprimentou-o atencioso.

— Pode dispor de alguns minutos? Gostaria de conversar com você. O assunto é particular.

— Certamente. Venha, vamos ao meu escritório.

Ao passarem pela sala, Margarida, que dedilhava o violão, parou e levantou-se. Luiza postou-se do lado dela, olhando o médico com curiosidade.

Ernesto parou diante delas:

— Prazer em vê-las! Desculpe por ter interrompido sua música. Não pretendo demorar.

— Não se preocupe. Está tudo bem — respondeu Margarida sorrindo.

Os dois afastaram-se e Dora comentou baixinho:

— As pessoas não têm respeito pelo sossego dos outros. Invadem sem pedir permissão.

As duas fingiram não ter ouvido. Margarida segurou a mão de Luiza, dizendo:

— A nossa música fica para outra vez. Vamos para o quarto.

As duas subiram, Dora apanhou uma revista e sentou-se na sala, entediada, desejando que Ernesto se despedisse logo e ela pudesse finalmente ficar sozinha com o marido e desfrutar de sua companhia.

Fernando fechou a porta, indicou uma poltrona para Ernesto e sentou-se também.

— Estou à disposição. Em que posso ser útil?

Ernesto ficou em silêncio durante alguns segundos, depois suspirou e entabulou a conversa:

— Bem, estou muito preocupado com o doutor Emiliano. Ele não está nada bem. Anda triste, abatido, passa o tempo todo no hospital, mas não está atendendo os pacientes. O senhor deve saber o que está acontecendo porque eu o vi passar a tarde toda com ele no consultório e, depois que o deixou, ele foi para casa. Quando lá cheguei, dona Júlia estava preocupada. Contou-me que ele entrou, disse que estava muito cansado, estressado, ia tomar um calmante e dormir.

Ernesto fez uma pausa e, vendo que Fernando o ouvia atentamente, continuou:

— Fui vê-lo. Estava em um sono profundo. Não sei o que tomou, mas foi algo bem forte. Estou trabalhando com ele há alguns meses, sempre foi um homem sereno, equilibrado, apesar de trabalhar muito. Devo ressaltar que tenho muita admiração pelo doutor Emiliano, pela sua dedicação, pelo humanismo que chega à abnegação para com os doentes. Considero-o meu mestre, gostaria de um dia poder ser como ele.

Fernando balançou a cabeça concordando e tornou:

— Nutro o mesmo sentimento por ele. É um homem bondoso e dedicado ao trabalho.

— Sinto que alguma coisa aconteceu para que ele ficasse como está e gostaria de ajudá-lo de alguma forma. Tenho a certeza de que o senhor sabe do que se trata. Vim colocar-me à disposição para auxiliá-lo no que puder.

Fernando pensou um pouco depois anuiu:

— De fato. Houve um acontecimento muito grave e difícil de ser resolvido, mas trata-se de um segredo que prometi a ele não revelar. Agradeço muito sua dedicação e no momento peço-lhe que tente acalmar Júlia. Ela não pode saber de nada. Diga-lhe que ele está assim por excesso de trabalho, mas logo estará bem.

— Farei o que puder. Mas ele, de fato, não parece nada bem.

— A custo eu o convenci a ir para casa, tomar um calmante e descansar. Espero que, pelo menos, acorde mais calmo. Vou tentar convencê-lo a tirar alguns dias de férias e ir com Júlia passar algum tempo fora do país.

Ernesto olhou-o surpreso e indagou:

— O caso é tão sério assim?

Fernando suspirou:

— É sim. No momento parece ser insolúvel.

— Lamento. Lamento muito.

Ernesto ficou pensativo e Fernando perguntou:

— Esses dias em que ficou trabalhando no consultório de Emiliano, não notou nada de diferente?

Ernesto fixou-o sério:

— O que poderia ser?

— Algo fora do normal.

Ernesto pensou um pouco, depois externou:

— Alguém ligou dizendo coisas estranhas, mas não dei importância, acho que foi um trote.

Fernando levantou-se:

— Pode não ser. Lembra-se como foi?

— Uma voz de homem disse que a vingança estava próxima, que todos, um a um, iriam pagar pelo que lhe fizeram.

— Quando foi isso?

— Ontem, depois que Emiliano foi para casa. Eu perguntei quem estava falando, mas ele riu e pronunciou uma frase que não entendi bem porque a voz estava meio embargada. Não sei se tinha bebido ou se disfarçava a voz. Depois desligou.

Fernando sentiu aumentar a preocupação e não respondeu. Pensou em insistir para Emiliano procurar a polícia.

— Parece preocupado. Acha que pode não ter sido um trote?

— Temo que não. A pessoa pode ser perigosa.

Ernesto fixou-o e indagou com voz firme:

— O que poderemos fazer? Não seria melhor procurar ajuda da polícia?

Fernando sustentou o olhar e sentiu que Ernesto estava disposto a ajudar e ele poderia confiar.

— O caso é complicado. Precisamos juntar nossos esforços e ver o que podemos fazer para ajudar. Sinto que posso confiar em sua discrição. Não posso contar-lhe tudo, mas uma senhora desapareceu de casa, e todos os seus pertences continuam lá, não levou nada.

— Teria sido sequestrada?

— Talvez. Não temos certeza porque há mais de dez anos ela fugiu do marido por ele maltratá-la, ser muito ciumento e violento. Foi morar no interior e, durante todo esse tempo, levou vida normal. Emiliano auxiliou-a desde aquela época, mas, ao ir visitá-la, encontrou a casa vazia. Nada foi roubado, tudo estava nos devidos lugares e ele teme que o ex-marido a tenha sequestrado para vingar-se.

— Mas esse é um caso de polícia!

— Emiliano não quer que o caso se torne público. Tem sérios motivos para isso. É só o que lhe posso dizer. Confiei em você e espero contar com sua absoluta discrição.

— Quanto a isso fique sossegado. Emiliano deve ter suas razões para não ir à polícia. Mas o caso precisa de ajuda especializada. Contratar um detetive particular, talvez. O que acha?

— Mandei vir de Brasília um rapaz de minha confiança, o Bruno, que trabalha comigo e já está procedendo às investigações. É muito bom nisso. O que desejo pedir a você é que, enquanto Emiliano estiver ausente, fique atento a qualquer coisa que aconteça e me avise.

— Pode contar comigo. E se a pessoa ligar de novo?

Fernando pensou um pouco, depois recomendou:

— Procure conversar o mais que puder. Veja se descobre alguma coisa. Se perguntar por Emiliano, diga que ele está de férias, viajou e vai demorar para voltar.

— Está bem. Vocês já descobriram alguma coisa?

— Bruno está examinando a casa dela. Disse que tudo está em ordem, não há nenhum sinal de violência, nem roubo. Ele notou que no jardim havia uma parte do canteiro onde a terra estava fofa, foi verificar e encontrou uma caixa lavrada, muito pesada, cuja fechadura não conseguiu abrir. Vai trazê-la para que Emiliano a veja. Ele pensa que deve ser a caixa de joias dela.

— Estranho. Será que ela a enterrou para que não a levassem?

— Aventei essa hipótese, mas Emiliano disse que ela era muito apegada a essa caixa e nunca a deixaria onde alguém pudesse encontrá-la.

— No momento do desespero, a pessoa age como pode. Sinto que quem a enterrou desejou evitar que ela fosse roubada.

— Amanhã, vou ver Emiliano e contar a ele nossa conversa.

Ernesto levantou-se:

— Obrigado pela confiança. Espero que Margarida me desculpe por tê-la interrompido. Ela estava tocando.

— Esse é o lado bom de minha vida. Ontem, ao passar pelo quarto dela, a ouvi cantando uma música desconhecida, mas muito bonita. Não quis interrompê-la. Hoje ela me contou que costuma ouvir alguém cantando e lhe ensinando essas canções. Diz que uma voz canta dentro da sua cabeça e a ensina a repeti-las.

Os olhos de Ernesto brilharam e ele respondeu:

— Ela tem muita sensibilidade! Eu já havia notado.

— Tenho ouvido falar sobre esse assunto, mas nunca dei muito crédito. Como está acontecendo com minha filha, quero descobrir o que é.

— É um caso de mediunidade. Há quem consiga ouvir pessoas que vivem em outras dimensões. Não me admira porque é para lá que vão os artistas que viveram neste mundo e gostam de continuar a expressar sua arte como sempre fizeram.

Fernando olhou-o admirado:

— Você crê que seja possível?

— Tenho estudado esse assunto e obtido algumas provas. Desde que a vi, senti que Margarida é uma alma sensível e evoluída.

— Você me surpreende dizendo isso. Vamos até a sala, ver de perto.

Ernesto acompanhou-o satisfeito. O que ele mais queria era mesmo ver Margarida.

Vendo-os chegar, Dora levantou-se, pronta para despedir-se do visitante, e surpreendeu-se quando ele convidou Ernesto a sentar-se e pediu a Janete que fosse chamar as meninas. Resignada, esboçou um sorriso e sentou-se novamente.

Vendo as duas na sala, Fernando pediu:

— Sente-se, Margarida, e cante aquelas músicas que aprendeu.

Luiza puxou uma cadeira para que Margarida se sentasse e acomodou-se no chão perto dos pés da irmã.

Dora interveio:

— O que é isso, Luiza? Sente-se na cadeira. Você já é uma mocinha. O que o doutor Ernesto vai pensar?

— É que, quando Margarida canta, eu gosto de fechar os olhos e sentir o sabor das músicas. É mágico.

Dora ia replicar, mas Fernando se antecipou:

— Parece ser bom. Deixe-a sentir esse prazer. Estamos em família.

Dora sorriu tentando disfarçar a contrariedade. Ela esperara tanto daquela noite e agora teria que aguentar a chatice dessa cantoria. Fernando tinha cada ideia!

Margarida dedilhou o violão e Fernando pediu:

— Cante aquela de ontem à noite.

Margarida olhou em volta, esforçando-se para vencer a timidez, tendo os olhos de todos sobre ela. Fechou os olhos procurando sentir as emoções da melodia e mergulhou tão fundo em seus sentimentos íntimos, que sua postura mudou, seu rosto transformou-se, enquanto sua voz tinha modulações suaves. Ela parecia outra pessoa.

Dora olhava surpreendida, admirada, enquanto tanto Ernesto como Fernando olhavam fascinados. Quando terminou, os dois não disseram nada. Foi Luiza quem falou:

— Eu não disse que essa música é mágica? Margarida canta como uma fada!

— Pare com isso, Luiza! — pediu Margarida.

— Ela tem razão. Você é uma fada que tem o condão que toca a nossa alma — tornou Ernesto.

Fernando completou:

— É verdade. Você é uma artista, Margarida. Eu sempre admirei a delicadeza dos seus sentimentos, hoje descobri sua alma de artista.

Dora observava e comentou:

— Ela tem afinação, mas vocês estão exagerando. Parem com isso. Ela pode acreditar.

— Que outras músicas você tem? — indagou Fernando. — Toque, queremos ouvir.

Acanhada diante do comentário de Dora, ela hesitou. Sentia que Dora não estava gostando.

— Toque aquela que eu gosto! — pediu Luiza.

Margarida olhou-os indecisa, mas resolveu atender. A música que Luiza pediu era alegre e movimentada, falava de fadas, de duendes brincalhões e passava energias positivas dando vontade de dançar. Quando Margarida acabou, Luiza não se conteve:

— Os duendes adoram esta música. Eu sinto que eles ficam felizes quando a escutam e dançam muito. Tenho vontade de dançar também.

— Você está fantasiando, Luiza. Duendes e fadas não existem.

Ernesto sorriu e acrescentou:

— Já eu acredito em fadas e duendes. Senti alegria e vontade de dançar. Ouvi-la fez-me sentir muito bem.

Fernando concordou com ele:

— De fato, ao ouvi-la, senti vontade de dançar e uma sensação muito agradável. Gostei muito.

Dora levantou-se, dizendo:

— Vou mandar servir um café para coroar a nossa noite.

Enquanto ela foi providenciar, Margarida levantou-se segurando o violão e ia retirar-se.

Ernesto aproximou-se dela:

— Já vai embora?

— Ia guardar o violão.

— Deixe para depois. O que está acontecendo com você me interessa muito. Nos últimos tempos, tenho pesquisado este assunto e gostaria muito que me contasse como tem sido para você essa experiência.

— Também estou interessado em saber. Fique, filha, e conte como isso começou.

— Não sei dizer por quê. Acontece desde que eu era muito pequena. Depois da morte de meu pai, eu vivia no orfanato e, quando sentia muitas saudades dele, ficava triste. Então, ouvia trechos dessas músicas. Apesar de me fazerem chorar de emoção, tinham palavras que me faziam pensar e eu ficava muito bem.

— Explique melhor. O que elas diziam?

— Para eu confiar na vida, que tudo estava certo, que eu não estava sozinha, que um dia eu seria muito feliz. Vocês me adotaram, me deram tudo e conheci Luiza. Acho que deu tudo certo.

Pelos olhos de Fernando passou um brilho de emoção. Ele se levantou, beijou-a na testa, dizendo com carinho:

— Sábias e verdadeiras palavras. Ao trazê-la para nossa casa, pensei que a estivesse protegendo, suprindo suas necessidades, mas hoje posso afirmar que ter você como filha foi o melhor que nos aconteceu.

Margarida levantou para ele os olhos, onde o brilho de algumas lágrimas apareciam; levantou-se e abraçou-o emocionada. Luiza juntou-se a eles no momento em que Dora entrava na sala e parou, olhando-os com desagrado. O que estava acontecendo?

Janete, que vinha atrás dela segurando uma bandeja, parou surpreendida.

Margarida deu um passo atrás, passou a mão pelo rosto, tentando enxugar as lágrimas:

— Desculpe. Com licença.

Ela saiu quase correndo e Luiza foi atrás.

— O que houve? — quis saber Dora olhando para o marido.

Rosto distendido, Fernando a fixou e respondeu:

— Margarida emocionou-se recordando o pai e os tempos de solidão.

Dora meneou a cabeça negativamente:

— É isso que acontece quando se dá força a essas coisas estranhas, essas ilusões, que ela tem na cabeça. Não me agrada nada que Luiza esteja convivendo com isso.

Fernando olhou-a sério:

— Margarida é muito equilibrada. Vê tudo com naturalidade. Sofreu muito na infância, mas soube levar a vida muito bem. É uma alma sensível e boa. Luiza é agitada, e Margarida sabe lidar com ela, acalmá-la e ensiná-la em tudo.

Dora, apesar de não gostar do que ele disse, principalmente diante de um estranho, resolveu contemporizar.

— Eu me preocupo demais com nossas filhas. Você tem razão, eu estou exagerando — e voltando-se para Ernesto ofereceu sorrindo: — O senhor aceita um café ou prefere um licor?

— Um café, obrigado.

Fernando sentou-se no sofá ao lado de Ernesto e, enquanto saboreavam o café, acrescentou:

— Diante do que ouvimos aqui, gostaria de ler sobre mediunidade. Poderia indicar-me alguns livros?

— Certamente. Também posso emprestar-lhe alguns.

— Como são livros para estudo, prefiro tê-los à mão. Quando o assunto me interessa, tenho hábito de escrever e assinalar trechos que me interessam. Isso facilita revê-los em qualquer momento.

Ernesto devolveu a xícara na bandeja sobre a mesinha e concordou sorrindo:

— É um método muito prático. Vou indicar alguns. Agora está na hora de me despedir.

Dora sorriu e ele estendeu a mão, que ela apertou satisfeita.

— Desculpe aparecer sem avisar. Agradeço sua paciência. Peço-lhe que se despeça das meninas por mim. Boa noite.

Ele se voltou para Fernando, que se antecipou:

— Eu o acompanho.

Os dois foram até a porta e Fernando recomendou:

— Não esqueça o que combinamos. Fique atento. Qualquer coisa que aconteça, me avise. Amanhã passarei no hospital. Penso que Emiliano vai estar lá.

Os dois trocaram um abraço e Ernesto tornou:

— Obrigado por ter me recebido e permitido que eu ficasse e ouvisse Margarida. Não sabe o bem que me fez. Apesar do carinho e apoio que encontrei com a família do doutor Emiliano, tenho me sentido muito só. O encontro desta noite tocou minha alma. Se uma criança órfã, vivendo no meio de estranhos, teve tanta proteção espiritual, encontrou uma família, tornou-se uma pessoa feliz, fiquei confiante de que um dia eu também encontrarei.

— Estou certo que sim. Luiza tem razão. O que aconteceu esta noite foi mágico. Espero podermos nos encontrar, ouvir mais essa música que vem sabe Deus de onde, mas que tem o dom de nos deixar de bem com a vida e em paz.

Comovido, Ernesto abraçou-o novamente e saiu. Fernando foi para a sala, pensativo, ansioso para saber mais sobre aquela sensação de plenitude e alegria que sentira ouvindo Margarida.

Dora, vendo-o entrar, aproximou-se dizendo:

— Finalmente ele foi embora. Eu não aguentava mais a presença dele.

Trazido à realidade, Fernando olhou-a sério e respondeu:

— Pelo jeito você não entendeu nada do que aconteceu aqui nesta noite. É pena. Lamento muito.

— Por que está falando isso?

Fernando passou o braço sobre os ombros da esposa:

— Por nada. Vamos subir. Quero ver se Margarida está mais calma.

— Para quê? Ela deve estar envergonhada da cena que fez chorando por nada. Onde já se viu!

Fernando não respondeu. Ao passarem pela porta do quarto das filhas, ele disse:

— Vá, que irei em seguida. Vou só ver se está tudo bem.

Bateu levemente na porta e Margarida abriu. Fernando entrou, notou que ela o olhou preocupada. Antes que dissesse algo, ele comentou:

— Você deve estar se sentindo aliviada.

— Sim, estou. Mas por outro lado... Mamãe não gosta quando eu canto, nem quando eu choro. Eu fiz as duas coisas. Não quero contrariá-la.

— Você estava sensibilizada. Ao falar das saudades que sente do seu pai, as lágrimas surgiram, é natural. Ao mesmo tempo, chorar suas saudades ajuda a jogar fora as energias do passado, alivia. Não se contenha pelas atitudes de Dora. Ela a quer muito bem. Continue expressando seus sentimentos. Compreenda que ela ainda não consegue enxergar as coisas como nós. Precisa de um tempo. Cada pessoa tem uma forma de se expressar. Tenha paciência com ela. Mas fique firme nas coisas que lhe deem bem-estar e a deixem ficar bem.

Fernando beijou-a na testa com carinho, olhou Luiza adormecida, sorriu e concluiu:

— Durma bem e sonhe com os anjos.

Saiu e, ao fechar a porta, Fernando pensou em Emiliano e decidiu rezar, pedir a Deus que auxiliasse o amigo a superar a crise. Feito isso, sentiu o coração em paz e foi para o seu quarto.

Capítulo 14

Passava das dez da manhã quando Fernando entrou no consultório de Emiliano. Bruno havia ligado logo cedo, avisando que estaria de volta antes do almoço e traria a caixa que encontrara. Desejava conversar com o médico, saber mais alguns detalhes. Pediu que marcasse um encontro com ele. Fernando ligou para a casa de Emiliano, soube que o médico já havia ido para o consultório e apressou-se a ir até lá. Ao entrar, encontrou Ernesto analisando alguns papéis. Vendo-o, o jovem médico levantou-se:

— Que bom vê-lo!

— Liguei para a casa de Emiliano e informaram-me que ele tinha vindo para cá.

— Ele ainda não chegou.

— Júlia me disse que ele saiu muito cedo.

— Talvez tenha passado em outro lugar antes. Mas sente-se, ele marcou com você?

— Não. Bruno está vindo para cá para conversar. Já deve estar chegando.

— Descobriu alguma coisa?

— Não sei. Disse que pesquisou, mas não deu detalhes.

— Entendo. Vamos esperar.

Alguém bateu levemente na porta; uma jovem entrou e perguntou:

— O doutor Emiliano ainda não chegou? Uma paciente dele veio e quer vê-lo. Sabe se ele vai atender hoje?

— Não sei. Vou atendê-la, leve-a até a minha sala.

Ela saiu e Fernando levantou-se:

— Pode atendê-la aqui. Vou dar uma volta.

— Não se incomode. É lá que tenho atendido as pacientes dele. Fique à vontade.

Ernesto saiu e Fernando sentou-se pensativo. Aonde Emiliano teria ido? Não estava bem. Teria se sentido mal e não conseguido chegar? Arrependeu-se de não ter ido até sua casa logo cedo saber do seu estado. Imaginara que, depois do calmante forte que ingerira, talvez não tivesse condições de dirigir. O melhor seria esperar.

Meia hora depois, ouviu bater na porta e foi abrir. Bruno estava diante dele.

— Finalmente você chegou. Estou preocupado.

— Aconteceu alguma coisa mais?

— Não consegui falar com Emiliano. Liguei logo cedo para marcar um encontro conforme combinamos. Júlia me disse que ele tinha saído muito cedo e vindo para cá. Ele não chegou até agora. Aonde teria ido?

Bruno franziu a testa e comentou:

— Este caso está ficando muito perigoso.

— Por que diz isso? Sabe de alguma coisa?

Bruno abriu a maleta e tirou a caixa que desenterrara.

Nesse instante Ernesto entrou e Fernando o apresentou:

— Doutor Ernesto é assistente de Emiliano e também seu hóspede. Está nos auxiliando.

Depois dos cumprimentos, Bruno ficou calado e Fernando continuou:

— Pode falar o que descobriu.

— Eu tentei abrir a caixa, mas ela tem segredo e não consegui. Esperava que o doutor Emiliano conseguisse abri-la.

— Estou preocupado. Para vir até aqui, Emiliano não gastaria mais do que vinte minutos. Ele saiu de casa pouco antes das sete horas.

— Espero que ele não tenha ido a Indaiatuba. A situação parece suspeita. Lembra-se daquela mulher que me visitou dizendo ser amiga de Anita e morar há muito tempo na cidade? Ela mentiu. Ninguém a conhecia por lá. Ela deveria estar vigiando a casa.

Fernando passou a mão nos cabelos preocupado.

— Você acha que Emiliano pode ter ido até lá?

— É uma hipótese.

— Ele não faria isso, teria me avisado.

— Ele pode ter sido atraído, ameaçado, ou até mesmo ter recebido algum recado de Anita.

Ernesto olhava os dois e, embora não entendesse bem o que diziam, sentiu certa inquietação. Colocou a mão no braço de Fernando e asseverou:

— Sinto que algo muito ruim está acontecendo com o doutor Emiliano. Temos de fazer alguma coisa, procurar a polícia, ir atrás dele...

— Ele não quer a polícia envolvida nisso. O difícil é que não sabemos se ele foi ou não até lá — respondeu Fernando.

— Se o atraíram para lá, está correndo perigo.

— O que mais você descobriu?

— Apesar de estar tudo no lugar, a casa está fechada há dias e não há poeira acumulada nos móveis. Tudo continua muito limpo e arrumado. Suspeito que alguém esteja tomando conta da casa. Fiz o possível para saber quem, mas nunca vi nada que pudesse provar isso.

— Se foi o ex-marido de Anita quem está fazendo tudo isso, não está sozinho. Seria bom ligar para a casa de Emiliano e saber se ele está. Pode ter se sentido mal e voltado. Se eu ligar, Júlia poderá desconfiar.

— Nesse caso eu ligo e falo com Olívia.

Os outros dois concordaram. Ernesto ligou e ficaram sabendo que Emiliano não estava. Saíra cedo, dizendo que iria para o hospital.

Os três sentaram-se pensativos. Apesar de Emiliano não querer falar com a polícia, eles temiam as consequências. O caso era suspeito. Tanto Anita como Emiliano podiam estar correndo risco. Sentiam que precisavam agir. Se eles demorassem, poderia ser tarde demais.

— Acho melhor eu voltar imediatamente para Indaiatuba e ver se doutor Emiliano está lá. Vou deixar a caixa. Talvez algum chaveiro possa tentar abri-la.

— Emiliano não estava em condições de trabalhar, pode ter ido a Indaiatuba ver a caixa e saber se você tinha notado alguma coisa mais.

— Queira Deus que seja apenas isso — comentou Ernesto.

— Nesse caso, é melhor eu ir logo. Em menos de uma hora teremos essa resposta. Ligo assim que chegar.

Depois que Bruno saiu, ambos examinaram a caixa pensando em uma maneira de abri-la.

— A chave pode estar guardada aqui, em algum lugar. Emiliano nunca a levaria para casa.

— Por que pensa assim?

— Nesta altura dos acontecimentos, sinto que devo dividir este caso com você.

Em poucas palavras Fernando relatou o que sabia, ao que Ernesto comentou:

— Pode ser mesmo que o ex-marido de Anita tenha descoberto tudo e planejado vingar-se. Nesse caso, ambos estão correndo perigo.

— Essa é minha preocupação.

— Penso que deveríamos começar a investigar por onde anda esse homem. Bruno poderia fazer isso.

— É uma boa ideia. Mas teríamos que ter a identidade dele. Emiliano sequer me disse o nome do ex-marido de Anita.

— Seria uma saída. Pelo menos isso ficaria definido.

Fernando ficou pensando durante alguns segundos, depois aventou:

— Bruno ficou de ligar assim que chegar. Vou pedir-lhe para ver se descobre algo sobre ele. Não tendo a identidade, fica difícil.

— Vamos dar uma olhada nas gavetas e ver se encontramos alguma pista.

— Acha que ele poderia ter guardado alguma referência?

— Talvez. Não custa tentar.

— Faça isso. Eu vou para casa e, assim que Bruno me ligar, eu o aviso.

Quando Fernando chegou em casa, Dora o estava esperando impaciente, mas dissimulou a inquietação e sorriu:

— Você demorou! Já passou o horário do almoço.

— Não deu para voltar antes.

— A comida já deve ter esfriado. Vou mandar esquentar.

Ela foi até a cozinha e Fernando subiu. Ao passar pelo quarto, ouviu as risadas das meninas, bateu levemente na porta e abriu:

— Posso saber o que está tão engraçado?

— É Margarida que me contou uma história, representou e me fez rir. Você precisava ver!

— Pelo jeito Margarida é uma artista completa. Não só toca, canta, como consegue contar histórias e representar os personagens.

— Luiza ri por qualquer coisa. Acha graça em tudo.

— Pai, você precisava ver as caras que ela faz! Não dá para ficar séria.

— Estou começando a achar que, em vez de pedagogia, você deveria ter feito um curso de teatro. Você gosta mais de arte do que de qualquer outra atividade.

Margarida ficou pensativa durante alguns segundos, depois explicou:

— Eu gosto de várias coisas. A beleza e a arte me fazem bem. Gosto muito de expressar meus sentimentos e de fazer com que as pessoas possam sentir a beleza do conhecimento. Adoro passar o que aprendo a quem quiser aprender. O melhor de tudo é sentir e fazer coisas que me deixam bem.

Os olhos de Fernando brilharam e ele sorriu alegre:

— Tem razão. Onde você aprendeu essas coisas?

Ela hesitou um pouco, depois decidiu, levantou a cabeça e respondeu:

— Eu tenho um amigo espiritual que me ensina o que fazer para me sentir feliz.

— Deve ser o anjo da guarda dela!

Fernando fixou Luiza e perguntou:

— Como é que você sabe disso?

— Porque ele é muito bom. Só ensina coisas boas.

— E quando você faz alguma arte, ele a repreende?

— Nunca. Ele me manda um recado e eu fico bem. Ontem eu não soube responder uma pergunta da professora e uma colega de classe riu de mim, disse que eu era burra. Fiquei com muita raiva e me vinguei.

— De que jeito?

— Fingi que tropecei e derrubei todo suco de laranja sobre a pasta dela. Mas depois eu não me senti bem o resto do dia, não via a hora de vir embora. Margarida deu esse recado dele: "Só o bem faz bem. Quem se vinga está copiando a maldade, e a maldade nunca deve ser copiada". Senti vergonha. Eu nunca mais quero fazer isso.

Dora apareceu na porta chamando para o almoço. Fernando abraçou as duas filhas, tentando dissimular a comoção, e concluiu sorrindo:

— Muito bem. Agora vamos almoçar. Estou com muita fome.

Depois do almoço Fernando foi para o escritório trabalhar, ler e estudar detalhes do seu próximo projeto.

Uma hora depois Bruno ligou:

— Não há novidade por aqui. Nem sinal do doutor Emiliano. Na casa de Anita tudo continua igual.

Pesquisei nos hotéis, mas nem sinal dele. Verificou se ele não está em casa?

— Não. Estava esperando você ligar. Diante disso, acho que vou dar um pulo lá e saber se Júlia tem alguma notícia. Acho que não temos outra saída.

— Nesse caso a bomba pode estourar.

— Estamos em uma situação difícil. Se eu for até lá, poderei precipitar os acontecimentos, mas, se esperar, poderá ficar ainda pior.

— Se tiver alguma novidade, me ligue à noite para o hotel. Amanhã cedo, irei novamente à casa checar todos os detalhes.

— Faça isso e me telefone se observar alguma coisa nova.

Bruno desligou o telefone e à noite deu mais uma volta pela cidade, observando os passantes, na esperança de descobrir a mulher que o visitara na casa de Anita. Mas não a encontrou. Desanimado, voltou ao hotel para esperar a ligação de Fernando. Como ele não ligou, deduziu que não fora falar com Júlia.

Na manhã seguinte, Bruno levantou cedo e foi mais uma vez até a casa de Anita. Entrou, deu uma volta, mas tudo continuava igual. Desanimado, foi até o quarto, sentou-se na cama de casal, olhando em volta sem saber o que fazer. Em sua mente repassava o caso tentando observar novas possibilidades. Foi quando ouviu um ruído de algo caindo.

Estremeceu, abriu os olhos assustado, olhou em volta e tudo continuava igual. Pensou ter adormecido e sonhado. Concluiu que era inútil esperar mais e decidiu ir embora. Olhou para a mesa de cabeceira, pensando em pegar a chave do carro, mas ela não estava lá. Lembrava-se perfeitamente que a havia colocado ali.

Começou a procurá-la. Encontrou-a no chão, ao lado da cama. Fora ela que ao cair provocara aquele ruído.

Abaixou-se para apanhá-la e ouviu distintamente uma voz dizer:

— Olhe embaixo da cama.

Bruno acendeu a luz porquanto as venezianas estavam fechadas; ajoelhou-se, olhou e viu um pequeno objeto de metal em um canto. Tirou um lenço do bolso, deitou-se no chão e conseguiu alcançar o objeto envolvendo-o com o lenço. Era uma abotoadura de madrepérola.

De quem seria? Desde quando estaria ali? Teria a ver com o caso? Intrigado, percorreu a casa olhando embaixo de todos os móveis para ver se havia mais alguma coisa, mas não encontrou nada. Decidiu voltar ao hotel e falar com Fernando.

Ele atendeu imediatamente e Bruno perguntou:

— Sabe se o doutor Emiliano usava abotoaduras?

— O quê?

— Encontrei embaixo da cama uma abotoadura de madrepérola. Quero saber se o doutor Emiliano tinha esse hábito. Hoje poucas pessoas o fazem.

Fernando pensou um pouco, depois respondeu:

— Sim. Uma vez ele veio a uma festa em minha casa, notei que as estava usando. Até brinquei com ele por causa disso.

— Esta abotoadura poderia ser dele. Resta descobrir quando a deixou cair aqui.

— Isso pode significar que ele esteve aí ontem.

— E que o sequestraram também. Diante disso não dá para esperar mais. Temos que fazer alguma coisa.

— Saia agora. Venha para cá e iremos juntos à casa de Júlia saber se a abotoadura era dele. Se for, penso que teremos de contar-lhe a verdade sobre o caso.

— Irei imediatamente.

Quando Bruno chegou, Fernando o estava esperando ansioso. Olhando a abotoadura, ele não lembrava se era a mesma que vira com Emiliano.

Dora pressentiu que alguma coisa inusitada estava acontecendo. Notando que Bruno chegara preocupado e se fechara com Fernando no escritório, decidiu investigar.

Bateu na porta e, assim que Fernando abriu, ela interrogou:

— Notei que estão preocupados. Sinto que alguma coisa ruim está acontecendo. O que é?

— São coisas de trabalho. Não tem com o que se preocupar.

— Você não quer me contar. Não confia mais em mim?

Fernando olhou-a e asseverou com voz firme:

— Garanto que tudo está bem. Não há nada de ruim acontecendo com nossa família. Agora temos que sair. Na volta conversaremos.

Fernando foi para o quarto, vestiu o paletó, saiu e encontrou Margarida no corredor, que o olhou nos olhos e disse:

— Você não está só. Nós estamos do seu lado, vamos ajudar. Confie em Deus.

A voz dela estava um pouco modificada e seus olhos pareciam perdidos no tempo. Surpreendido ele perguntou:

— Quem é você? Por que fala assim comigo?

— Sou amigo de Emiliano. Vá e faça o que tiver de fazer.

Fernando sentiu um arrepio e o coração bater mais forte. Sem esperar mais nada, foi ter com Bruno, que já o esperava no carro.

Dentro de meia hora chegaram à casa de Emiliano. Assim que entraram, perceberam que Júlia estava nervosa. Ao vê-los, logo anunciou:

— Emiliano não dormiu em casa. Ernesto ontem chegou tarde e hoje saiu muito cedo. Eu não consegui falar com ele. Liguei para o hospital e a enfermeira me informou que Emiliano ontem não foi trabalhar, e lá ninguém o viu.

— Viemos aqui para falar sobre esse assunto — antecipou-se Fernando. — Este é Bruno, meu assessor e homem de confiança. Tomei a liberdade de trazê-lo porque ele poderá nos auxiliar. Nos últimos dias, Emiliano tem estado meio cansado, trabalha muito, fiquei preocupado. Ontem cedo, liguei para saber dele. Você disse que ele havia ido trabalhar. Fui até lá para vê-lo e soube que ele não havia estado lá. Ernesto e eu ficamos apreensivos, mas pensamos que talvez ele houvesse saído para espairecer. Porém, como ele não voltou para casa, ficamos preocupados.

Júlia torceu as mãos, nervosa:

— Meu Deus! Teria se sentido mal e tido algum acidente? Precisamos procurá-lo nos prontos-socorros, na polícia.

— É por esse motivo que estamos aqui. Faremos tudo para encontrá-lo. Tenha calma. Pode ser que não tenha ocorrido nada de mais.

Bruno tirou do bolso o lenço onde estava a abotoadura, mostrou-a e inquiriu:

— A senhora conhece esta abotoadura?

Júlia levou a mão na boca e gritou:

— É de Emiliano! Onde a encontraram?

Fernando respondeu:

— Estava no consultório. O doutor Ernesto, preocupado com o desaparecimento dele, deu uma busca lá e a encontrou. Quero sua autorização para dar queixa à polícia do desaparecimento dele.

— Faça isso, por favor. Eu estou muito nervosa, minhas pernas estão bambas.

— Iremos imediatamente. Para isso necessitamos de uma foto dele e, se tiver algum documento, também.

Júlia providenciou a foto e um documento, e entregou-os a Fernando:

— Acho que vou com vocês.

— É melhor ficar em casa aguardando notícias. Ligue para mim se acontecer algo diferente, seja o que for.

— Por que está dizendo isso? Tenho a sensação de que vocês sabem de alguma coisa a mais.

— São meras suposições. Não temos certeza de nada.

Eles se despediram e saíram.

Uma vez no carro, Fernando pensou um pouco e decidiu:

— Eu vou fazer queixa, mas é melhor você ir a Indaiatuba vigiar a casa. Tenho palpite de que ele pode ter ido para lá. Vá e, se souber de algo, me avise.

Eles se despediram e Fernando, depois de ir à delegacia fazer a queixa, voltou para casa.

Assim que ele entrou em casa, Dora, que o estava aguardando com impaciência, aproximou-se:

— Agora você vai contar-me o que está acontecendo.

— Emiliano. Ele desapareceu. Fui ver Júlia e depois à delegacia dar queixa.

— O que terá acontecido a ele?

— Ainda não sabemos. Temos de aguardar.

— Meu Deus! Júlia deve estar muito nervosa.

— Vamos rezar para não ter acontecido nada grave.

Dora olhou-o surpreendida. Não esperava essa resposta.

— Gostaria de tomar um café.

— Vou providenciar.

Ela saiu. Fernando acomodou-se na sala absorto. Fechou os olhos e, pensando em Emiliano, sentiu medo. Concentrou-se e rezou, pedindo a Deus que protegesse seu amigo.

Capítulo 15

Mila levantou irritada, ansiosa por saber notícias de Fernando. Suas feridas haviam cicatrizado e ela queria ir embora. Ofélia sentiu que ela não estava bem e foi vê-la. Assim que entrou no quarto, Mila disparou:

— Eu quero ir embora. Não aguento mais ficar aqui, preciso ver Fernando.

— É melhor ficar mais um pouco. Você ainda não está bem.

— Eu me sinto forte. Quero ver Fernando.

Ofélia passou o braço sobre os ombros dela dizendo com carinho:

— Você ainda não está pronta para vê-lo. Precisa ficar mais um pouco.

— Não é verdade. Eu estou bem e quero vê-lo. Faz tempo que não o vejo. Não quero que se esqueça de mim.

— Ele não se recorda de você.

— Farei com que se lembre.

— Ele está reencarnado, esqueceu o passado.

— Quero sair daqui hoje mesmo.

— Aconselho-a a ficar mais um tempo. Vai fazer-lhe bem.

Mila meneou a cabeça e respondeu:

— Eu sabia que vocês não iriam deixar-me sair. Mas eu vou de qualquer jeito.

— Você está livre. Poderá sair quando desejar. Mas sua cura ainda não acabou. Você poderá ter uma recaída e suas feridas poderão voltar.

— Você quer que eu fique, mas eu vou assim mesmo. Não tenho medo.

Ofélia olhou-a triste:

— Pensei que você tivesse esquecido Fernando. Ele mudou, está em outro momento de sua vida. Se você insistir, será pior. Tenha paciência. Espere um tempo melhor.

— Não adianta. Vocês não podem segurar-me. Sou grata pela ajuda, mas vou embora hoje mesmo.

— Está bem. Vou falar com Bartolomeu e poderá ir.

Ofélia saiu à procura de Bartolomeu. Assim que o encontrou, declarou aflita:

— Mestre, Mila quer ir embora! Ela ainda não está pronta. Temos de impedi-la. Ela quer procurar Fernando. Isso não pode acontecer.

— Ofélia, acalme seu coração. Não podemos impedi-la. Ela terá que ficar, se quiser. Caso contrário, além do tratamento não surtir efeito, ela ficará pior. Se ela quer ir embora, o melhor será deixá-la ir.

Lágrimas desceram pelas faces de Ofélia:

— Eu tinha tanta esperança de que ela melhorasse!

— Quando a acolhemos, eu preveni que isso poderia acontecer. Ela precisa de mais algum tempo.

Conforme-se. Um dia ela vai amadurecer. Vamos esperar por esse dia com confiança e alegria.

Ofélia abaixou a cabeça e tentou conter o pranto.

Ele continuou:

— Fale com ela. Envolva-a com seu carinho. Faça-a sentir o quanto a ama. Isso irá ajudá-la.

— Obrigada, mestre. Seguirei seu conselho.

— Deus a abençoe.

Quando Ofélia voltou ao quarto de Mila, encontrou-a pronta para sair. Vendo-a entrar, Mila afirmou:

— Não adianta querer impedir-me. Sairei de qualquer jeito.

Ofélia abraçou-a e respondeu:

— Vim para despedir-me e desejar-lhe felicidades. Que Deus a abençoe e a faça muito feliz.

— Você não está zangada comigo?

— Não. Eu gostaria que ficasse porque vou sentir muitas saudades. Mas você é livre, e eu gostaria que, de vez em quando, viesse visitar-me. Esteja onde estiver, saiba que a estarei abençoando. Lembre-se de que eu gosto muito de você.

Um brilho de emoção passou pelos olhos de Mila, que correspondeu ao abraço, apertando-a de encontro ao peito.

— Vá com Deus, minha filha. Venha ver-me de vez em quando.

Ela se foi. Ofélia envolveu-a com amor e sentiu uma agradável sensação de bem-estar.

Assim que se viu do lado de fora, Mila mentalizou a casa de Fernando e, dentro de poucos minutos, chegou lá. Aproximou-se de Fernando e o abraçou.

Ele sentiu uma sensação desagradável e se lembrou de Emiliano. Havia falado com Bruno que chegara a Indaiatuba, hospedara-se no hotel e circulava pela cidade, tentando observar a casa de Anita. Mas tudo continuava como sempre.

— Agora vou cuidar de você para sempre. Você é meu. Ninguém vai tomar o meu lugar.

Dora aproximou-se, sentou-se do lado do marido e perguntou:

— Alguma notícia?

— Infelizmente não.

Ela segurou a mão dele dizendo com carinho:

— Ele vai aparecer, tenho certeza!

Ele beijou a mão dela e acrescentou:

— Você está querendo me confortar, mas meu coração está oprimido.

Mila olhou irritada para Dora e disse nervosa:

— Ele é só meu. Vá embora. Quem fica do lado dele, sou eu!

Dora empalideceu, respirou fundo e Fernando quis saber:

— O que foi? Está se sentindo mal? Ficou pálida de repente.

Dora passou a mão pela testa como a afastar o mal-estar:

— Não sei o que está acontecendo, mas de repente senti medo. Algo horrível está para acontecer!

Fernando abraçou-a com carinho, o que fez Mila vibrar raiva contra Dora, mas desta vez sua energia não

conseguiu envolver o casal. Irritada, Mila quis separá-los, mas uma força estranha a conteve. Nervosa, recolheu-se em um canto preocupada. Sentiu-se fraca. Eles haviam se fortalecido durante sua ausência.

Fernando, abraçado a Dora, tentava acalmá-la, fingindo que estava tudo bem, mas no íntimo pensava em Emiliano, temendo por sua vida.

No começo da tarde, Júlia ligou aflita. Fernando atendeu:

— A polícia ligou. Encontraram o carro de Emiliano em Indaiatuba. Ele não estava. Estou pensando em ir até lá. Você poderia ir comigo?

— O que o delegado disse?

— O carro estava abandonado em um local deserto, mas nem sinal de Emiliano. Estou desesperada. Ernesto está aqui e me deu um calmante, mas eu quero ir assim mesmo.

— É melhor não ir. Eu irei imediatamente até lá e telefonarei em seguida para contar-lhe tudo depois de conversar com a polícia.

Ernesto pegou o telefone:

— Júlia quer ir até lá, mas não está em condições de viajar. Eu poderei ir.

— Já prontifiquei-me a ir até lá. Bruno já está na cidade e me ajudará a falar com a polícia. Telefono assim que tiver conversado com o delegado.

— Eu vou com você. Não aguento ficar aqui sem fazer nada.

— É melhor ficar. Não sabemos o que aconteceu e Júlia poderá precisar de cuidados. Além disso, há Olívia. Como está encarando a situação?

— Com coragem. Júlia está mais nervosa. Chora sem parar.

— É melhor ficar. Elas precisam de você.

— Está bem. Mas me ligue assim que puder.

Dora observava preocupada.

Fernando desligou.

— Encontraram o carro de Emiliano, vazio, em um lugar deserto. Ernesto deu um calmante a Júlia e disse que Olívia é mais corajosa, mas ele vai ficar tomando conta delas. Eu vou até Indaiatuba falar com a polícia e saber os detalhes.

— Por que não manda o Bruno?

— Ele já está lá. Vou encontrar-me com ele.

Dora abriu a boca, fechou de novo, ia perguntar alguma coisa, mas Fernando não lhe deu tempo:

— Vou subir e preparar uma maleta para a viagem. Não vai dar para voltar hoje.

— Acha mesmo que tem de ir?

— Tenho. Ligarei assim que puder.

Ele se foi e Dora acompanhou-o, olhando até o carro desaparecer no fim da rua.

Mila pretendia seguir viagem ao lado de Fernando, mas, ao chegar perto do carro, percebeu que o espírito de Otávio já estava sentado no banco da frente. Afastou--se assustada. Lembrando-se das dores que sentira, escondeu-se dentro da casa, esperando que Otávio não a tivesse visto.

Durante o trajeto Fernando começou a sentir-se melhor. Otávio o havia envolvido em energias positivas vibrando bons pensamentos e serenidade.

Chegando a Indaiatuba, Fernando foi direto ao hotel onde Bruno já o esperava.

— E então, como vão as coisas?

— Cada vez mais enroladas. Soube que acharam o carro abandonado em uma estrada próximo. Estava esperando sua chegada para irmos até a delegacia.

— O dia está quente. Estou transpirando. Vou me lavar e refrescar um pouco, e iremos em seguida.

Minutos depois Bruno e Fernando, tendo nas mãos o envelope com os dados de Emiliano, entraram na delegacia. Logo notaram a agitação e o movimento dos policiais. Fernando aproximou-se de um deles e declarou:

— Estou aqui a pedido da esposa do doutor Emiliano de Souza Rezende, dono do carro que foi encontrado nesta cidade.

Imediatamente o policial introduziu-os na sala do delegado, que pediu a eles que se sentassem diante dele. Fernando entregou-lhe o envelope, que ele abriu rapidamente, olhou a foto, leu a identificação, depois interpelou:

— Os senhores são parentes dele?

— Doutor Emiliano é meu amigo há muitos anos. Nossas famílias se frequentam habitualmente. Permita que me apresente.

Fernando entregou-lhe um cartão, e Bruno fez o mesmo. O delegado leu e levantou-se dizendo:

— Desculpe, senhor deputado. Eu não sabia que estava tratando com uma autoridade.

— Sente-se. Fique à vontade. Estou aqui para saber o que aconteceu com o doutor Emiliano. A esposa e a filha dele estão chocadas e sob cuidados médicos. Desejo saber em que condições o carro foi encontrado, se há algum indício do que aconteceu. Estou disposto a envidar todos os esforços para que meu amigo seja encontrado são e salvo.

— É o que pretendemos fazer. O carro estava vazio, com a porta do motorista aberta, a chave no volante e o documento do carro no banco da frente. Pela umidade que havia sobre a capota, deduzimos que ele passou a noite toda no sereno. Foi encontrado no começo de uma pequena estrada vicinal, estreita e deserta, por um sitiante que se dirigia ao mercado para levar suas hortaliças. Ele avisou o posto e dois policiais foram encontrá-lo. Foi sorte porque, com os documentos e a chave dentro do carro, qualquer um poderia ter se apoderado dele.

— Não encontraram mais nada no carro?

— Nada no porta-luvas, nada no porta-malas.

Fernando ficou calado durante alguns segundos pensando o que mais poderia contar ao delegado. O caso era sério e ele sentia que precisava falar a verdade. Olhou-o preocupado e perguntou:

— Que hipóteses o senhor formula neste caso?

O delegado pensou um pouco e respondeu:

— Várias. Se houvesse sido um assalto, teriam levado o carro. É um carro novo, de classe, deve valer um bom dinheiro. Eles devem estar visando algo maior. Pode ter sido sequestro. Se for, logo irão ligar para exigir dinheiro.

— E se for vingança?

— Se não pedirem dinheiro, pode ser isso mesmo. O senhor sabe se ele tinha inimigos?

— Doutor Emiliano é um homem caridoso, de boa índole, muito querido.

O delegado meneou a cabeça pensativo e Fernando continuou:

— Há algumas coisas que o senhor precisa saber. Vou contar-lhe, mas peço-lhe que, por enquanto, guarde sigilo.

— Do que se trata?

— De um assunto íntimo. Peço-lhe para fechar a porta e pedir que não nos interrompam.

Vendo seu pedido atendido, Fernando sentou-se diante dele e, em poucas palavras, relatou-lhe a verdade e finalizou:

— Emiliano estava com medo, mas não quis dar parte à polícia por causa da família dele, que ignora tudo. Agora, diante do que aconteceu, eu não poderia omitir esse fato.

— Fez bem. Farei o possível para evitar falar sobre esses detalhes, mas não posso garantir nada. As circunstâncias poderão tornar-se mais complicadas e, se isso ocorrer, teremos de usar todos os recursos.

— Compreendo e agradeço sua boa vontade.

— Pode estar certo de que tudo farei para esclarecer este caso. Esta noite mesmo o retrato do doutor Emiliano estará em todas as delegacias do país.

— Pretendo ficar aqui algum tempo. Se obtiver qualquer notícia, avise-nos no hotel.

Os dois despediram-se e saíram. O carro de Emiliano estava no pátio e eles foram até lá. Um policial estava de guarda e Bruno aproximou-se dele dizendo:

— Sou assessor do deputado Fernando Duarte da Rocha. Ele é amigo íntimo do médico desaparecido. Gostaríamos de dar uma olhada dentro do carro.

O policial concordou e imediatamente abriu a porta do carro. Bruno entrou no banco de trás e começou a examinar minuciosamente tudo. Abaixou-se, passou a mão embaixo do banco, bem no canto encontrou um pedaço de papel e o puxou para fora.

Fernando, que estava parado na porta do lado de fora esperando, viu que Bruno sentou-se no banco e fez sinal para ele chamando-o. Ele sentou-se ao lado dele:

— Encontrou algo?

— Este papel estava debaixo do banco. Veja.

O pedaço de papel estava amassado. Bruno alisou-o e leram: "Venha sozinho e não avise a polícia, caso contrário nunca mais a verá".

— Este bilhete atraiu doutor Emiliano para cá.

— Examine melhor, veja se encontra outro pedaço do bilhete.

— É melhor avisar o policial. Eles podem periciar melhor e com cuidado. Podem achar digitais.

Fernando desceu, chamou o policial e deu-lhe o papel encontrado. Imediatamente o delegado aproximou-se admirado e comentou:

— É estranho. Esse carro foi periciado e ninguém havia encontrado nada... Tem certeza de que esse papel estava dentro do carro?

Bruno, que se aproximara, respondeu:

— Tenho. Encontrei-o bem amassado em um cantinho debaixo do banco.

— Esse bilhete prova que o dono do carro foi mesmo atraído até aqui e nos faz pensar que o objetivo não seja dinheiro. A hipótese de uma vingança pode ser real e, nesse caso, temos que agir depressa. A cada minuto poderá ser tarde demais.

Fernando sentiu um aperto no peito e disse nervoso:

— Doutor Raul, faça o que puder. Estou à disposição para o que precisar.

O delegado entrou na delegacia seguido de Fernando e Bruno. Reuniu-se com dois policiais, telefonou para a chefia, comunicou o caso e pediu ajuda. Lembrou que o desaparecido era pessoa de classe alta e havia um deputado na delegacia interessado em resolver o caso.

Fernando sentia-se inquieto e Bruno lhe disse:

— Por enquanto nada temos para fazer aqui. Vamos para o hotel nos refazer e preparar para o que precisar.

Fernando não estava com vontade de deixar a delegacia, mas Bruno conseguiu convencê-lo:

— Neste momento a polícia vai cuidar do carro. A foto do doutor Emiliano já deve estar sendo divulgada. Se surgir alguma pista, nós precisamos estar prontos para fazer o que for preciso. Pediremos ao delegado que nos telefone se houver alguma novidade. Vamos para o hotel tomar um banho, descansar um pouco, comer alguma coisa.

— Ele pode não ligar.

— Nesse caso, voltaremos mais tarde para saber.

Finalmente Fernando concordou e eles voltaram ao hotel. Tomaram banho. O jantar já estava sendo servido e eles comeram um pouco. O delegado não havia ligado e Fernando, cada vez que o telefone tocava, ficava de sobreaviso. Mas nada acontecia.

Olhando o rosto preocupado de Fernando, Bruno sugeriu:

— Vamos até o quarto.

— Vá você. Eu ficarei por aqui. Não consigo descansar.

Bruno fixou-o sério e recomendou:

— Não vamos nos deixar enganar pelas aparências nem pensar no pior. É hora de pedir ajuda espiritual.

Fernando deixou-se conduzir para o quarto e, uma vez lá, sentados na beira da cama, Bruno tornou:

— Quando nós não podemos fazer nada para solucionar uma situação ruim, é hora de entregá-la nas mãos da Providência Divina, que sempre sabe o que é melhor, e pedirmos inspiração para que possa nos auxiliar no que for possível.

Fernando pensou em Emiliano, Júlia e Olívia, e comoveu-se. Do fundo do coração, rezou pedindo a Deus que protegesse aquela família.

Bruno levantou-se, colocou a mão na testa de Fernando e confortou-o:

— Acalme seu coração. Por maior que seja a tempestade, quando ela acaba, a atmosfera se refaz, renovando o ar, trazendo a bênção do recomeço. Tudo está certo. Estamos ajudando dentro do possível, mas é bom lembrar que os desafios de cada um estimulam o progresso e sempre acabam colocando as coisas onde devem estar. A verdadeira ajuda é ignorar o mal e esperar sempre a melhor solução porque o bem sempre vence.

Bruno calou-se durante alguns instantes. Fernando sentia uma brisa suave o envolvendo, e a inquietação desapareceu.

Bruno colocou novamente a mão sobre a testa de Fernando e tornou:

— Está na hora de você acordar para a espiritualidade. Daqui para a frente muitas coisas vão mudar no seu sentir e novas portas de conhecimento vão se abrir. Lembre-se de que você tem tudo para conseguir realizar seus projetos, mas só conseguirá materializá-los quando aceitar a ajuda e a inspiração dos espíritos de luz. São eles os trabalhadores do bem na Terra e estão sempre dispostos a ajudar para que o progresso se materialize. Diante da ignorância que grassa no mundo, materializando a maldade, só com o apoio e a proteção deles alguém consegue trabalhar em favor da luz.

Bruno calou-se. Fernando sentia um calor agradável no peito e uma sensação de grande bem-estar.

Em seguida, Bruno sentou-se, passou a mão pelos cabelos, abriu os olhos e comentou:

— Eu estou me sentindo leve. Acho que peguei no sono.

Fernando olhou-o satisfeito e respondeu:

— Eu gostaria de poder dormir assim todos os dias. Você não estava dormindo, conversou comigo o tempo todo.

Bruno passou a mão nos cabelos novamente e respondeu:

— Desculpe. Às vezes, isso me acontece. Eu só percebo quando acordo.

Fernando colocou a mão no braço do amigo:

— Eu estava mal e agora me sinto calmo, leve. Neste momento, contar com essa ajuda espiritual é uma bênção. Sinto-me mais forte e tenho esperança de que eles farão tudo que podem para trazer Emiliano de volta.

Bruno sorriu.

— Confesso que tenho alguns amigos espirituais e pedi a eles ajuda neste caso. Eles derrubaram minha chave, para chamar minha atenção e poder encontrar a abotoadura.

— O que nos faz crer que naquele dia Emiliano já havia estado lá.

— E já tivesse sido levado para outro lugar.

— Seus amigos devem saber onde ele está.

— Sim, eles sabem e, se tivessem autorização, nos informariam. Mas nem sempre podem intervir. Há fatores, circunstâncias, que desconhecemos, e uma ação nossa poderia prejudicar os resultados.

Fernando pensou um pouco, depois concluiu:

— Entendo. Nesse caso, vamos agradecer, confiar e esperar.

— Amanhã é outro dia. A vida sabe o que faz.

Capítulo 16

Apesar do adiantado da hora, Dora ainda não descera para o café. Margarida olhava o relógio preocupada. Não gostava quando Dora ficava na cama até tarde. Era sinal de que não estava bem. Depois que Fernando viajara na manhã do dia anterior, ela ficara mal-humorada. Implicava com tudo, e tanto Margarida como Luiza evitavam ficar perto dela.

A campainha tocou e Margarida foi abrir.

— Doutor Ernesto, como vai?

— Bem, Margarida, e você? Faz tempo que não nos vemos.

Luiza, que estava do lado, foi quem respondeu:

— Você não apareceu mais por aqui!

Margarida lançou-lhe um olhar reprovador e comentou:

— Certamente o doutor tem mais o que fazer do que vir nos visitar. Entre, por favor.

Ele entrou, olhou-a nos olhos e emendou:

— Pois eu trocaria de bom grado os dias que estamos passando por estar todo o meu tempo aqui, ao lado de vocês. Mas seu pai não me telefonou e vim saber se vocês têm alguma informação sobre o doutor Emiliano.

— Infelizmente não. Imagino que dona Júlia e Olívia devem estar desesperadas.

— Será que ele foi sequestrado? — cogitou Luiza.

— Não temos certeza de nada. Ele está bem de vida, mas não é rico. Por que iriam sequestrá-lo?

Margarida conduziu Ernesto até a sala, pediu a Janete para servir café e as duas sentaram-se no sofá ao lado dele.

— O que pode ter lhe acontecido então? — perguntou Luiza.

Margarida olhou-os e afirmou:

— Ele está bem e voltará em breve.

Os dois olharam-na surpreendidos. Ernesto ia falar, mas Luiza fez-lhe sinal para que não o fizesse. Mas mesmo assim ele questionou:

— Tem certeza?

— É preciso ter fé em Deus. Emiliano é um homem bom, apesar de que terá de pagar o preço de suas escolhas.

Ernesto notou que Margarida estava diferente, falava com voz suave, mas firme, olhos perdidos no tempo, gestos delicados e postura ereta. Interessou-se:

— O que mais você sabe?

— Eu gostaria de falar com Júlia. Se me levarem a ela, ficarei muito grata.

— Podemos ir agora mesmo, se desejar.

Margarida baixou a cabeça e, quando a levantou, disse sorrindo:

— O que foi que você falou mesmo?

— Que Júlia e Olívia estão aflitas e seria bom que você fosse comigo até lá, para conversar um pouco e distraí-las.

Margarida passou a mão pela testa e olhou-o admirada.

— Você acha? Eu gostaria, mas não sei. Penso que neste momento iríamos incomodar.

— Pois eu penso que seria muito bom elas conversarem um pouco, se distraírem — afirmou Luiza.

— Não sei. Mamãe ainda não desceu. Ontem ela não estava nada bem.

— Que nada! Mamãe fica assim todas as vezes que papai viaja. Ela pode ficar no quarto o dia inteiro e nós podemos aproveitar para ir alegrar a madrinha.

Margarida pensou um pouco, depois resolveu:

— Está bem, vamos. Vou me arrumar um pouco. Venha, Luiza.

— Vá você. Eu estou bem, veja.

— Está certo. Não me demoro.

Margarida subiu e Luiza sentou-se perto de Ernesto no sofá e disse baixinho:

— Margarida de vez em quando fala coisas e depois as esquece. Ela tem um espírito de luz que a protege e conversa com ela. Tudo que ele fala acontece. Ela sempre foi assim. Mas eu não conto para mamãe porque ela não acredita.

— Margarida tem muita sensibilidade. Eu notei desde que a vi.

— Eu penso que vocês já se conhecem de outras vidas.

Ernesto olhou-a surpreendido:

— Você fala com tanta certeza!

— Eu sei que vivemos outras vezes. Eu e Margarida conversamos muito sobre esse assunto, mas guardamos segredo.

Ernesto ficou calado durante alguns segundos, depois revelou-lhe:

— Quando a conheci tive a certeza de já termos convivido em outros tempos. Margarida me é muito familiar. Quando estou perto dela, sinto-me feliz e a custo consigo disfarçar.

— Ela gostaria muito de ouvir isso porque sente a mesma coisa.

Ernesto ia responder, mas Margarida entrou e ele disse apenas:

— Vamos.

Margarida chamou Janete e avisou:

— Vamos até a casa de dona Júlia. Ela e Olívia estão aflitas e vamos ver se conseguimos dar uma força. Avise mamãe, por favor. Qualquer coisa, ligue para lá.

Meia hora depois, entraram na sala da casa de Júlia. Ao vê-las, ela se levantou do sofá e correu até elas chorando.

Margarida abraçou-a com carinho, enquanto Luiza, olhos cheios de lágrimas, juntou-se a elas no mesmo abraço.

Permaneceram assim durante alguns minutos. Depois Margarida disse comovida:

— Nós viemos para rezar com a senhora.

— Não aconteceu nada de ruim com o padrinho. A senhora vai ver. Logo ele estará de volta são e salvo.

— Obrigada. É o que espero de todo o coração. Mas o tempo passa e nenhuma notícia. O carro dele abandonado em outra cidade, vazio, e nenhuma pista dele.

— O doutor Fernando está lá, com a polícia, as fotos já foram colocadas em todas as delegacias, aeroportos, estações e rodoviárias. Tenha calma. Pense que tudo vai acabar bem — esclareceu Ernesto.

Olívia aproximou-se. Estava abatida, triste. Luiza correu a abraçá-la emocionada. Ela pensava em como estaria se fosse seu pai que estivesse desaparecido e não conseguia falar. Margarida aproximou-se, segurou a mão dela e disse com carinho:

— Está difícil, Olívia. Nós compartilhamos da sua dor. Seu pai é muito querido por todos os que o conhecem. Neste momento, muitas pessoas estão rezando e pedindo a Deus que o traga de volta são e salvo.

Os lábios de Olívia tremeram e ela não conseguia dizer nada. Estava em crise.

Margarida puxou-a pela mão, fê-la sentar-se no sofá do seu lado e continuou segurando sua mão.

Luiza, abraçada à madrinha, tentava distraí-la. Ernesto aproximou-se delas.

— A senhora está sem comer desde ontem. Precisa alimentar-se. Se continuar assim, vai adoecer. Quando doutor Emiliano voltar, poderá precisar de sua ajuda, e a senhora tem que se cuidar. Pense nisso.

— Vamos comer alguma coisa. Eu estou morrendo de fome — reforçou Luiza para incentivá-las.

As duas foram com ele até a copa, onde Ernesto mandara servir um lanche. Ele voltou para buscá-las, mas Margarida fez-lhe sinal que não.

Segurando a mão de Olívia com carinho, Margarida disse com suavidade:

— Você está muito triste segurando o choro para não preocupar sua mãe. Você ama muito seus pais, mas nunca soube demonstrar esse amor. Abra seu coração, chore sua dor, desabafe. Vai lhe fazer bem.

Nesse momento, Olívia foi sacudida pelos soluços, e as lágrimas, qual catadupas incontroláveis, desceram-lhe pelas faces.

Margarida apanhou um lenço na bolsa e colocou-o na mão dela, depois abraçou-a com carinho e continuou:

— Expresse o amor que tem no coração. Vai lhe fazer muito bem. Até agora você acreditava que expressar seus sentimentos seria perigoso. Mas o desaparecimento de seu pai abalou esse conceito e você sentiu o quanto gosta dele. Se ele entrasse agora por aquela porta, você correria para os seus braços querendo ficar ali para sempre.

Aos poucos Olívia foi serenando, parou de chorar, enxugou o rosto, um pouco envergonhada. Margarida permaneceu em silêncio, esperando que Olívia falasse.

— Desculpe, Margarida. A pressão foi muito forte. Não aguentei.

— Sente-se mais calma?

— Sim. Eu estava no limite de minhas forças. Você não imagina como é a angústia de não saber o que está acontecendo com papai. Ele é minha força, meu escudo, sempre fez tudo para meu bem-estar. Estou desesperada. E se ele não voltar? E se nunca mais pudermos estar juntos?

— Não pense no pior. Isso, além de aumentar seu sofrimento, não vai ajudar em nada. É hora de pensar em Deus e de pedir sua ajuda.

Enquanto Olívia a olhava surpreendida, Margarida segurou a mão dela e prosseguiu:

— Eu confio na Providência Divina. Vamos fazer uma prece, pedir para que ele possa voltar para casa são e salvo. Feche os olhos.

Olívia obedeceu e Margarida fez uma comovida oração pedindo a Deus que protegesse Emiliano e ele voltasse.

Enquanto ela falava, Olívia, comovida, sentia que uma brisa suave a envolvia e aos poucos foi se acalmando.

— Agora, Olívia, imagine que seu pai está chegando, entrando pela porta desta casa, de braços abertos em busca do seu carinho. E agradeça a Deus de coração por tê-lo trazido de volta.

Elas abriram os olhos e viram Ernesto parado diante delas emocionado.

— Dona Júlia já se alimentou. Luiza conseguiu um milagre. Agora é a nossa vez. Vamos comer alguma coisa.

— Estou sem fome — disse Olívia.

Margarida interveio:

— Pois eu estou faminta.

— Eu também. Vamos, Olívia — pediu Ernesto.

Margarida, vendo que Olívia hesitava, abraçou-a intimando-a:

— É hora de você recepcionar as visitas. Eu não abro mão.

Olívia esboçou um sorriso e acompanhou-os até a copa. Júlia e Luiza ainda estavam sentadas conversando e, vendo-as, Luiza comentou:

— Experimentem esse bolo que a Ivone acabou de servir! Eu comi dois pedaços! A madrinha também adorou.

Apesar de pálida, Júlia parecia mais tranquila e fez as honras da casa, insistindo para que os três se servissem. Percebendo que Olívia parecia mais calma, animou-se a participar da conversa.

Tanto Ernesto quanto Margarida procuraram interessá-las, falando de assuntos leves e agradáveis. Apesar das circunstâncias, o ambiente estava mais sereno e o semblante tanto da mãe como da filha estava melhor.

Foi quando o telefone tocou. Júlia e Olívia levantaram-se para atender, mas Ernesto não lhes deu tempo. Chegou primeiro, atendeu e logo foi rodeado pelas duas.

— Fala, deputado. Tem alguma notícia?

— Nada até o momento. Mas a polícia está mobilizada e insistindo na busca.

— Vou passar o telefone para dona Júlia.

— Nenhuma notícia? — perguntou ela ansiosa.

— Ainda não. Mas a polícia está trabalhando muito, investigando tudo. Eu vou voltar para casa agora, mas o Bruno continuará por aqui e qualquer novidade nos avisará.

Notando a decepção de Júlia, Ernesto retomou o telefone e comentou com Fernando:

— Margarida e Luiza estão aqui. Vieram dar apoio a todos nós.

— Quero falar com papai.

Margarida fez sinal que não e Ernesto finalizou:

— Elas mandam um beijo a você e votos de boa viagem.

Ele desligou e Luiza reclamou:

— Por que não me deixou falar com ele?

— Seu pai logo estará em casa e você poderá abraçá-lo. Não é melhor?

Júlia deixou-se cair em uma poltrona, fisionomia tensa, e Olívia sentou-se do lado dela. Margarida aproximou-se:

— Não se deixem abater, a falta de notícias pode ser um sinal de que nada de grave aconteceu.

— Isso mesmo — confirmou Ernesto. — Vamos conservar o otimismo. Não temos nenhuma razão para imaginar o pior.

Margarida olhou-os séria e observou:

— O doutor Emiliano vai voltar fisicamente bem. E, com sua volta, algumas mudanças vão ocorrer.

— O quê? Você sabe de alguma coisa que nós não sabemos? — indagou Olívia.

Margarida olhou-a admirada:

— Não sei do que você está falando.

Ela ia insistir, mas Ernesto fez-lhe sinal para que não o fizesse.

— Está na hora de irmos embora. Mamãe não estava bem e pode precisar de alguma coisa — tornou Margarida.

— Eu as levarei de volta.

— Não se incomode. Podemos tomar um táxi.

— De forma alguma. Vou apanhar a chave do carro.

Ele foi até a outra sala e Olívia o acompanhou:

— Por que Margarida disse aquelas coisas sobre papai? O que ela sabe?

— Margarida é sensitiva. Às vezes alguém fala por ela sem que ela perceba.

— Não! Será? E ela costuma acertar suas previsões?

— Sim. Depois conversaremos. Temos de ir.

Pouco depois, elas se despediram e saíram.

Assim que se viu a sós com a mãe, Olívia comentou:

— Margarida sempre foi diferente, meio esquisita, mas eu nunca tinha visto ela falar coisas, como aconteceu hoje.

— Margarida é muito sensível. Ela tem mediunidade. Já disse isso a Dora, mas ela não acredita. Ela ouve música que vem de outras dimensões, dá recados de espíritos.

— Você acredita?

— Não sei se é verdade, ou não. Mas Margarida é uma moça muito equilibrada, alegre, não me parece esquisita como você disse. Eu gosto muito dela. Hoje ela veio, rezou conosco e reconheço que estamos mais calmas.

— Se o que ela previu realmente acontecer, vou querer saber como é que isso acontece.

— No momento, seria bom mesmo é pedir a Deus que proteja seu pai e que ele volte são e salvo. Vou até fazer uma promessa para que isso aconteça.

Durante o trajeto de volta para casa, Ernesto tocou no assunto:

— De vez em quando, do nada, você diz alguma frase diferente do assunto e depois fica como se não se lembrasse dela. Como isso acontece?

— Não sei explicar. Sinto uma energia agradável, parece que minha cabeça fica mais clara e minha boca fala sem que eu pense em nada. Eu ouço o que estou dizendo, mas logo depois esqueço tudo e volto ao meu natural.

— Isso é mediunidade. Nunca estudou o assunto?

— Não. Às vezes sonho com meu pai. Ele me leva a lugares muito bonitos, cheios de jardins floridos, e eu acordo desses passeios sempre muito bem-disposta.

— Eu tenho estudado a mediunidade, possuo alguns livros de estudos científicos sobre esses fenômenos. Gostaria de mostrar-lhe alguns deles.

— Terei o maior prazer em ler, estudar.

— Pois eu sei quando ela está acompanhada de alguém que não é deste mundo. Ela fica diferente e me ensina coisas boas. É muito bom.

— Você é uma menina privilegiada. Poder usufruir da companhia de Margarida é uma bênção.

— Não exagerem. Tudo na vida é natural, basta querer. Qualquer um pode fazer isso.

O carro parou na frente da casa. Imediatamente a porta abriu e Dora surgiu na varanda. Elas desceram e Ernesto acompanhou-as até a porta, cumprimentou Dora e antecipou-se:

— Desculpe ter roubado suas filhas, mas dona Júlia e Olívia estavam tão tristes que as convidei para dar-lhes um apoio.

— Eu recebi o recado, mas fiquei temerosa de que o momento não fosse adequado para uma visita. Elas devem estar angustiadas, aflitas.

— Estavam. Mas as duas conseguiram distraí-las, acalmá-las e até fazer com que se alimentassem.

— Sinto-me aliviada. Vamos entrar. Fernando ligou, logo estará de volta e poderão conversar.

Ernesto consultou o relógio de pulso e comentou:

— Nesse caso vou esperar. Terei de estar no hospital dentro de duas horas. Talvez haja tempo para pelo menos ouvir o que ele sabe sobre o caso.

— Enquanto esperamos, poderíamos fazer uma sessão de música, sugeriu Luiza. Ontem Margarida aprendeu uma música nova.

— Talvez o doutor Ernesto não queira ouvir música. Ele está preocupado com a situação.

— Ao contrário, eu gostaria muito. A música fala ao nosso coração, acalma e nos liga com Deus.

Dora olhou-o surpreendida. Luiza segurou a mão dele e puxou-o para a saleta onde costumavam tocar e ele se deixou conduzir satisfeito.

Dora sacudiu a cabeça em desaprovação, mas não disse nada. Para ela, era um alívio não ter de fazer sala ao jovem médico. Preferia pensar no marido, de como o receberia e o prazer de passar a noite com ele.

O espírito de Mila encostou-se nela, que sentiu um arroubo de paixão e inquietou-se pelo tempo que teria de esperar para ter o marido em seus braços.

Na sala, Margarida, ao violão — Luiza sentada no chão a seus pés, como gostava —, executava uma música suave cuja letra falava de luz, alegria, amor eterno.

Ernesto deixou-se envolver pelo encantamento, sentindo uma saudade forte, perdida no tempo, de um amor muito grande que lhe dava vontade de cantar, sorrir, viver e ser feliz.

Era um momento mágico em que o tempo havia desaparecido diante do encontro daquelas almas que se reconheciam e se uniam pelos laços da afinidade.

Uma hora depois, quando Fernando chegou, encontrou-os ainda reunidos. Sentia-se cansado, preocupado com o amigo, conjeturando o que poderia ter acontecido.

Ao entrar naquela sala, diante daquela cena, sentiu a alegria de estar de volta, reencontrar as pessoas que amava em um ambiente de paz e harmonia. Intimamente agradeceu a Deus poder desfrutar desse momento.

Elas pararam e correram a abraçá-lo. Luiza pulou no seu colo, ele a beijou e depois abraçou Margarida, que lhe disse baixinho:

— Tudo que você planta terá de colher. É Lei. Acalme seu coração. Está tudo certo.

Fernando emocionou-se. Ele já havia notado que Margarida de vez em quando dizia coisas diferentes, mas eram sempre elevadas e verdadeiras.

Abraçou-a com força reconhecendo:

— É muito bom poder estar de volta, poder abraçar todas vocês, estar em casa.

Abraçou Ernesto e perguntou:

— Como estão as coisas em casa?

— Olívia chorava, inconsolável, e dona Júlia, calada, não comia nem dormia. As duas eram a imagem da angústia. Mas o apoio de Margarida e Luiza foi uma bênção. Elas se acalmaram um pouco e até se alimentaram. Como vão as investigações?

— A polícia está empenhada. Colocou o serviço de inteligência trabalhando e Bruno está com eles. Qualquer novidade, saberemos logo. Agora resta esperar.

— Tem razão. Agora vou deixá-lo descansar. Estarei no hospital. Qualquer novidade, por favor, me avise.

— Está bem.

Ele se despediu e Dora, abraçada ao marido, pediu:

— Margarida, acompanhe o doutor até a porta.

Luiza segurou a mão de Ernesto dizendo alegre:

— Espero que você não demore tanto tempo para vir nos ver. Vamos ficar com saudades.

Ernesto beijou-a na face:

— Virei tantas vezes que vão se cansar de mim. Podem esperar.

Ela retribuiu o beijo:

— Eu gosto muito de você!

Ele riu bem-humorado, voltou-se para Margarida e seus olhos se encontraram:

— Como seria bom se eu pudesse ficar e nunca mais ir embora.

Segurou a mão dela e disse baixinho:

— Vou sonhar com você e com essa música nova que despertou em mim uma saudade de algo muito bom, que não sei o que é.

Ela sorriu e seus olhos brilharam emocionados.

— Eu também senti um pouco dessa saudade.

— Vamos ouvi-la juntos de novo. Vamos combinar isso.

— Está bem.

Ele se foi. As duas ficaram olhando na varanda até que ele desse partida no carro, abanasse a mão em despedida e desaparecesse na curva da rua.

Luiza suspirou e declarou emocionada:

— Ele está apaixonado por você!

— É cedo para dizer. Mas sinto que temos alguma coisa em comum.

As duas entraram abraçadas e foram conversar no quarto. Fernando tomou um banho e deitou-se para descansar um pouco. Dora acomodou-se do lado, abraçada a ele. O que eles não sabiam era que Mila, ardente apaixonada, estava do outro lado, abraçando-o com paixão fazendo planos para o futuro.

Capítulo 17

O telefone tocou. Fernando abriu os olhos assustado. Ainda atordoado, atendeu:

— Doutor Fernando, sou eu, Bruno. Estourou a bomba!

Fernando pulou da cama:

— Estou ouvindo. O que aconteceu?

— Encontraram doutor Emiliano e Anita. Agora eles estão sendo interrogados na delegacia. Eles foram sequestrados pelo ex-marido dela. Estavam presos em um porão de um velho casarão dentro de um sítio na divisa com Minas.

— Eles estão bem?

— Acabaram de chegar aqui. Vim imediatamente, mas não pude ainda falar com eles. Estão abatidos, cansados, nervosos, mas sem ferimentos.

— Como foi que a polícia descobriu onde estavam?

— Uma denúncia anônima. A polícia rodeou o local, suspeitou que havia algo e invadiu. Eles não reagiram. Foram todos presos.

— Vou já para aí.

— É melhor esperar. Ele me pareceu ansioso para regressar. Se for liberado, logo estará aí. Assim que falar com ele, torno a ligar. A notícia correu e vários repórteres estão aqui. Alguns dizem que será primeira página nos jornais hoje mesmo. É bom preparar a família dele. Pelo que tenho ouvido por aqui, a história do romance dele com Anita já está sendo explorada. Não vai dar para segurar.

— Emiliano deve estar acabado. Vamos ver o que vai dar para fazer. Ficarei esperando sua ligação.

Fernando desligou, sentou-se na cama pensativo.

— Encontraram Emiliano?— perguntou Dora.

— Sim. Parece que ele está bem.

— Nesse caso é bom avisar Júlia.

— É muito cedo. Bruno ainda não conseguiu falar com ele e vai me ligar assim que conversarem. Então falarei com ela.

Fernando deitou-se novamente, tentando relaxar, mas não conseguiu. Levantou, vestiu-se e desceu. Dora havia se virado para o lado e continuava dormindo.

Fernando pediu a Janete para fazer um café; enquanto esperava, ligou para Ernesto, contou as novidades e finalizou:

— A história do romance de Emiliano vai estar nos jornais logo mais e eu não sei o que dizer a Júlia.

Ernesto pensou um pouco e respondeu:

— É melhor falar apenas do sequestro e deixar esta questão para ele explicar. Afinal, essa é a parte que lhe cabe.

— O estrago pode ser grande. Júlia tem o marido como um homem amoroso e fiel.

— Eles conviveram bem durante esses anos todos, vão conversar e pode ser que ela acabe por perdoar.

Dona Júlia é uma mulher inteligente, vai pensar no bem-estar da filha.

— É. Pode ser. Pelo menos Emiliano logo estará aqui, voltará ao trabalho e tudo vai se acalmar. O tempo passa e as pessoas esquecem.

— Vamos fazer o seguinte, assim que Bruno ligar, me avise e irei para casa imediatamente. Quero estar ao lado delas, apoiá-las para o que der e vier.

— Faça isso. Procure impedir que algum repórter se adiante e deseje falar com elas.

— Farei o que puder.

Enquanto isso, Bruno, na delegacia, aguardava o momento em que Emiliano saísse e pudessem conversar. Uma hora depois, ele terminou o depoimento e saiu.

Bruno aproximou-se:

— Doutor Emiliano, podemos conversar?

O médico, abatido, pálido, olhou-o sério:

— Como estão as coisas lá em casa?

— Sua família está bem. Doutor Ernesto e o deputado estão cuidando delas. O senhor já está liberado?

Emiliano passou a mão pela testa como querendo jogar fora os pensamentos que o incomodavam e respondeu:

— Ainda não. Anita está muito nervosa, sendo atendida por uma enfermeira. Chora sem parar e não se conforma. Foi horrível tudo que nos aconteceu.

— Felizmente acabou. Os culpados estão presos e responderão pelo que lhes fizeram. É hora de virar a página e tentar refazer-se do estrago.

Emiliano suspirou:

— Não sei se serei capaz de remediar essa tragédia. Às vezes penso que teria sido melhor se Décio tivesse nos matado. Pelo menos eu não teria de machucar ainda mais as pessoas que eu amo.

Bruno colocou a mão no braço de Emiliano:

— Não diga isso nem por brincadeira. É preciso enfrentar este momento com coragem. Tudo vai se ajeitar, estou certo disso.

A porta abriu-se e Anita surgiu apoiada no braço da enfermeira. Aproximou-se de Emiliano dizendo:

— Estou liberada. Quero ir para casa.

Estava pálida e seus lábios tremiam. Bruno fixou-a e entendeu por que Emiliano se apaixonara por ela. Aparentava uns quarenta anos, alta, corpo bem-feito, pele clara, cabelos escuros e ligeiramente ondulados, olhos grandes e emotivos.

— Não sei se já estou liberado.

Um policial aproximou-se:

— Doutor Emiliano, o doutor Mandeli quer falar com o senhor.

Bruno interveio:

— Estou com o carro e posso levá-la até sua casa.

Emiliano fixou Anita e recomendou:

— Bruno é meu amigo. Você precisa descansar. Vá com ele. Depois conversaremos.

— Estou com medo de ficar lá sozinha.

— O delegado já tem um policial de guarda em sua casa. A senhora estará protegida. Tudo está sob controle.

— Nesse caso, aceito. Estou no limite das minhas forças. Não quero dar trabalho a ninguém.

Bruno dirigiu-se à enfermeira:

— A senhora teria condições de acompanhá-la e ficar com ela até que melhore?

— Posso ficar com ela o tempo que for necessário. O doutor Emiliano pediu ajuda e o delegado mandou me buscar. Estou a serviço do casal. Meu nome é Marta.

— Ótimo. Meu nome é Bruno. Sou assessor do deputado Fernando Duarte da Rocha, amigo do doutor Emiliano. Vamos embora.

Bruno sentou-se à direção do carro, e as duas, atrás. Durante o trajeto, pelo retrovisor, ele via o rosto contraído de Anita e, apesar de ela estar com os olhos fechados na maior parte do tempo, percebia que, de vez em quando, ela estremecia, abria os olhos assustada e logo os fechava tentando descansar.

Diante da casa havia alguns jornalistas que tentaram aproximar-se quando o carro parou, mas o policial que guardava a casa não lhes permitiu assediá-los.

Entraram e Bruno esperou na sala, enquanto Anita foi tomar um banho e Marta trocava a roupa de cama, higienizava o quarto.

Depois do banho, Anita entrou no quarto, vestindo uma roupa confortável, olhou em volta e comentou:

— Parece que tirei uns vinte quilos de cima. Mas estou exausta.

Marta afastou os lençóis, colocou dois travesseiros e a ajudou a se acomodar dizendo:

— Agora vou ver o que tem na cozinha. Você precisa comer alguma coisa.

— Não tenho fome.

— Mas seu corpo está pedindo. Vou ver o que posso fazer.

Marta foi até a cozinha pensando em fazer uma sopa, mas os legumes que encontrou estavam estragados. Ela voltou à sala e Bruno perguntou:

— E então, como está ela?

— Tomou um banho, está deitada, mas precisa alimentar-se. Preciso que você vá comprar alguns ingredientes para eu preparar uma sopa.

— Irei imediatamente. Faça a lista.

Ele comprou tudo e Marta fez uma sopa suculenta cujo odor agradável fez Bruno lembrar que não havia sequer almoçado.

Vendo-a passar com o prato fumegante na bandeja Bruno comentou:

— Essa sopa deve estar muito boa.

Marta sorriu:

— Tem bastante para nós três.

Marta entrou no quarto, colocou a bandeja na mesinha. Na cama, Anita permanecia de olhos fechados, mas notava-se que não estava dormindo.

Marta chamou-a, fê-la sentar-se encostada nos travesseiros e aproximou a bandeja para que ela comesse.

— Meu estômago está enjoado. Não quero comer.

— Vai pelo menos experimentar.

Em seguida, deixou a bandeja na mesinha, segurou a colher, o prato e disse:

— Fiz essa sopa com muito carinho e você vai pelo menos experimentar.

Dito isso aproximou uma colherada dos lábios dela, que acabou abrindo a boca e engolindo. Conversando bem-humorada, Marta conseguiu que ela tomasse toda a sopa. Depois, saiu devagar, deixando o quarto na penumbra.

Anita sentiu-se melhor, acomodou-se gostosamente e logo adormeceu.

Na copa, Marta e Bruno acomodaram-se diante da tigela de sopa e comeram com gosto:

— Há muito tempo eu não tomava uma sopa tão boa.

— É a fome. Eu também estava faminta.

— Não é só isso. A sopa estava boa mesmo.

Quando terminaram, Marta foi até o quarto e voltou satisfeita:

— Ela está dormindo tranquila. Graças a Deus.

— Vou voltar à delegacia e ver se o doutor Emiliano já foi liberado.

Uma hora depois, finalmente Emiliano saiu e foi ao encontro de Bruno.

— Como está Anita? — indagou ansioso.

— Está bem. Levei a enfermeira que tomou conta de tudo, da higiene, deu uma ordem na casa, cozinhou e finalmente fez com que ela adormecesse.

— Ainda bem. Eu estou exausto.

— O que pensa fazer?

— Ainda estou em estado de choque. Nem sei como voltar para casa depois de tudo.

— Doutor Fernando está esperando notícias. Estou às suas ordens. Quer ir à casa de Anita ou prefere voltar para São Paulo?

Emiliano pensou um pouco e decidiu:

— Quero ir à casa de Anita, ver como ela está. Depois voltaremos para São Paulo. Antes vou retirar minha maleta. Décio levou-a ao cativeiro e agora está na delegacia.

— Vamos embora.

O delegado liberou a maleta. Eles passaram na casa de Anita. Emiliano entrou no quarto, ela dormia tranquila. Depois conversou com a enfermeira e contratou-a para que permanecesse cuidando e fazendo companhia a Anita. Em seguida procurou Bruno:

— Vamos passar no hotel. Preciso tomar um banho, trocar de roupa, tirar de mim esse cheiro horrível que me recorda aquele porão imundo.

Enquanto Emiliano foi para o chuveiro, Bruno ligou para Fernando, que atendeu prontamente:

— E então, como estão as coisas?

— Sob controle. Os sequestradores estão presos. Doutor Emiliano já foi liberado. Estamos no hotel e, depois de comer alguma coisa, vamos seguir para São Paulo.

Fernando ficou calado durante alguns segundos depois perguntou:

— Emiliano vai direto para casa?

— Penso que sim. Dona Júlia já sabe dos detalhes do caso?

— Infelizmente alguns jornalistas ligaram para ela fazendo perguntas sobre o caso. Júlia já sabe que o marido foi sequestrado com uma mulher. Ernesto aconselhou-a a não dar ouvidos a eles, mas é claro que ela está desconfiada.

— Doutor Emiliano vai ter de enfrentar o escândalo. Pelo que sei, os jornais da tarde vão noticiar tudo com detalhes.

— Gostaria de falar com ele antes de viajarem.

— Darei o recado.

Alguns minutos depois, Emiliano aproximou-se e Bruno tocou no assunto:

— Doutor Fernando quer conversar com o senhor. Está à sua disposição para o que precisar. Disse que alguns repórteres ligaram para sua casa e deram a versão do caso. Dona Júlia já sabe que havia uma mulher envolvida.

Emiliano olhou-o sério e respondeu:

— Eu já imaginava. Depois de tudo que passei, não sei se terei forças para enfrentar essa situação. Estou com os nervos em frangalhos. É melhor eu conversar com Fernando.

Bruno ligou e passou-lhe o telefone:

— Está na linha.

Emiliano ia falar, mas a comoção tomou conta dele e não pronunciou palavra. Fernando imaginou como ele deveria estar e comoveu-se também.

— Eu gostaria de poder abraçá-lo e dar-lhe forças para superar este momento difícil. Mas estou certo de que essa tempestade vai passar e você vai conseguir dar a volta por cima.

— Eu estou acabado. Tudo que construí nesta vida foi por água abaixo. Eu sou o único culpado. Infelicitei minha família, coloquei em risco a vida de Anita, que só por um milagre não foi morta por aquele infeliz. Eu preferia que ele houvesse me matado em vez de maltratá-la diante dos meus olhos para castigar-me. Foi horrível. Sinto que não estou em condições de enfrentar o que ainda virá. Assumo minha culpa. Sei que não mereço perdão. Gostaria de desaparecer.

— Não se martirize. Coragem.

As lágrimas desciam pela face de Emiliano e ele não conseguia falar. Bruno pegou o telefone:

— Ele está muito emocionado, não consegue falar.

— Sinto não estar aí. Diga-lhe que venha direto para minha casa. Juntos, resolveremos o que será melhor fazer.

— Está certo. Ele não comeu nada. Vou ver se consigo que ele se alimente, depois iremos direto para aí.

— Ficarei esperando. Cuide bem dele. Não o deixe sozinho de forma alguma. Tenho medo de que cometa alguma besteira.

— Permanecerei colado nele.

Fernando desligou o telefone e viu Margarida parada à sua frente.

— Emiliano está com a saúde abalada e pensando em acabar com a vida. Precisa de cuidados e muito carinho. Não o deixe sozinho. Estamos tentando ajudá-lo.

Fernando a olhou surpreso:

— Quem lhe disse isso, Margarida?

— Sou eu, Otávio, quem está dizendo.

A voz dela estava mais grave e Fernando foi dominado por forte emoção. Em sua memória a figura do pai surgiu e ele estremeceu.

Margarida continuou:

— É hora de você conhecer certas verdades da vida. Você tem duas almas amigas e preparadas para lhes mostrar tudo que precisa saber. Observe, analise, confie nelas.

Fernando notou que uma brisa suave o envolveu trazendo calma, alegria e paz.

Margarida suspirou, depois olhou o pai e quis saber:

— O que foi mesmo que você me perguntou?

— Você já respondeu. Está tudo bem.

Luiza aproximou-se dizendo alegre:

— Por que não me chamaram também para conversar?

— Você estava dormindo no sofá — justificou Margarida.

— Eu estava sonhando, passeando por um lugar muito lindo. Cheio de flores perfumadas.

Fernando abraçou-as com carinho:

— Vocês são as duas flores que perfumam a minha vida.

Dora se aproximou:

— Teve notícias de Emiliano? Já viu os jornais da tarde? Seria bom ler.

Fernando segurou o jornal que ela lhe estendia e tornou sério:

— Emiliano logo estará aqui. Está doente e precisando de carinho. Vamos recebê-lo com respeito.

Dora mordeu os lábios, não respondeu e pensou:

"Os homens são todos iguais. Protegem-se mutuamente. Fernando é igual. Mas ficarei atenta. Se ele me trair, terá de ver-se comigo."

O espírito de Mila, que estava ligado a ela, sussurrava essas palavras ao seu ouvido. A traição do médico ia render muito. Poderia até fazer com que Fernando e Dora se separassem.

O espírito de Otávio via a cena sem que Mila o notasse. Ele se arrependera muito da reação que tivera contra ela e prometera a si mesmo que nunca mais se tornaria violento.

Mas, vendo-a envolver Dora, sentia ímpetos de afastá-la pela força. Nesses momentos, disposto a agir de forma melhor, pedia socorro a Alípio, seu mestre espiritual, que o inspirasse a agir de maneira mais adequada.

A resposta era sempre a mesma:

— Acalme seu coração. Perceba que este é um excelente momento para você aprender a controlar seus ímpetos de violência. Para isso a vida os colocou um diante do outro. Por que, em vez de ligar-se à maldade de Mila, não a ajuda a perceber o lado mais positivo das coisas? Todos os seres possuem pontos fracos e qualidades. Por que não tenta trazer à tona o lado melhor dela?

— Tem razão, mestre. Vou tentar.

Por esse motivo, ele ocultava sua presença porque, se ela o visse, não conseguiria tentar nada.

Mas, graças a essa sua atitude, Mila, por mais que tentasse criar desentendimentos entre todos, não conseguia. Insistia em exacerbar o ciúme de Dora, mas Otávio, sem que ela o visse, fazia o oposto, enviava pensamentos positivos a todos, fazendo com que o ambiente logo se desanuviasse.

Apesar do assédio de Mila, Dora, observando o ambiente alegre e descontraído de Fernando com as filhas, incluindo-a de maneira carinhosa em todos os momentos, dando-lhe atenção, logo reagia e esquecia as insinuações dela quanto ao caráter do marido.

Mila percebia que já não tinha tanto domínio sobre Dora e começou a sentir-se depressiva, duvidando do próprio poder de persuasão. Ainda assim, não desistia de seus projetos.

Otávio notou que Mila estava começando a fraquejar e sentiu que era o momento em que ele poderia entrar em ação e conseguir que ela deixasse Fernando em paz.

Estava escurecendo quando o carro de Bruno parou diante do portão da casa de Fernando. Ele aguardava ansioso e apressou-se em recebê-los.

Abraçou Emiliano com emoção e não disse nada. Esperou que ele falasse. Vendo que ele estava trêmulo e muito abatido, manifestou-se com simplicidade:

— Venha, meu amigo. Você está precisando descansar, refazer-se.

Emiliano, olhos onde brilhavam algumas lágrimas, não articulou palavra.

Abraçados, os dois entraram, Bruno mais atrás. Dora, ao lado das filhas, esperava no hall. Fernando informou apenas:

— Nosso amigo Emiliano está doente, precisa descansar. Vou acomodá-lo no quarto de hóspedes.

Os dois subiram. Bruno os acompanhou levando a maleta. Uma vez no quarto, Fernando fez sinal para que Bruno os deixasse a sós.

Quando ele desceu as escadas, as três o esperavam na sala. Dora adiantou-se:

— Ele está mal. Precisa de cuidados. O que podemos fazer para ajudar?

— Vou avisar Ernesto que estamos aqui. Doutor Emiliano está precisando de cuidados médicos.

— Vocês devem estar com fome. Vou mandar apressar o jantar.

Margarida adiantou-se:

— Vou falar com Janete.

Bruno ligou para Ernesto, que atendeu prontamente e avisou:

— Chegamos há pouco e o doutor Fernando está acomodando doutor Emiliano no quarto.

— Como está ele?

— Nada bem. Mais magro, muito abatido, deprimido, não consegue sequer manter uma conversação.

— Dentro de poucos minutos estarei aí para ver o que posso fazer.

— Como estão as coisas com a família?

— Olívia só chora, o que é normal. Júlia está me preocupando porque está chocada, insensível, fria. Quando eu lhe disse que Emiliano não estava bem, ia passar alguns dias em tratamento médico antes de voltar para casa, ela sequer respondeu.

— Ela já sabe de tudo?

— Não teve como não saber. O noticiário estava por toda a cidade. Vou dizer-lhe que Emiliano vai ficar alguns dias na casa de Fernando para tratamento. Vamos ver como ela vai reagir. Logo chegarei aí.

— Doutor Emiliano está precisando de roupas. Seria bom trazer alguma coisa. As que ele tem estão sujas e são poucas.

— Está bem, vou providenciar.

Bruno desligou e Dora olhou-o esperando que ele falasse.

— Doutor Ernesto está vindo para cá.

— E Júlia, como está?

— Já sabe de tudo. Está chocada tentando digerir as informações.

Dora passou a mão pela testa como querendo afastar os pensamentos desagradáveis. Mas não podia evitar de pensar: "E se fosse comigo, como eu estaria?"

No quarto, Fernando fez Emiliano sentar-se na beira da cama e acomodou-se na poltrona ao lado.

O médico olhava-o em silêncio. Parecia uma criança aterrorizada.

— Você precisa descansar.

— Não vai dar para viver depois disso.

Fernando abraçou-o com carinho dizendo:

— Não pode pensar assim. O tempo é santo remédio. A tempestade vai passar e você vai dar a volta por cima.

Abraçado ao amigo, Emiliano rompeu em soluços derrubando a barreira de indiferença que construíra para poder enfrentar os acontecimentos. Deixou que as lágrimas lavassem seu rosto entregando-se às emoções do momento.

Capítulo 18

Fernando arrumava a mala. Dora, em volta, tentava impedi-lo de viajar.

— Você precisa mesmo ir?

— Não dá para ficar mais. Estou aqui há três semanas. Hoje à tarde terei uma reunião importante e não posso perder a votação de amanhã. Há muitas coisas que dependem desse projeto.

— Emiliano ainda não está bem.

— A situação agora depende deles. Por mais que eu queira, não posso fazer nada.

— Ele não teve coragem de voltar para casa. Foi para um hotel, vai ver que para ficar junto com a outra. Júlia está inconformada por ele não ter deixado aquela mulher.

Fernando parou, olhou-a sério:

— O nome dela é Anita e ela continua em sua casa em Indaiatuba. Não está com ele no hotel. Depois de tudo, Emiliano não pode abandoná-la. Ela precisa de amparo.

— Entendo que Júlia não pode aceitar isso. Eu também não aceitaria.

— Nós não temos condições de julgar. Eles se apaixonaram. Emiliano a manteve durante quinze anos e ela se tornou dependente dele. Apesar disso, ele nunca deixou de cuidar da família.

— Agora terá de decidir com qual das duas quer ficar. É uma situação insustentável.

— A escolha é dele e vai depender de como cada um interpreta os fatos.

— Ele sequer teve coragem de pedir perdão a Júlia. É o que ele deveria fazer primeiro.

— Emiliano está humilhado, triste, acusando-se de fraco. Não tem condições ainda de enfrentar uma conversa com Júlia. Se ao menos ela demonstrasse vontade de conversar com ele, procurasse entender como aconteceu, talvez ele tivesse a coragem de enfrentá-la, e as coisas tomariam um rumo.

— Isso seria rebaixar-se! Ela é a esposa! Ele a traiu durante todos esses anos. A obrigação de rebaixar-se é dele!

— Nós não temos o direito de julgar os sentimentos dos outros. Não vivemos a experiência deles. Nenhum de nós está livre de errar. Todos nós temos nossos pontos fracos.

Dora olhou-o indignada:

— Você seria capaz de me trair?

— Vamos parar por aqui e encerrar o assunto. Cada um é responsável por suas decisões e vão responder por elas. Quanto a nós, espero que você nunca mais faça uma pergunta como esta.

— É que às vezes eu fico apreensiva. Você, um homem bonito, elegante, em meio a tantas mulheres bonitas lá em Brasília.

— Sou um homem educado, trato todas as pessoas o melhor que posso, mas sei me cuidar.

Fernando fechou a mala e finalizou:

— Preciso ir. Ligarei assim que chegar.

Eles desceram e as filhas os esperavam na sala. Fernando abraçou-as:

— Estarei de volta na sexta-feira. Não vou demorar. Qualquer coisa que precisarem, me liguem. Se eu não puder atender, deixem o recado que ligarei assim que for possível.

Ele as beijou e Luiza pediu:

— Pai, não se esqueça de trazer-me aquele livro que pedi.

— Trarei. E você, Margarida, o que quer?

— Não preciso de nada. Estou bem.

Abraçado a Dora, dirigiu-se até o carro. Beijou-a na face com carinho:

— Cuide-se. São poucos dias, logo estarei de volta.

Dora ficou olhando até o carro desaparecer, depois, fisionomia triste, entrou em casa e foi para o quarto.

Luiza e Margarida fecharam-se no salão de jogos, para escapar ao mau humor de Dora. Pouco depois, Janete avisou-as que doutor Ernesto havia chegado e elas foram recebê-lo.

Depois dos cumprimentos ele justificou:

— Esperava falar com seu pai antes que ele viajasse.

— Faz meia hora que ele se foi — esclareceu Luiza.

— Mas desta vez ele não vai demorar. Estará de volta na sexta-feira — completou Margarida.

Uma vez sentados na sala, Luiza perguntou:

— E a madrinha, está melhor?

Ernesto meneou a cabeça negativamente:

— Infelizmente, as coisas ainda continuam complicadas.

Margarida interveio:

— Às vezes é preciso ceder um pouco para que a situação melhore.

— Dona Júlia não quer que se mencione o assunto. Procede como se nada houvesse, não pergunta pela saúde do marido, não manifesta vontade sequer de falar com ele. Eu preferia que ela manifestasse sua raiva a vê-la indiferente. Não é natural. Temo pelas consequências.

— Ela não quer encarar a verdade. Prefere fugir dos fatos que a fazem sofrer. Mas uma hora ela terá de enfrentá-los e decidir o que vai fazer. Não há outro jeito.

— Olívia está reagindo melhor. Já não chora mais e tenta levar vida normal. Só não tem ido à faculdade. No começo ela tentou conversar com a mãe, mas Júlia negou-se a falar no assunto e ela desistiu. Estou mais preocupado com doutor Emiliano. Ele fica o dia inteiro no quarto do hotel, não se alimenta bem, só dorme com medicamento, não fala, não se queixa, mas está em depressão profunda. Pensei em interná-lo, mas ele não quer.

Margarida pensou um pouco depois disse:

— Quem é Augusto Morais?

— Um médico que trabalha no mesmo hospital onde estou. Você o conhece?

— Você precisa procurá-lo. Ele tem condições de ajudar neste caso.

— Tem certeza?

— Quem está falando é o Otávio. Vá procurá-lo, diga que fui eu quem indicou.

A voz de Margarida estava mais grave, seus olhos semicerrados. Luiza segurava a mão dela em silêncio.

— Falarei com ele.

— Emiliano corre perigo. Vá hoje mesmo.

O semblante de Margarida distendeu-se. Ela abriu os olhos e Ernesto não se conteve:

— Você, às vezes, fica diferente, fecha os olhos, diz coisas inesperadas, sua voz muda. Depois volta ao normal. Como é que isso acontece? Você tem consciência do que está fazendo?

— Tenho. Desde criança vejo pessoas que já partiram e vivem em outras dimensões. Quando eu morava no orfanato e me sentia triste, meu pai vinha conversar comigo. De vez em quando, durante a noite ele me levava para passear por lugares lindos e pedia que eu aceitasse a situação com alegria porque nunca estaria sozinha. Insistia para que eu confiasse na vida, que nunca me faltaria nada. Eu acreditei e tudo tem acontecido conforme ele disse.

— Você sabe que não é comum receber visitas de alguém que não vive mais neste mundo.

— Para isso é preciso desenvolver a sensibilidade. Para mim, conviver com os espíritos é natural. Eles me aconselham e protegem. Nesses momentos, minha boca fala, depois esqueço.

— Eu tenho estudado os fenômenos da mediunidade e sei que é um assunto delicado. É preciso aprender a lidar com as energias que estão à nossa volta para manter o equilíbrio físico e emocional.

Foi a vez de Luiza intervir:

— Margarida sabe como livrar-se delas. Eu, às vezes, não fico muito bem. Ela logo percebe e me ensina o jeito de recuperar o bem-estar.

Ernesto sorriu e perguntou:

— E como você faz isso?

— Não dando importância ao mal-estar, imaginando uma coisa boa e me ligando com o bem.

Ernesto levantou-se e respondeu alegre:

— Dá para notar que vocês sabem das coisas. Agora preciso ir. Vou ver Emiliano e fazer o que Otávio me recomendou. Você sabe quem é ele?

— É meu avô — lembrou Luiza.

Margarida tornou:

— Ele disse que vai com você.

— Estou precisando mesmo. Agradeço muito.

— Enquanto isso, nós ficaremos mandando vibrações positivas para Emiliano.

Um lampejo de emoção passou pelos olhos de Ernesto e sentiu brotar dentro dele um sentimento de carinho e gratidão.

Ao despedir-se, abraçou-as dizendo:

— Eu gostaria de poder ficar aqui e não precisar ir embora. Cheguei angustiado, inseguro, e vocês tiveram o dom de me devolver a confiança e a calma.

Luiza olhou-o nos olhos e falou sorrindo:

— Venha sempre. Nós gostamos muito de você.

Margarida ficou em silêncio, mas o brilho que ele viu em seus olhos e a energia de carinho que vinha dela aceleraram as batidas do seu coração.

— Preciso ir, mas darei notícias de Emiliano.

As duas o acompanharam até a porta e, depois de beijá-las delicadamente na face, ele saiu. Elas abraçaram-se e Luiza comentou:

— Eu não disse que ele estava apaixonado por você?

— Sinto que um dia nós já fizemos parte da vida dele. Mas isso faz tempo. Hoje é uma nova etapa. O mundo mudou, nós mudamos e não sabemos o futuro. É melhor esperar e sentir o que a vida quer nos ensinar.

— Pois eu já sei. Nós vamos ficar juntos para sempre.

— O que vocês estão fazendo aí paradas na porta?

Ao ouvirem a voz de Dora, as duas voltaram-se para ela. Margarida explicou:

— O doutor Ernesto esteve aqui, para falar com papai, disse que o doutor Emiliano continua mal. Acabou de ir embora.

— Quem planta colhe. Vocês estão com pena de Emiliano, mas deveriam pensar na vergonha e na dor que Júlia e Olívia estão sentindo. Elas estão sofrendo por culpa dele.

— Mesmo assim, eu gosto do doutor Emiliano — tornou Luiza.

— Você é criança, não entende desse assunto e não deveria dar opinião. É coisa para gente grande. Você já estudou para a prova da semana que vem?

— Estudei um pouco. Mas ainda tenho três dias para repassar as matérias.

Margarida puxou-a pela mão, dizendo:

— Vamos ver isso agora.

Luiza fez uma careta, mas acompanhou-a em silêncio. Assim que entraram na sala de estudos, ela comentou:

— Mamãe é má. Às vezes me pergunto por que papai se casou com ela.

Margarida olhou-a séria:

— Cada um tem o direito de pensar e ser como é. Você não pode criticar sua mãe. É melhor obedecer.

— Você prometeu a Ernesto que iríamos fazer vibrações para Emiliano, esqueceu?

— É verdade. Vamos cumprir, mas depois você vai estudar.

As duas se acomodaram e Margarida tornou:

— Vamos pensar no doutor Emiliano e imaginar que ele está envolvido por uma luz muito branca e brilhante, enquanto amigos espirituais derramam sobre ele energias de amor e de paz.

Uma vez no hotel, Ernesto bateu levemente na porta do quarto de Emiliano e não ouviu resposta. Abriu a porta devagar e entrou.

Emiliano estava sentado na poltrona, ao lado da janela, olhos fechados. Ernesto aproximou-se:

— Doutor Emiliano, como se sente?

O médico abriu os olhos, fechou-os de novo e não respondeu. Preocupado, Ernesto segurou a mão dele incentivando:

— Reaja. Não dá para continuar dessa forma. Tudo tem remédio nesta vida.

— Minha vida está acabada. Não se preocupe comigo. Eu estou no fim. Logo tudo estará terminado. Será a paz do esquecimento.

Ernesto puxou uma cadeira, sentou-se do lado dele sem saber o que fazer. Segurou o pulso e sentiu que estava batendo fracamente. Certamente não havia se alimentado.

— Doutor Emiliano, abra os olhos, temos de conversar.

— Vá embora. Deixe-me em paz.

— Olhe para mim. Acorde. Você não pode se entregar dessa forma. Reaja. Enfrente a situação com coragem. É o mínimo que pode fazer agora. Fugir só vai tornar a situação pior.

— Eu não mereço viver.

— O que vai ser de Júlia e Olívia? Pense no amparo de que elas precisam.

— Júlia deve estar me odiando. Não vai querer me ver.

— Arrepender-se não vai remediar a situação. Precisa mostrar a elas que, apesar de haver errado, tem dignidade, amor e se preocupa com o bem-estar delas. Você vai reagir. Alimentar-se. Vou mandar vir uma boa sopa. Vai comer e depois voltaremos ao assunto.

Apesar dos protestos de Emiliano, Ernesto ligou para a cozinha. Não havia sopa, ele pediu um almoço leve.

Enquanto esperava, procurou na lista telefônica o número de telefone do doutor Augusto Morais, que o espírito de Otávio indicara. Uma voz de mulher atendeu:

— Consultório médico.

— Meu nome é Ernesto Paranhos. Preciso falar com o doutor Augusto sobre um caso médico. O nome dele foi indicado por Otávio Rocha.

— Um momento, por favor.

Instantes depois ele atendeu:

— Augusto sou eu. Quem lhe deu meu nome?

— Otávio da Rocha, pai do deputado Fernando Duarte da Rocha.

Durante alguns segundos ele não respondeu e Ernesto continuou:

— Ele se encontra aqui, do meu lado e pediu que eu ligasse.

— Sei...

— Disse que você tem como nos ajudar.

— Não sei se eu poderia.

Ernesto ouviu Otávio dizer:

— Diga-lhe que um mês atrás, fui eu quem deu aquele susto no malandro que tentou roubar seu carro na frente de casa.

Ernesto obedeceu e imediatamente Augusto respondeu:

— Então foi ele! Sou-lhe muito grato. O que posso fazer para ajudar?

— Se pudesse vir até aqui, eu agradeceria muito.

— Irei. Vou anotar o endereço. Quem devo procurar?

— Doutor Emiliano de Souza Rezende. Estaremos aguardando.

A copeira trouxe o almoço, deixou a bandeja sobre a mesa.

Ernesto chamou Emiliano:

— Levante-se. Você agora vai lavar esse rosto, pentear os cabelos.

— Não tenho vontade.

Ernesto segurou no braço dele:

— Vamos. Você não é mais criança. Convidei um médico amigo para conhecê-lo e você não vai ficar com essa cara amassada. Vai se arrumar e comer alguma coisa.

— Não quero. Estou com o estômago enjoado.

— Claro. Desde quando você não come?

Ele não respondeu. Ernesto puxou-o, levou-o até o banheiro, colocou o sabonete e a toalha em suas mãos:

— Vamos. Trate de melhorar essa cara.

Emiliano olhou-se no espelho e não gostou do que viu. Decidiu então lavar o rosto, pentear os cabelos.

— Está muito melhor assim. Agora sente-se. A comida está com uma cara muito boa.

Vendo que ele não obedecia, segurou-o firme e fê-lo sentar-se diante da mesa.

— Agora experimente. Vai sentir-se melhor.

Vendo que Emiliano continuava apático e não atendia, Ernesto, decidido, segurou a colher, pegou um pouco de comida e afirmou com voz firme:

— Abra a boca e coma! É uma ordem.

— Estou com sede.

— Beba um pouco de água primeiro.

Com mão trêmula, Emiliano segurou o copo e tomou alguns goles. Ernesto continuava segurando a colher diante dele.

— Experimente. Vamos. Coma pelo menos um pouco, e ficarei satisfeito.

— Já vi que não vai desistir.

— Não mesmo.

Emiliano abriu a boca e Ernesto aproveitou para introduzir um pouco de comida. Depois pegou o garfo, colocou na mão dele:

— Segure e coma mais um pouco.

Emiliano fechou os olhos, respirou fundo, depois obedeceu. Comeu um pouco mais, tomou água, recusou a sobremesa.

— Não sei por que está perdendo tanto tempo comigo. Você deveria estar cuidando do consultório.

Ernesto sentou-se do outro lado da mesa, olhou-o e falou com voz firme:

— Vou lhe contar por que estou aqui insistindo com você. Eu estava muito aborrecido, por tudo que aconteceu. Tenho atendido seus pacientes, mas eles reclamam, sentem sua falta, estão acostumados com você, querem muito que volte logo ao trabalho. Sei que você passou por um problema difícil, mas sempre o considerei um homem forte, digno, inteligente, capaz de assumir as consequências de seus atos com coragem e colocar as coisas nos devidos lugares.

Emiliano levantou a cabeça, olhou-o sério e Ernesto prosseguiu:

— Mas você se acovardou, escondeu-se, não tentou conversar com sua família, como seria de esperar. Preocupado com tudo isso, passei na casa do Fernando para pedir-lhe que me aconselhasse. Mas cheguei tarde, ele já havia viajado. Margarida e Luiza me receberam com carinho, então aconteceu o inesperado.

Em poucas palavras Ernesto relatou a comunicação do espírito de Otávio, tudo que ele dissera, inclusive a intervenção dele durante o telefonema, provando sua identidade. E finalizou:

— A presença dele me acalmou, toda preocupação desapareceu, senti-me muito bem. Ele quer ajudar você a enfrentar a situação.

Ernesto calou-se e Emiliano disse sério:

— Você falava sobre espíritos, mas eu nunca levei a sério. Mas agora... Não sei o que pensar. De tudo que aconteceu, sinto-me culpado, sei que mereço o desprezo de todos. Logo eu, um médico, que tem a sagrada missão de curar as pessoas, deveria dar bom exemplo e nunca ter fracassado dessa forma. Sei que mereço castigo. Mas Otávio não me condena, quer ajudar-me.

— Ele sabe que todos nós somos crianças espirituais, estamos aprendendo a viver. Ainda cometemos erros, mas esses erros nos ensinam mais do que os acertos. Pense nisso.

Bateram na porta e Ernesto foi abrir. Diante dele estava um homem elegante, alto, pele morena, cabelos grisalhos, olhos verdes e penetrantes.

— Doutor Augusto Morais! Entre, por favor.

— Obrigado.

— Eu sou Ernesto, este é o doutor Emiliano.

Emiliano fixou o rosto do recém-chegado, que lhe estendeu a mão dizendo:

— Eu já o conhecia de nome.

Emiliano baixou a cabeça:

— Certamente leu o noticiário.

— Não. Estou me referindo à minha tia Ágata, que foi sua paciente e lhe é muito grata.

O rosto de Emiliano distendeu-se:

— Dona Ágata! Uma senhora delicada, muito alegre. Há tempos mudou-se para o exterior.

— Vejo que se lembra dela. Quando ela o procurou, eu acabara de me formar e não me encontrava muito bem. Minha sensibilidade se abriu e eu não entendia o que estava acontecendo. Tia Ágata, médium desde a infância e muito estudiosa dos fenômenos paranormais, ensinou-me como lidar com as energias negativas. Em nossa profissão é fundamental.

Ernesto não se conteve:

— Eu também sinto essa necessidade. Diante da dor e do sofrimento, às vezes é difícil manter a serenidade necessária para encontrar o que é melhor fazer em cada caso. Quando você está inseguro, é melhor recorrer à ajuda espiritual. Hoje tive a prova.

— Quando você me ligou, eu estava em meio à análise de um caso complicado e não podia atender. Mas referiu-se a Otávio, e eu me recordei que ele havia morrido há alguns anos. Tive receio de ser algum trote, ou coisa pior. Então você mencionou o caso do roubo do carro. Não dava para duvidar.

Emiliano, que ouvia pensativo, tornou sério:

— Esse caso aconteceu mesmo?

Augusto sorriu e explicou:

— Naquela noite, eu saí tarde do hospital, estava cansado e com fome. Quando cheguei em casa, abri o portão da garagem e fui abordado por dois homens armados. Um deles apontou a arma para mim, mandou que eu fosse para o lado e sentou-se à direção. O outro abriu a porta e acomodou-se no banco de trás. Tentei controlar o medo e, em pensamento, pedi ajuda ao meu mentor espiritual. O ladrão deu partida, andou alguns metros, eu rezava em silêncio. De repente, o que estava dirigindo começou a passar mal, a tossir, respirando com dificuldade. Tive impressão de que estava sufocado. Parou o carro e gritou: "Ele chegou e vai me matar! Vamos embora". Abriu a porta e saiu correndo. O outro o seguiu e dobraram a esquina. Enquanto eu ainda me refazia do susto, orava, agradecendo a Deus pela ajuda, os dois, dirigindo um carro velho, passaram por mim em desabalada carreira. Eu sabia que tinha recebido ajuda dos espíritos. Mas você me deu a prova.

— É incrível! Não pode ser coincidência! Os espíritos existem mesmo! Nunca quis acreditar! — exclamou Emiliano.

Augusto sorriu e comentou:

— Eles existem mesmo. E nós também somos espíritos! Um dia estaremos vivendo em outras dimensões, onde eles estão agora.

Emiliano considerou:

— É incrível! Isso muda tudo. Não sei o que dizer!

— Estou alegre por dar-lhe as boas-vindas em nome do invisível. Agora você sabe e não vai dar mais para ignorar essa verdade. Não tem volta. É preciso andar para a frente.

— Há muitas perguntas fervilhando em minha cabeça — tornou Emiliano.

— Nós estamos aqui para procurar as respostas. O que deseja saber?

O rosto de Emiliano havia se modificado. Uma chama viva de interesse brilhava em seus olhos, e os outros dois se prepararam para uma longa e produtiva conversa.

Capítulo 19

Emiliano ficou calado durante alguns segundos, olhos perdidos no tempo, avaliando seus sentimentos. Depois começou a relatar:

— Meus pais eram católicos, mas nunca levaram a sério a religião. Ensinaram-me os valores da honestidade e do trabalho. Escolhi a medicina por ideal. Ficava feliz quando vencia a doença, mas, como pode acontecer, de vez em quando, a morte levava a melhor. A dor e o sofrimento me deprimiam, fazendo com que eu duvidasse da existência de Deus.

Emiliano fez uma pausa. Os dois esperavam em silêncio, e ele continuou:

— Nunca aceitei o sofrimento humano, a morte. Muitas vezes, amargurado, tinha vontade de desistir da profissão, diante do pouco que podia fazer em certos casos.

Emiliano calou-se, e Augusto esclareceu:

— Sem a reencarnação e a eternidade do espírito, é difícil entender certas coisas. Conciliar a bondade divina com o quadro que observamos no mundo fica difícil. Contudo, quando tomamos conhecimento das leis universais que regem a vida, começamos a entender o processo de amadurecimento em que estamos envolvidos.

— Gostaria de poder acreditar nessa possibilidade.

Foi Ernesto quem respondeu:

— Basta observar como a vida funciona. Comece por analisar as atitudes das pessoas em volta e perceba como a vida responde a cada uma delas. É fascinante. Às vezes, você até já antecipa o que vai lhes acontecer.

— É porque você é mais experiente do que a pessoa. Não vejo nada demais nisso — alegou Emiliano.

Ao que Ernesto respondeu:

— São as leis da vida em ação. Elas trabalham por mérito. As pessoas são livres para escolher como querem viver, mas são obrigadas a colher os resultados de suas escolhas. É dessa forma que a Providência Divina vai aos poucos nos ensinando a conquistar a sabedoria.

Emiliano não respondeu logo. E Augusto aproveitou para acrescentar:

— É assim que nós vamos saindo das ilusões do que nos parece bom e aprendendo a lidar com nossos sentimentos, com as energias dos outros que nos envolvem, com os fenômenos da mediunidade que nos forçam a controlar o emocional e cultivar o otimismo a fim de nos livrarmos das energias doentias de algumas pessoas. É um esforço constante se quisermos nos manter razoavelmente equilibrados.

Emiliano abaixou a cabeça, pensativo, depois reconheceu:

— Eu sabia que não deveria ter me envolvido com Anita. Mesmo assim, eu mergulhei de cabeça. Agora não sei o que fazer.

Augusto meneou a cabeça negativamente:

— Não se culpe. Além de não solucionar nada, a culpa enfraquece, deprime. Você não é um fraco. Conseguiu levar vida dupla durante anos e, se o marido dela não os descobrisse, tudo continuaria igual até o fim de seus dias. Mas, agora, diante dos fatos, a situação mudou. Está na hora de analisar seus sentimentos e decidir como deseja levar sua vida daqui para a frente. Assuma a situação com coragem e faça o que seu coração indicar. Quando somos verdadeiros em nossas atitudes, os outros nos respeitam e ficamos em paz.

Emiliano baixou a cabeça, respirou fundo e considerou:

— Não tenho coragem de enfrentar Júlia, muito menos Olívia.

— Chegou a hora que terá de escolher e decidir o que realmente gostaria que acontecesse.

Emiliano ficou silencioso durante alguns segundos, depois levantou a cabeça, olhou nos olhos de Augusto e respondeu:

— Eu adoro minha família. Daria tudo para não ter me envolvido com Anita. Júlia sempre foi a mulher da minha vida. Só de pensar que ela agora vai me abandonar, fico sem chão. Reconheço que é difícil viver sem ela.

— Nesse caso, vá procurá-la. Converse com ela. Seja sincero. Fale a verdade, defenda sua felicidade.

Um brilho de comoção passou pelos olhos de Emiliano:

— Temo que ela não queira mais me ver. Sequer procurou saber como eu estava.

— Dona Júlia não está nada bem. Desde que soube de tudo, vive fora da realidade. Não toca no assunto, não pergunta nada, comporta-se como se nada tivesse acontecido. Olívia não conseguiu que ela a ouvisse. Eu não consegui sequer falar com ela sobre o caso.

— Está vendo? Eu sabia que ela ia me desprezar. De nada adiantará ir procurá-la. Não vai querer me ver nem ouvir.

— Você não deve imaginar coisas. Se fosse comigo, eu iria imediatamente procurá-la, dar-lhe satisfações, tentar explicar os fatos e pedir-lhe perdão. Não é isso que você quer?

Emiliano respirou fundo e não respondeu. De que adiantaria?

Augusto pensou um pouco, depois sugeriu:

— Está na hora de pedirmos ajuda. Quando não sabemos o que fazer, recorremos aos amigos espirituais. Vamos nos dar as mãos e fazer uma prece.

Os três sentaram-se, deram-se as mãos e Augusto pediu:

— Vamos fechar os olhos, relaxar e acalmar nossos espíritos. Você, Emiliano, respire lentamente, tente manter um ritmo constante na respiração.

Percebendo que a respiração de Emiliano estava mais regular, ele continuou:

— Pedimos a Deus que nos abençoe e solicitamos aos espíritos que nos assistem que derramem sobre nós energias renovadoras de força, serenidade e luz.

Ernesto estremeceu ligeiramente e começou a falar:

— Sei como você está se sentindo. Eu, quando estava no mundo, vivi uma situação igual à sua. Não quis enfrentá-la como deveria e isso tem me custado muito sofrimento. Vim para dizer-lhe que não se deixe iludir pela culpa, pela vaidade, pelo excesso de moralismo. Seja humilde, reconheça que na hora da tentação foi fraco, deixou-se levar pela ilusão, não resistiu. Sem pensar, magoou as pessoas que ama. Está sofrendo as consequências, arrepende-se de haver fraquejado. Gostaria de não ter feito nada disso. Angustia-se e não sabe o que fazer, nem como lidar com ela.

Ernesto fez ligeira pausa, respirou fundo e prosseguiu:

— Esse é um momento só seu, em que ninguém poderá opinar. Cada situação tem uma solução e você precisa encontrar a que lhe devolverá a dignidade perdida e a paz. Só você poderá encontrá-la.

Ernesto calou-se e Emiliano não se conteve:

— Estou perdido, não vejo nenhuma solução.

— Ela está dentro de você. Imagine que é outra pessoa, não precisa resolver nada. Dê um passo atrás. Como se sente?

— Aliviado. Calmo.

— Agora, olhe para a pessoa que está na sua frente, com amor, e pense que ela merece ser feliz. Sinta os projetos que já fez, alguns dos quais já concretizou, e os outros, mais íntimos, que continuam guardados e ainda pode realizar.

Ernesto aproximou-se de Emiliano, colocou a mão sobre sua testa e disse com voz firme:

— Continue analisando seu mundo interior, sinta suas qualidades, seus anseios e acredite que veio a este mundo para realizá-los. Você pode! Você teve um momento de fraqueza, mas não é um fraco. Já venceu muitos obstáculos e provou sua força. Agora você já encontrou a solução. Meu tempo acabou. Você vai ficar bem. Um carinhoso abraço do amigo Otávio.

Ernesto calou-se. Augusto fez uma comovida prece de agradecimento e encerrou a reunião.

Todos ficaram silenciosos durante alguns minutos, cada um sentindo as emoções do momento. Depois, Augusto perguntou:

— Sente-se melhor?

Emiliano meneou a cabeça negativamente:

— Ainda não sei dizer. Estou diferente, parece que alguma coisa encaixou e sinto-me mais forte.

— Melhorou. Dá para ver em seu rosto.

Emiliano encarou os dois, ficou um pouco pensativo e disse:

— Depois do que aconteceu aqui hoje, sinto-me como se fosse outra pessoa. Foi uma experiência que nunca esquecerei.

— Vamos pedir para nos trazerem um café. Todos nós estamos precisando.

Depois do café, Augusto levantou-se:

— Agora preciso ir, mas continuo à sua disposição. Se precisar de alguma coisa, quiser conversar, pode me ligar.

— Obrigado. Nunca esquecerei o que estão fazendo por mim.

Depois de despedir-se de Emiliano com um abraço, foi a vez de Ernesto. Abraçaram-se e Augusto disse sorrindo:

— Tive imenso prazer em conhecê-lo. Sinto que nossa afinidade não é apenas profissional, mas vem de outras épocas. Apesar de ser espiritualista, não tenho me dedicado aos estudos como gostaria. Talvez tenha chegado o momento de nos reunirmos com essa finalidade.

— Eu também gostaria de continuar a estudar. Há tanto que aprender!

— Não se esqueçam de mim! Eu quero participar.

Eles riram, Augusto despediu-se novamente e saiu. Ernesto aproximou-se de Emiliano e estendeu a mão dizendo:

— Eu também preciso ir.

— Você não tocou no assunto, mas eu garanto que vou me preparar e, assim que tiver decidido alguma coisa, ligarei para você. Estou envergonhado e disposto a enfrentar as consequências de meus atos.

— Estou certo de que fará o melhor.

Ernesto saiu aliviado. Sentia que Emiliano estava sendo sincero e disposto a enfrentar a situação. Foi direto para o consultório. A sala de espera estava lotada e ele dedicou-se ao trabalho. Quando terminou, já havia escurecido. Sentia-se cansado, mas em paz.

Estava com fome. Olhou o relógio, passava das nove. Decidiu comer alguma coisa na cantina para não dar trabalho em casa. Depois de comer, foi para casa.

Ao entrar, viu que Júlia estava sentada na sala lendo. Aproximou-se dela.

— Você saiu cedo e já é tarde! Está trabalhando demais. Vai ver que nem se alimentou — observou Júlia ao ver Ernesto.

— De fato, estive ocupado o dia inteiro, mas sei me cuidar. Não se preocupe. A senhora está bem?

Júlia deu de ombros e respondeu:

— Como sempre. Por que não deveria estar?

Ernesto olhou-a pensativo e arriscou:

— Estive com o doutor Emiliano.

Júlia mordeu os lábios, depois deu de ombros e rebateu:

— Esse senhor não faz mais parte de minha vida. Gostaria que não se referisse mais a ele.

Ernesto não respondeu logo. O que poderia dizer? Ela demonstrara claramente que não queria tocar no assunto. Seria indelicado de sua parte insistir. Ele era apenas um hóspede. Por seu pai ser muito amigo de Emiliano foi que este o convidara a morar em sua casa.

Diante da situação, Ernesto sentia-se pouco à vontade, pensava em se mudar, mas sentia que no momento, apesar de Júlia mostrar-se indiferente, não podia abandoná-la. Sua atitude não era natural e ele queria estar por perto para auxiliar quando a crise aparecesse.

— Olívia já se recolheu?

— Deve estar no quarto.

— Eu também vou me recolher. Boa noite, dona Júlia, durma bem.

— Boa noite.

Ernesto subiu e, ao passar pelo quarto de Olívia, ouviu música, então bateu levemente. Ela abriu:

— Eu sabia que você não estava dormindo.

— Nos últimos dias tenho medo de dormir por causa dos pesadelos. Esta casa parece um túmulo.

Ernesto pensou um pouco depois afirmou:

— Você tem estado muito só. Isso não é bom. Podemos conversar?

Ela escancarou a porta e sentou-se no sofá perto da janela. Ernesto entrou e acomodou-se ao lado dela.

— Você está com pena de mim e quer me distrair. Conversar sobre o quê? Não dá para esquecer os fatos e fazer de conta que eles não aconteceram. E eu não quero conversar sobre eles.

— Não é bem assim. A vida é cheia de desafios e nós precisamos aprender a enfrentá-los. Você precisa falar o que está sentindo, expressar o que lhe vai na alma, esgotar completamente o assunto, só depois poderá reagir, enxergar as coisas como elas são. Todos nós temos qualidades e defeitos. Estamos aprendendo a viver, não temos domínio sobre nossas emoções e nos deixamos levar pelas aparências.

— Eu não quero viver em um mundo assim. Às vezes tenho vontade de ir embora para bem longe. Viver em outra cidade, onde ninguém me conheça. Ficar livre da crítica dos outros.

— Não se impressione com o que os outros dizem, nem se iluda com as aparências. Levante a cabeça e siga sua vida procurando fazer o seu melhor. Você não fez nada de que possa se envergonhar. Não tem nenhuma responsabilidade pelo que os membros de sua família fazem. Você é você. Não julgue os atos de ninguém, você não pode agir pelos outros. É mais útil se aprofundar em seu mundo interior, analisar seus sentimentos, sentir a sua verdade, saber como pode construir uma vida feliz.

Olívia levantou o rosto e olhou nos olhos dele, ao questioná-lo:

— Você acha que eu tenho como fazer isso?

— Tem. É uma moça inteligente e pode conquistar tudo que quiser, se escolher o bem e aceitar as lições que a vida quer lhe ensinar.

Olívia ficou calada durante alguns segundos, depois replicou:

— A vida não tem voz. Como ela pode ensinar?

— Por meio das circunstâncias, dos acontecimentos, ela nos manda mensagens o tempo todo.

— O que nos aconteceu tem uma mensagem?

— Tem várias, para todos os envolvidos. Observe, analise. Nesses acontecimentos, cada um está aprendendo alguma coisa.

— Qual será a minha lição?

Ernesto sorriu:

— Só você poderá descobrir. Pense nos acontecimentos, sinta suas emoções, analise, descubra o que está mudando no seu modo de ver. Estou certo de que perceberá claramente o recado que a vida está lhe dando.

— Não vai me dizer mesmo?

— Esse é um trabalho que você terá de fazer. Quanto a mim, estou cansado e vou dormir. Se tiver dificuldade, peça inspiração de Deus. Os anjos costumam nos inspirar quando estamos sendo sinceros e desejamos melhorar. Faça isso e estou certo de que vai dormir bem, não terá pesadelos.

Olívia acompanhou-o até a porta:

— Obrigada, Ernesto, vou tentar.

Depois que ele saiu, Olívia sentou-se na cama, pensativa. Claro que, depois de ver sua família se desestruturar, tudo havia mudado. Um sentimento forte de insegurança a inquietava e a fazia temer o futuro.

Até então, a firmeza do pai, seu amor pela profissão faziam com que ela o admirasse e se sentisse segura. A descoberta de que ele era diferente do que tinha imaginado a deixara sem chão.

O que seria de sua família dali para a frente? Como sua mãe podia continuar agindo sem importar-se com a traição do marido e com a vergonha de ser trocada por outra mulher?

Um sentimento de revolta brotou forte. Se isso tivesse acontecido com ela, o procuraria, gritaria sua raiva, sua decepção, sua tristeza. Por que a mãe não fazia nada disso? Pretendia continuar indiferente até quando?

Sua mãe sempre lhe parecera amorosa, terna, sensível. Mas ela não era nada disso. Mostrava-se fria, dura, indiferente. Talvez o amor que ela parecia sentir pelo marido não existisse. Pela primeira vez, sentiu-se abandonada, sozinha, sem apoio ou proteção. Ela era jovem, inexperiente, como levar sua vida dali para a frente?

Atormentada por esses pensamentos, Olívia lembrou-se das palavras de Ernesto: "Se tiver dificuldade, peça a inspiração de Deus. Os anjos costumam nos inspirar quando estamos sendo sinceros e desejamos melhorar".

Ajoelhou-se do lado da cama, fechou os olhos e emocionada pediu:

— Senhor, senti que Ernesto estava falando a verdade. O apoio que eu imaginava ter ruiu e tenho medo do futuro. Descobri que, de agora em diante, só posso confiar em mim e me sinto fraca para seguir adiante. Peço aos anjos que me inspirem e me ajudem a perceber como melhorar minha vida, ser uma pessoa equilibrada e encontrar a paz. Apesar de tudo, eu amo meus pais e gostaria de demonstrar meus sentimentos, mas não sei como.

Pensando nos acontecimentos, lágrimas desciam pelas suas faces, mas, quando ela começou a orar, foram desaparecendo e, ao terminar, sentiu-se mais calma.

Preparou-se para dormir. Lavou o rosto, acomodou-se na cama e pensou:

"Estou me sentindo cansada e com sono. Esta noite sei que vou dormir melhor".

Virou para o lado, fechou os olhos e adormeceu.

Na manhã seguinte, Ernesto estava à mesa do café quando Ivone aproximou-se com ar preocupado, dizendo baixinho:

— Doutor Emiliano está no telefone, quer falar com você!

Enquanto Ernesto foi atender, Júlia, do outro lado da mesa, continuou tomando seu café.

Depois dos cumprimentos, Emiliano disse:

— Estive pensando em tudo e tomei uma decisão. Por favor, diga a Júlia que precisamos conversar. Dentro de uma hora passarei aí.

— Darei o recado. Vou ficar em casa, caso precisarem de alguma coisa.

— Obrigado. Por favor, me ligue para confirmar se ela vai me atender.

Ernesto desligou e voltou à copa. Continuou a tomar seu café com naturalidade. Júlia acabara de comer, foi para a sala, apanhou um livro e acomodou-se no sofá.

Ernesto terminou de comer, aproximou-se dela, que estava lendo. Ao vê-lo, levantou os olhos, fixando-o:

— Você acordou cedo. Já vai para o hospital?

— Hoje irei mais tarde. O telefonema que atendi foi do doutor Emiliano. Ele me pediu que lhe desse um recado: quer conversar com a senhora e dentro de uma hora estará aqui.

Júlia ergueu as sobrancelhas, franziu a testa e respondeu:

— Não quero falar com esse senhor. Diga-lhe que não venha porque não temos nada para conversar.

Ernesto olhou-a sério e respondeu:

— Vocês têm muito que conversar e, quanto antes isso acontecer, melhor será!

Júlia levantou-se indignada:

— Eu não quero vê-lo. Meu marido morreu. Esse que quer vir aqui é um desconhecido. Não vou recebê-lo.

Ernesto ficou calado durante alguns segundos, depois continuou:

— Apesar da sua decepção, ele continua sendo seu marido. Vocês têm uma filha jovem que precisa de apoio e proteção.

— Eu sou suficiente para cuidar de minha filha. Não preciso dele para nada.

— A senhora tem todo direito de decidir sobre o que quer fazer de sua vida. Mas as coisas precisam ser esclarecidas. Vocês estão casados com comunhão de bens. Precisa pensar no futuro. Como pensa em manter a casa, cuidar dos estudos de Olívia, sozinha? Não se trata apenas de uma questão emocional, mas do futuro de todos. Pense um pouco, não seja radical, ouça o que Emiliano tem a dizer. Mesmo que deseje separar-se do seu marido, vai precisar do apoio legal. Se a senhora quiser, ficarei aqui, do seu lado, para dar-lhe forças.

Júlia abaixou a cabeça, pensativa. Estava pálida, suas mãos tremiam, e ela se esforçou muito para controlar a raiva. Respirou fundo e admitiu:

— Não sei se conseguirei conversar com ele.

— Demore o quanto demorar, um dia terão de realizar essa conversa. Protelar só vai torná-la mais difícil. Enfrente com coragem este momento e resolva de uma vez. Definir a situação será melhor para todos.

Júlia ficou calada durante algum tempo e Ernesto esperava em silêncio. Mas seu coração estava pedindo a Deus que os auxiliasse a encontrar a melhor solução para todos os envolvidos.

Capítulo 20

Anita acordou, olhou em volta querendo situar-se. De repente lembrou-se dos últimos acontecimentos e sentiu um aperto no peito. Respirou fundo. Precisava saber se Emiliano estava bem.

Marta entrou no quarto e aproximou-se perguntando:

— Sente-se melhor? Vim várias vezes vê-la, mas estava dormindo tão profundamente que não quis acordá-la.

— Estou preocupada. Onde está Emiliano?

— Ontem à noite, quando ele passou para vê-la, você já estava dormindo e ele não quis acordá-la. Pediu para dizer-lhe que iria para São Paulo e, se precisássemos de qualquer coisa, era só telefonar.

— Só isso? Estou angustiada. Aqueles repórteres estavam em volta e certamente não nos pouparam. Emiliano não lhe falou nada?

— Não. Mas ontem mesmo a história já estava nos jornais. Doutor Emiliano estava muito contrariado, mas não pôde fazer nada.

Anita sentou-se na cama angustiada:

— Meu Deus! A esta altura a família dele já deve ter lido. Preciso saber o que está acontecendo... como Emiliano está. Ultimamente ele não estava bem e, depois do que nós passamos, o escândalo, ele pode ter piorado.

Anita levantou, vestiu um robe, foi ao banheiro, lavou-se, depois decidiu:

— Vou ligar para ele.

Apanhou o telefone e ligou. Ernesto atendeu:

— Quero falar com o doutor Emiliano.

— Dona Anita? Sou eu, Ernesto. O doutor Emiliano ainda não está trabalhando.

— Ele foi para casa?

— Ainda não. Preferiu ir para um hotel.

Anita ficou em silêncio durante alguns segundos, depois quis saber:

— Ele está sozinho lá? Não tem ninguém da família com ele? Isto é, posso ligar para conversar?

— Não tem ninguém com ele. Pode ligar. Vou passar o número.

Anita anotou, agradeceu e ligou em seguida:

— Emiliano?

— Sim.

— Sou eu, Anita, estou preocupada. Você está bem?

Emiliano não respondeu logo. Ela insistiu:

— Fale, Emiliano! Como estão as coisas?

— Mal. Não tive coragem de voltar para casa. Estou aqui e ainda não sei o que fazer.

— Júlia ainda não foi procurá-lo?

— Ainda não. E você, como está?

— Nervosa. Eu não queria atrapalhar sua vida. Preferia que Décio tivesse acabado comigo em vez de envolver você dessa forma. Estou muito triste. Você é

a pessoa a quem eu mais amo neste mundo e daria minha vida para não prejudicá-lo. Sinto vontade de desaparecer para não perturbá-lo ainda mais.

— Você não tem culpa de nada.

— Depois do que aconteceu, penso que não vai dar para continuar a nos encontrarmos. Teremos de nos afastar. Como poderei viver sem você?

— Tenho pensado muito e ainda não sei o que fazer. Assumi a responsabilidade de uma família, tenho uma esposa, uma filha, gosto delas, não quero abandoná-las, desejo que sejam felizes. Elas devem estar me odiando. Sinto-me culpado, preciso de um tempo para pensar, acalmar meu coração, enxergar o que preciso fazer. Tenha paciência comigo, Anita. Nós não devemos fazer nada agora. Estamos confusos e ainda sob a tensão dos dias que passamos presos naquele pardieiro. Foi horrível. Aquelas cenas continuam vivas e fortes em minha cabeça.

— Eu também estou assim. O que ainda vai nos acontecer?

— O delegado disse que, apesar do depoimento que fizemos, seremos chamados para depor novamente.

— Eu tremo só em pensar nisso. Espero que ele fique preso pelo resto da vida.

— O que me assusta é descobrir que, quando ele a maltratava na minha frente, tive vontade de matá-lo. Se eu não estivesse amarrado, talvez o tivesse feito. Eu, uma pessoa que se propôs a curar! Estou me sentindo o último dos homens. Nessa hora cheguei a ter horror de mim. É muito tênue a distância entre o bem e o mal. Nunca imaginei que eu fosse capaz de um crime.

— Não diga isso, Emiliano. Você é o melhor homem do mundo. Precisa se cuidar, descansar. Vou desligar.

— Está precisando de dinheiro?

— Não. O que você deixou com Marta é suficiente. Vou rezar muito para que as coisas se acalmem e possamos melhorar.

— Reze mesmo. Eu nem isso consigo fazer. Preciso tomar coragem para decidir o que fazer da minha vida.

— Quando tomar qualquer decisão, fale comigo. Estarei esperando. Cuide-se bem.

— Você também.

Anita desligou e sentou-se na cama, pensativa. Marta aguardava em silêncio. Em seu coração sentia vontade de ajudar, compadecia-se dos amantes, mas ao mesmo tempo imaginava a difícil situação da família de Emiliano. Aproximou-se de Anita tentando confortá-la:

— Nesses casos, o tempo é o melhor remédio. Não se antecipe querendo soluções antes da hora. Confie em Deus. Acalme seu coração, aceite que agora não dá para fazer nada. Vai chegar um momento em que tudo vai começar a se acomodar e as coisas vão caminhar para onde devem ir. Não tenha pressa. Confie na sabedoria da vida e saiba esperar.

Anita olhou-a comovida, abraçou-a, dizendo:

— Obrigada, Marta. Você tem sido uma boa amiga.

— Agora vamos comer alguma coisa. Você não comeu nada até agora. Está na hora do almoço.

Anita sentiu-se mais calma. Era natural que Emiliano estivesse confuso. Ela também estava. O mais acertado era mesmo dar um tempo para que as coisas se esclarecessem. O que estava feito não tinha como mudar. Agora era esperar pela reação de cada um e decidir o rumo a tomar.

Dois dias depois Emiliano ligou para ela e informou:

— Hoje cedo decidi ir conversar com Júlia para resolvermos nossa situação. Pretendo lhe contar a verdade sobre nosso caso. Não sei qual será a reação dela. Conforme for, tomarei minha decisão e a comunicarei a você.

— Eu sabia que esse dia chegaria. Que Deus o ajude a manter a calma e encontrar as palavras certas a fim de que tudo se resolva na paz.

— É o que eu espero.

Emiliano desligou o telefone e sentou-se pensativo. Ernesto ainda não lhe dera nenhuma resposta de Júlia sobre o encontro. Depois de haver decidido contar-lhe toda a verdade, esperar se tornara difícil. Desejava acabar com esse tormento e descobrir logo como ela reagiria.

Precisava ocupar-se, voltar ao trabalho e tentar esquecer a própria culpa; enfim, fazer algo bom que o fizesse sentir-se mais limpo e útil.

Meia hora depois, como não obtivera resposta, ligou para Ernesto:

— Você deu o meu recado para Júlia?

— Dei, mas ainda não a convenci a recebê-lo.

Emiliano ficou silencioso por alguns segundos. Depois asseverou:

— Esta situação não pode continuar. Preciso voltar ao consultório, trabalhar. Esta ociosidade está me deixando ainda pior. Diga-lhe que eu assumo minha culpa pelo que fiz e que precisamos resolver nossa situação familiar. Estou disposto a fazer tudo que ela quiser.

— Tentei convencê-la a conversar com você, mas ela não quer. Espere um pouco mais para que ela perceba que vocês precisam ter essa conversa. Quando leu o noticiário, dona Júlia teve uma reação que eu não esperava. Continuou vivendo como se esse assunto não tivesse nada a ver com ela. Não chorou, não brigou, sequer mostrou-se triste. Penso que ela entrou em estado de choque, para proteger-se do sofrimento. Leva vida normal, não menciona o assunto.

— Júlia sempre foi uma pessoa calma e equilibrada. O que me conta é surpreendente.

— Ela não quer encontrá-lo porque terá de admitir a verdade e não deseja isso.

— Custei para ter coragem e agora... não sei mais o que fazer. De qualquer forma, mesmo com risco, teremos de enfrentar a verdade. Esse encontro é inadiável. Não diga mais nada a ela. Irei até em casa agora mesmo surpreendê-la. Eu também não aguento mais esse estado de coisas.

Ernesto não respondeu logo. Emiliano era um médico experiente, habituado a lidar com situações emocionais. Resolveu concordar:

— Está bem. Ficarei em casa para ajudar.

— E Olívia, como está?

— Mais calma, só que ainda não voltou aos estudos.

— Não diga nada a ela também. Daqui a pouco estarei chegando.

Emiliano deixou o hotel e tomou um táxi. Seu carro ainda não fora liberado pela polícia.

Foi com o coração aos saltos que ele parou diante da porta de sua casa. Respirou fundo, depois colocou a chave na fechadura e entrou. A casa estava silenciosa, e ele procurou não fazer ruído.

Ernesto estava no hall à sua espera e abraçou-o dizendo baixinho:

— Dona Júlia está na sala lendo, como tem feito todos os dias.

Emiliano assentiu e foi até lá. Aproximou-se dela, que ergueu os olhos. Vendo-o, empalideceu.

— Júlia, temos de conversar.

Ela levantou-se, tapou os ouvidos e reagiu nervosa:

— Eu não quero vê-lo. Você está morto, e os mortos não voltam! Vá embora, deixe-me em paz.

— Eu estou morto por dentro, mas, apesar de tudo, ainda estou vivo. Assim sendo, precisamos decidir nossas vidas. Eu daria tudo que tenho para que isso nunca tivesse acontecido!

— Você não é o homem com quem me casei. Você é um traidor indigno que nunca mais deveria pôr os pés aqui. Vá embora — gritou ela nervosa.

— Pai! O que está acontecendo aqui?

Olívia estava diante deles. Ernesto aproximou-se, tomou-lhe o braço, dizendo baixinho:

— Venha, Olívia, os dois precisam conversar. Depois você fala com seu pai.

Mas ela não atendeu, desvencilhou-se dele, correu e abraçou o pai, rompendo em soluços:

— Pai, você voltou para casa! Não nos abandone!

Emiliano, emocionado, rosto lavado em lágrimas, apertou a filha nos braços, beijando seu rosto com carinho:

— Filha, nunca vou abandonar você!

Foi então que Júlia, rosto contraído, não conseguiu segurar a mágoa que lhe apertava o peito e rompeu em soluços. Ernesto abraçou-a, tentou confortá-la:

— Chore, dona Júlia. Expresse o que sente.

Em silêncio, abraçado a ela, Ernesto orava pedindo aos amigos espirituais que os auxiliassem a acalmar aqueles corações em crise para que pudessem encontrar o caminho do entendimento.

Emiliano, por sua vez, abraçado à filha, enquanto esperava que ambas se acalmassem, sofrido e triste, também intimamente pedia a Deus que lhe desse forças para superar a dor que sentia e falar o que lhe ia no coração.

Ficaram algum tempo tentando controlar a emoção. Aos poucos foram se acalmando. Júlia levantou-se e fez menção de sair, mas Ernesto colocou a mão em seu braço dizendo:

— Doutor Emiliano veio para conversar. Vamos ouvi-lo!

— Não quero!

— A senhora é uma pessoa justa. Pelo menos ouça o que ele quer lhe dizer.

Emiliano interveio:

— Isso mesmo, Júlia. Vim para conversar com vocês duas. Para contar toda a verdade. Estou muito arrependido de ter fraquejado e consciente de minha culpa. Dias atrás, prisioneiro, ameaçado de morte em todos os momentos, aguentando a maldade dos sequestradores, tive medo de morrer e nunca mais voltar a vê-las. Mas eu preferia mil vezes a morte a enfrentar a vergonha de ter sido um fraco, de me deixar levar e não ter a dignidade de reagir e vencer a tentação. Vim aqui para dizer que estou arrependido e infeliz.

Enquanto Olívia continuava abraçada ao pai, cabeça encostada em seu peito, Júlia o olhava, pálida, olhos muito abertos, mãos trêmulas, permanecendo em silêncio.

Com voz trêmula pela emoção, Emiliano continuou:

— Júlia, você sempre foi uma mulher fiel, digna, companheira dedicada, o que torna minha falta ainda maior. Sei que não vai me perdoar. Reconheço que não mereço e, se nunca mais quiser me ver, aceitarei sua decisão. Apesar disso, continuarei mantendo esta casa, e nada lhe faltará no futuro. Quanto a você, Olívia, eu espero que consiga me aceitar e permita-me cuidar do seu futuro com todo amor que sinto no coração. Acredite, apesar de tudo, eu sempre amei vocês. Nunca pensei em deixá-las. Vocês sempre foram prioridade em minha vida. Mas, depois do que fiz, reconheço que têm todo direito de não querer mais conviver comigo.

— Pai, não quero que vá embora. Durante esses dias senti muito sua falta! Sinto-me insegura, preciso do seu apoio, do seu carinho. Volte para casa.

— Pare com isso, Olívia. Seu pai não tem mais o direito de vir morar aqui. Ele esqueceu os anos que vivemos juntos e nos trocou por uma estranha.

— Isso não é verdade, Júlia. Eu me envolvi com outra mulher, apesar disso nunca deixei de amar e cuidar de nossa família. E, se não fosse pelas circunstâncias, há muito esse caso teria terminado.

— Eu sei que está dizendo a verdade, pai. Não vou deixá-lo ir embora!

Emiliano beijou-a na testa com carinho:

— Esse é o meu maior desejo. Porém, farei o que sua mãe quiser. Respeitarei o que ela decidir.

— Olívia, diante dos fatos, não temos condições de voltar a conviver, como se nada houvesse. Você precisa compreender. Eu investi tudo neste casamento. Sempre fui sincera, dedicada, procurei fazer o melhor. Nunca desconfiei que um dia isso pudesse nos acontecer. Mas estava enganada. Não dá para esquecer nem para continuar.

Júlia levantou-se, olhou fundo nos olhos de Emiliano e declarou:

— Vou dizer-lhe o que penso: tudo acabou entre nós. Você está livre. Vá viver com a outra, faça o que quiser da sua vida. Eu não desejo vê-lo nunca mais.

— Não diga isso, mãe! Deixe-o ficar!

— Não insista, Olívia. Ela tem razão. Eu respeito. Agora mesmo vou arrumar todas as minhas coisas e amanhã mesmo mandarei retirar. Só vou levar os objetos pessoais.

Olívia chorava baixinho abraçada ao pai. Emiliano continuou:

— Não chore, Olívia. Eu vou morar em outro lugar, mas nunca nos separaremos. Nós nos veremos com frequência e, sempre que precisar de mim, é só chamar. Tenha certeza disso. Para mim, você sempre estará em primeiro lugar.

Vendo que Júlia ia se retirar, Emiliano tornou:

— Júlia, se você permitir, agora vou arrumar as minhas coisas e amanhã mandarei alguém retirar.

— Faça isso.

Ela se afastou e Ernesto aproximou-se:

— Sinto muito, doutor Emiliano. Estou à disposição para o que precisar.

— Obrigado, Ernesto. Estou mesmo precisando de apoio. Eu previa que isso iria acontecer, mas está sendo pior do que eu esperava.

— Mamãe não deveria ter sido tão dura! Farei tudo para que ela mude de ideia! Se continuar assim, eu vou morar com você!

— Sua mãe está magoada, triste. Precisa do seu apoio. Ela a ama muito. Você, no momento, é a única pessoa que poderá fazê-la esquecer o que aconteceu e recuperar a alegria de viver.

— E você, pai, como vai viver?

— Vou dedicar-me ao trabalho e a você. Esta será minha vida daqui para a frente.

Quando Emiliano subiu, a porta do quarto estava aberta, Emiliano entrou, olhou em volta, procurando conter a emoção.

Ernesto sugeriu:

— Você não prefere ir para o hotel, descansar, acalmar-se um pouco, recuperar as forças e voltar outro dia para isso?

— Não. É melhor terminar tudo logo.

— Você não está bem. Precisa tomar alguma coisa, relaxar. Vou preparar.

Emiliano pegou uma mala e foi colocando as roupas. Olívia, inconformada, observava sem coragem de auxiliá-lo. Ernesto voltou, aproximou-se de Emiliano, entregou-lhe um copo, dizendo:

— Beba. Vai fazer-lhe bem.

Emiliano obedeceu e continuou na arrumação. Ernesto tentou ajudar, mas havia muitas coisas e Emiliano sentou-se desanimado:

— Acho que vou levar só uma parte. Ainda não tenho lugar para guardar tudo. Amanhã mesmo vou procurar um apartamento perto do hospital. Quando a polícia liberar meu carro, vou deixá-lo para Júlia. Não quero que ela se prive de nada. Diga-lhe que, assim que tiver alugado o apartamento, mandarei retirar os meus livros e tudo mais.

— Vou colocar as malas no carro e acompanhá-lo até o hotel.

— Obrigado, Ernesto.

Olívia entregou ao pai um porta-retratos com uma foto dela, abraçou-o e seu rosto contraiu-se.

— Não vá chorar de novo — antecipou-se Ernesto. — Quer ficar velha e enrugada antes do tempo? Sorria. Tudo vai passar e dias melhores virão.

Emiliano tentou sorrir:

— Isso mesmo, filha. Sorria. Você é jovem, tem a vida inteira pela frente. Esqueça este triste capítulo de sua vida e pense que agora, mais do que nunca, estaremos juntos. Haja o que houver, nunca nos separaremos.

Depois de um abraço carinhoso, os dois se despediram.

Durante o trajeto até o hotel, Ernesto começou a conversar sobre outros assuntos, tentando baixar a tensão e animá-lo. A certa altura tornou:

— Preciso da sua opinião. Tenho pensado em me mudar. Não há motivo para eu continuar morando na sua casa. As duas precisam de privacidade para reorganizar a vida e eu penso que está na hora de assumir mais a minha vida. Já me adaptei bem a esta cidade, fiz alguns projetos e pretendo dedicar-me a eles.

— De fato, você tem se dedicado bastante, ganhou experiência e tem razão de pensar em progredir. Durante esses dias em que estive afastado, cuidou muito bem dos meus pacientes. Espero que continue trabalhando comigo.

— Tenho aprendido muito com você e sou-lhe muito grato por ter confiado seus pacientes a um novato como eu durante sua ausência. Sei que ainda tem muito a ensinar-me e, enquanto permitir, espero continuar trabalhando com você.

— Obrigado. Sua confiança, neste momento, faz com que eu me sinta um pouco melhor. Você pode continuar morando com minha família. Elas gostam de você e ficarão mais protegidas com sua companhia.

— Eu também gosto delas, mas penso que chegou o momento em que elas terão de aprender a cuidar de suas vidas. Claro que estarei sempre por perto. Nossa amizade cresceu e nos sentimos bem juntos. Estou pensando em me tornar independente, porque estou apaixonado e pretendo me casar.

— Você? E eu, metido em minhas preocupações, nunca notei nada. Quem é ela?

— Margarida, filha do doutor Fernando.

— Parabéns! Fez uma boa escolha. Já se declarou?

— Ainda não. Mas tenho razões para crer que sou correspondido. Espero que doutor Fernando me aceite para genro.

— Estou certo de que se sentirá muito honrado. Fernando é um grande amigo, um homem de bem. Sou suspeito para falar porque para mim ele é mais do que um irmão.

Quando colocaram as malas no quarto do hotel, Ernesto observou que o rosto de Emiliano estava mais distendido.

— Já passa das quatro e eu estou com fome. Quer ir comigo comer alguma coisa?

Emiliano hesitou e Ernesto puxou-o pelo braço:

— Vamos lavar as mãos, almoçar em algum lugar e conversar sobre trabalho. Amanhã você reassumirá o consultório e há alguns detalhes que gostaria que soubesse.

Emiliano concordou. Pouco depois, os dois, sentados no restaurante, conversavam animadamente. Ernesto observava satisfeito que o médico parecia aliviado e aos poucos estava retomando o gosto pelo trabalho.

Capítulo 21

Dora abriu os olhos e imediatamente se levantou. Foi abrir as janelas e respirou satisfeita. O dia estava lindo. Ela sorriu pensando que Fernando logo estaria em casa. Enquanto escolhia o vestido e as joias, antegozava o prazer de estar com ele, imaginando os beijos e os abraços que trocariam. Ele avisara que chegaria no voo das dez. Olhou o relógio: oito horas. Não tinha muito tempo, precisava apressar-se. Esperava que naquele dia ninguém aparecesse para atrapalhar. Satisfeita, preparou a banheira para o banho caprichado, queria estar linda para recebê-lo.

Às dez horas, ela já estava sentada na sala esperando, tendo um livro nas mãos. O romance que ela estava lendo era muito bom e despertara grande interesse, mas, naquela manhã, Dora estava muito ansiosa. A atenção dividida entre o que lia e qualquer ruído que indicasse a chegada de Fernando a impedia de entender o que estava lendo. Achou melhor deixar a leitura e dar uma volta para ver se tudo estava do jeito que queria.

Depois de verificar como estava o almoço, foi ver as filhas na sala de estudos. Ambas estavam estudando e ela ficou satisfeita. Sem ter o que fazer, voltou para a sala e sentou-se entediada. O tempo estava demorando a passar.

Era quase uma hora da tarde quando finalmente Fernando chegou e Dora correu para recebê-lo. Sentindo o coração pulsar, olhos brilhantes de alegria, o rosto corado de prazer, Dora estava radiosa. Vendo-a, Fernando não conteve a admiração:

— Você está linda!

Abraçou-a e beijaram-se com ardor. Margarida e Luiza, que aguardavam mais atrás, alegres, trocaram um olhar de cumplicidade e esperaram discretamente que os dois notassem sua presença.

Mas Fernando não estava só. O espírito de Mila viera com ele, observava a cena com raiva e irritação. Ela estivera todo o tempo do lado dele, querendo que ele a notasse, mas nada conseguira. Alguma coisa havia mudado e ela sentia que não tinha mais a mesma força de antes.

Várias vezes tentara atraí-lo durante o sono e extravasar a paixão que sentia, mas nunca conseguira. O que estaria acontecendo? Sentia-se frustrada. Seu poder de sedução teria desaparecido? Ainda assim, não iria desistir. Talvez pudesse encontrar alguém que a auxiliasse, arranjasse uma poção mágica que pudesse fazer com que ele voltasse a gostar dela, assim tudo tornaria a ser como fora um dia.

Fernando trocava abraços com as filhas, distribuía os presentes que trouxera e todos conversavam felizes.

Ela não podia conformar-se com isso. Aproximou-se de Dora, que sorria feliz, e murmurou em seu ouvido:

— Claro. Ele está feliz porque conseguiu enganar você direitinho! Ele estava comigo, tenho estado ao lado dele o tempo todo. Fernando é meu! Ele me ama! Nunca será seu!

Dora sentiu uma tontura, empalideceu. Satisfeita, Mila continuou:

— Fernando não a ama. Você sabe disso. Ele nunca lhe foi fiel. Eu posso provar o que digo.

— Dora, você está se sentindo bem? — perguntou Fernando.

— Não sei o que é isso... Eu estava tão bem... tão feliz... mas de repente... fiquei tonta. Acho que vou desmaiar...

Fernando fê-la sentar-se. Margarida sentiu a presença de Mila, fechou os olhos e viu-a agarrada a Dora. Imediatamente colocou a mão sobre a testa de Dora e exclamou:

— Vamos pedir a ajuda de Deus! Ela vai ficar bem.

Dora queria gritar, tirar a mão de Margarida da sua testa, mas não conseguiu se mexer. Margarida continuou:

— Vá embora. Deixe nossa família em paz. Pare de interferir na vida das pessoas. Você já sofreu muito por causa disso e agora seu tempo acabou. É hora de mudar, de começar a melhorar sua maneira de ser para que não lhe aconteça coisa pior. Você sabe do que estou falando!

Nesse momento, Margarida viu o espírito de Otávio aproximar-se de Mila que, apavorada, fez menção de fugir, mas não conseguiu. Ele estava iluminado por uma luz muito clara, que envolveu a todos com carinho. Aproximou-se de Margarida e começou a falar através dela:

— Meu filho, é hora de encarar a verdade sobre a vida espiritual. Saiba que só conseguirá realizar seus projetos de trabalho e de vida pessoal se juntar aos seus conhecimentos e anseios a ajuda das forças que regem este mundo. Procure e encontrará as provas que deseja. Estou muito feliz por estar aqui. Deus os abençoe. Otávio.

Margarida calou-se, respirou fundo e abriu os olhos. Fernando olhava fascinado. Dora, surpreendida, não sabia o que dizer. Luiza segurava um copo de água e aproximou-se de Dora dizendo:

— Beba, mãe, vai fazer-lhe bem.

Com mão trêmula, Dora segurou o copo e Fernando indagou:

— Sente-se melhor?

— O que está acontecendo aqui?

Luiza respondeu:

— Você estava sendo envolvida por um espírito perturbado e Margarida viu. Então o vovô veio e nos socorreu. Ela sabe dessas coisas.

— Estou chocada. Espíritos? Você sabia disso, Fernando?

— Beba a água, depois conversaremos. Dá para perceber que você já melhorou e voltou ao normal.

Dora bebeu a água e depois voltou ao assunto:

— Elas estão falando de espíritos de quem já morreu? Seu pai está morto. Eu fui ao enterro dele!

— Acalme-se, Dora. De uns tempos para cá, tenho tomado conhecimento do assunto. Têm acontecido coisas que não dá para ignorar. Tanto que eu estou decidido a pesquisar. Quero descobrir a verdade.

Dora arregalou os olhos:

— Isso não é perigoso?

— Mais perigoso é ignorar e ser manipulado por espíritos maldosos que circulam à nossa volta — alertou Luiza.

Dora olhou-a assustada:

— Como pode ser? Espíritos do mal soltos à nossa volta? Deus permitiria uma coisa dessas?

— Para entender os mistérios da vida, precisamos observar como as leis divinas funcionam. É através delas que Deus age. Com nossas atitudes, escolhemos livremente nosso caminho, mas os resultados são determinados por essas leis que foram criadas para ensinar a cada um o que é melhor — explicou Margarida com naturalidade.

Luiza completou:

— Estamos vivendo neste planeta para evoluir, para conquistar a sabedoria e aprender a ser feliz. O sofrimento é fruto de não sabermos ainda como a vida funciona.

Dora não escondia a estupefação, olhou para o marido, questionando:

— Como isso está acontecendo dentro de casa e eu nunca soube de nada? Luiza é uma criança. Como pode ocupar-se de um assunto sério e tão contraditório como este? Precisamos dar um basta nisso tudo.

— Acalme-se, Dora. Luiza está muito bem e, graças a Margarida, na frente de muitos adultos. Nós é que estamos indo devagar. Os fatos estão acontecendo diante dos nossos olhos e, em vez de procurar entender o que eles querem nos ensinar, preferimos continuar ignorando, talvez por medo e por não ter a coragem de enfrentar as mudanças que podem ocasionar.

— Onde você vê fatos, eu vejo fantasia. Como pode falar assim?

— Vou citar um fato indiscutível, cuja prova eu tive com o que nos aconteceu agora. Eu tenho uma colega em Brasília, muito dedicada e correta, que é espiritualista. É muito respeitada por todos nós. Apesar de não conversarmos sobre esse assunto, esta semana, quando falávamos sobre trabalho, no final, ela me disse sorrindo: "Meu guia espiritual mandou-lhe dizer que você está precisando procurar ajuda espiritual". Era a terceira vez que, nos últimos dois meses, ela me dizia isso. Como sempre, não levei a sério. Se eu tivesse seguido seu conselho, talvez você não tivesse passado tão mal hoje na minha chegada. Esse foi um fato, uma prova que não dá para negar.

Dora lembrou-se do terrível mal-estar que sentira havia poucos minutos e não encontrou palavras para responder. Fernando continuou:

— Várias vezes, tenho sentido a proximidade de meu pai. Principalmente quando estou nervoso ou preocupado, sinto como se ele estivesse me abraçando e dizendo as palavras que dizia quando eu era pequeno e não sabia como lidar com as dificuldades do dia a dia. Ele sempre foi meu apoio. Eu não nego que, ao vê-la passar mal, instintivamente pensei nele. Então ele falou conosco pela boca de Margarida, e logo você ficou bem.

Margarida segurou a mão de Dora dizendo:

— Mãe, é bom saber que, se há espíritos ignorantes, há em maior número espíritos de luz, que estão sempre ao nosso lado dispostos a nos inspirar a praticar o bem. Existe a lei da afinidade. De acordo com o que pensamos, nós atraímos os fatos em nossas vidas. A evolução é fatal. Aqueles que ainda ignoram estão aprendendo e um dia entenderão as vantagens do bem.

Se ignorarmos o mal e firmarmos o pensamento no bem, fazendo nosso melhor, seremos protegidos como você foi hoje.

Dora olhou nos olhos de Margarida, meneou a cabeça negativamente e respondeu:

— Nunca pensei que você soubesse tantas coisas! Quem lhe ensinou tudo isso?

— Primeiro meu pai, que sempre me ensinou coisas boas. No orfanato as freiras eram muito boas comigo, mas eu tinha apenas seis anos quando ele sofreu o acidente e desencarnou. Sentia falta do carinho dele e ficava muito triste. Então o espírito de meu pai começou a visitar-me durante o sono, tirava-me do corpo que ficava dormindo na cama, conversava comigo, levava-me para passear por lugares lindos, cheios de flores e eu sentia uma felicidade tão grande que não queria mais voltar para cama. Ele disse que meu lugar era aqui e, se eu não entendesse isso, ele nunca mais poderia vir.

Dora sentia-se comovida, continuava segurando a mão de Margarida e Luiza sentara-se no chão, perto dos pés da mãe, segurando a outra mão dela. Fernando, comovido, observava a cena pensativo.

— Continue, Margarida, o que mais você soube? — indagou Dora.

— Um dia em que muitas crianças foram adotadas, eu fiquei muito triste porque ninguém quisera adotar-me. À noite, deitada, chorei muito e pedi a meu pai que viesse buscar-me porque eu queria morrer. Ele veio, mas trouxe com ele um jovem, vestido com uma bata branca, cabelos castanhos soltos e olhos cor de mel que me fixaram com amor. Em volta deles havia uma luz muito branca e, de dentro do peito do jovem, começou a sair uma energia cor-de-rosa que me envolveu e eu senti uma onda tão grande de amor que me ajoelhei e comecei a rezar.

Ele se aproximou e me levantou, abraçou-me e disse com voz suave:

— Sou o Jonas. Nós nos conhecemos de outras vidas. Há muito venho acompanhando sua trajetória e continuarei do seu lado sempre que puder. Vim para dizer-lhe que seu tempo de tristeza está no fim. Alegre-se. Você ainda será muito feliz nesta vida. Em breve uma família muito boa virá buscá-la. Vá de coração aberto, não se deixe iludir pelas coisas do mundo, faça o seu melhor. Seja grata por terem escolhido você e procure levar alegria e amor aonde for. Se agir assim, tudo que está programado de bom vai se concretizar. Eu estarei sempre ligado a você.

— Você sabia que nós iríamos adotá-la! Mas nunca comentou nada!

— Porque ele havia me dito que essas coisas seriam um segredo entre nós e também ainda não estava na hora de falar sobre este assunto.

— Mas você contou para Luiza!

Margarida sorriu levemente e respondeu:

— Luiza é como eu. Também vê e sente a presença dos espíritos. Nós trocamos experiências.

Dora olhou para Fernando preocupada:

— Meu Deus! Tudo isso acontecendo e nós não sabíamos de nada! Estou insegura. O que mais ainda estará para acontecer? Você sabe quem é essa mulher que está me perseguindo e me fez sentir tão mal?

— Nós estamos protegidos. Somos pessoas de bem e não temos o que temer. Se eu tivesse sido mais

confiante e acreditado nos recados que recebi, nada disso teria acontecido.

— Tenho receio de que aconteça de novo. Foi horrível! Pensei que fosse morrer!

— Já passou e é melhor pensar que nunca mais vai acontecer.

— Isso mesmo, mamãe. Vamos ficar no bem e só pensar em coisas alegres. Esse é o melhor remédio! — advertiu Luiza.

Janete avisou que o almoço estava sendo servido e Fernando interrompeu alegremente:

— Vamos comer. Estou com muita fome.

Eles foram para a copa. Fernando, notando que Dora estava pensativa, procurou falar sobre assuntos leves e agradáveis, e aos poucos Dora foi participando com prazer.

Mila permanecia na sala, onde eles haviam estado, planejando o que faria para dominar Fernando. O espírito de Otávio a observava sem ser visto, percebia os pensamentos dela e a custo dominava a indignação.

Por que ela insistia em uma coisa que nunca daria certo? As ligações entre ela e Fernando haviam se rompido e ela nunca conseguiria envolvê-lo de novo. A esse pensamento sentiu brotar dentro de si uma onda de indignação, mas esforçou-se para controlá-la. Ele não queria usar de violência novamente. Aprendera que havia outras formas de resolver situações como aquela e precisava provar a si mesmo que seria capaz de utilizar-se delas.

Recorreu à oração pedindo a Deus inspiração para auxiliar Mila a entender a inutilidade de sua insistência. Enquanto isso, Mila, sem saber que estava sendo vigiada, dava vazão a seus desejos de conquistar Fernando, imaginando cenas de paixão em que conseguia dominá-lo completamente.

Otávio surgiu diante dela que, vendo-o, deu um salto, assustada:

— Não se aproxime!

— Não tenha medo. Estou vindo em paz. Não pretendo fazer-lhe mal.

— Depois do que me fez, não vou arriscar.

Fez menção de sair, mas Otávio segurou-a pelo braço dizendo com voz que procurou tornar calma:

— Não tema. Estou arrependido do que lhe fiz e não quero sentir isso de novo. Tenho andado triste. Desejo agora aprender a ficar no bem. Estou cansado de sofrer. Quero ser feliz!

Mila olhou-o desconfiada:

— Não acredito na sua intenção. Você é mau. Solte meu braço, quero ir embora.

— Não se preocupe. Só quero conversar com você. Vamos nos sentar um pouco naquele jardim. Você vai me ouvir e depois poderá ir embora.

Otávio puxou-a para fora e conduziu-a a uma praça próxima, onde havia muitas flores, e fê-la sentar-se em um banco a seu lado. Depois disse triste:

— Sabe, Mila, estou me sentindo cansado. Depois de tantas lutas percebo que tenho feito muitas coisas erradas e isso tem me trazido só infelicidade. Quero esquecer o passado, tudo que você me fez. Confesso que eu também não soube ser um bom companheiro para você.

Mila olhou-o admirada e comentou:

— Faz tanto tempo! Você ainda se lembra?

— Lembro-me de tudo. Do seu amor pelo Fernando e da traição que me fez. Eu culpei você por ter me tornado um assassino, mas hoje, pensando melhor, reconheço que naquele tempo eu era muito ignorante. Fiz muito mal a você e a minha família. Sofri muito por isso e estou arrependido. A culpa é uma faca cortando por dentro. Nunca mais quero sentir isso. Quando me arrependi e a vida me concedeu poder nascer na Terra de novo e devolver a vida a Fernando, pensei que meu remorso nunca mais voltaria. Mas estava enganado. Sempre que cometo um erro, ele volta para dizer que ainda não estou pronto para esquecer e ser feliz como eu gostaria.

Mila ouvia com atenção, como se o estivesse vendo pela primeira vez. Algo lhe dizia que ele estava sendo sincero. Ao fixar os olhos nele, via o jovem bonito, disputado pelas mulheres, que lhe despertara ardente paixão, fazendo com que brigasse por ele e acreditasse que seria para sempre. Mas depois a desilusão, os desentendimentos, a maldade, a troca de insultos, o ódio substituindo a paixão e por fim o louco amor por Fernando, no qual ela havia mergulhado como remédio para todos os seus desenganos.

— Ainda bem que reconhece seus erros. Se eu traí, se eu me agarrei a Fernando, foi porque você me fez muito mal. Eu queria ser feliz. Mas ele também me traiu. Eu não quero perder minha chance de felicidade. Fernando ainda vai ser meu, você vai ver.

— Essa é uma ilusão que nunca vai acontecer. Acorde, Mila. Fernando não é para você. Ele tem outros compromissos assumidos na vida. Ele é melhor do que nós dois, que ainda somos muito ignorantes. Olhe para Fernando e sentirá que ele está muito mais evoluído do que nós. Entre você e ele não haverá um laço de ligação. Está perdendo seu tempo. A vida nunca vai uni-los. Não combina.

Mila baixou a cabeça e seu rosto se encheu de tristeza:

— O que você pretende com isso? Quer que eu me sinta tão infeliz que não tenha ânimo de lutar pela minha felicidade? É isso que quer?

Otávio segurou a mão dela contemporizando:

— Não, Mila. Eu quero que você seja minha amiga. Que fique do meu lado. Juntos, poderemos cuidar de melhorar nosso caminho, aprender a dominar os pensamentos depressivos, a tristeza, e buscar encontrar uma forma de viver melhor, de fazer coisas boas, de nos tornar pessoas de bem. Esse é o caminho para conquistar a felicidade. Só o verdadeiro bem poderá nos ensinar a viver melhor e a ter bem-estar. Nós estamos no mesmo nível espiritual. Em vez de brigar, vamos nos apoiar mutuamente e, quem sabe, talvez um dia toda a felicidade que desejamos ter se manifeste em nossas vidas.

— Estou cansada. Bem que eu gostaria de poder me sentir assim.

— Venha comigo. Vou levá-la para a comunidade onde tenho vivido. Estou certo de que lá será muito bem recebida.

— Eu estive em um lugar onde fui muito bem tratada, mas acabei abandonando. Sinto vergonha de voltar para lá.

— Ofélia a receberá com muito amor. Ela a espera de volta com ansiedade.

— Você acha? É dela que está falando?

— Sim. Ela ficará muito feliz em nos ver juntos e de volta.

— Você não está me enganando? Várias vezes você disse uma coisa e fez outra. Como posso confiar?

Otávio olhou-a sério e respondeu com voz firme:

— Olhe para mim, Mila. Eu mudei. A vida me venceu e não quero mais ficar na ilusão. Estou disposto a corrigir meus erros do passado e procurar ser uma pessoa melhor. Sei que ainda terei de aprender muito para conquistar o direito a uma vida feliz, mas eu quero tentar e penso que, se nos esforçarmos, vamos conseguir. É hora de começar a mudar.

Mila fixou-o como que avaliando essa possibilidade. Depois suspirou triste e tornou:

— Eu também estou cansada. Você acha que eles me aceitarão de volta?

— Estou certo disso.

— Não sei se estou pronta para fazer o que me pede, mas penso que poderemos tentar.

Otávio levantou e puxou-a para o seu lado. Passou o braço na cintura dela e a incentivou:

— Vamos pedir a Deus que nos fortaleça e inspire para que possamos vencer nossas fraquezas e continuar firmes e seguros no caminho da redenção.

Otávio mentalizou a comunidade onde residia e logo os dois elevaram-se rumo ao seu destino. Embora eles não vissem, estavam sendo escoltados por alguns espíritos iluminados que, felizes, oravam, derramando sobre eles energias de luz e de amor.

Capítulo 22

O domingo amanheceu ensolarado. Fernando levantou pensando em Emiliano. Como estaria? Sabia que Júlia não o perdoara e ele estava morando em um hotel.

Naqueles dias que estivera fora, Margarida fora com Luiza visitar Júlia e o informara de que ela não demonstrava estar sofrendo com a situação. Sua vida familiar havia desmoronado, e Fernando não entendia como Júlia conseguia manter a calma e agir como se nada houvesse acontecido.

Emiliano não estaria tão bem quanto ela. Do jeito que ele prezava sua privacidade, agindo sempre com discrição, ter sua vida íntima exposta publicamente de forma maldosa o teria deprimido e infelicitado.

Estava pensando no assunto quando Janete o avisou que o doutor Ernesto havia chegado. Imediatamente Fernando foi recebê-lo. Depois dos cumprimentos, Ernesto tornou:

— Desculpe invadir seu domingo, mas procurarei ser breve. Tem alguns minutos para me ouvir?

— Você é sempre bem-vindo. Aliás, eu estava pensando em procurá-lo para saber de Emiliano.

Uma vez sentados no sofá do escritório, Fernando comentou:

— Margarida esteve com Júlia e contou-me que ela parece estar bem.

— Emiliano a procurou para dar-lhe uma satisfação, mas ela sequer quis ouvi-lo. Disse que ele tinha morrido e que fosse embora para sempre. Foi irredutível. Pode imaginar como ele reagiu. Ficou mais deprimido do que já estava. Garantiu que continuará mantendo a família. Foi muito triste vê-lo arrumar suas coisas enquanto Olívia chorava sem parar pedindo a ele que não a abandonasse. Foi difícil. Ele foi para um hotel, mas ontem conseguiu alugar um apartamento próximo ao hospital. Comprou algumas coisas e instalou-se em sua nova residência.

— A atitude de Júlia não me parece natural. Vinte anos de um casamento como eles tiveram não dá para esquecer assim. Júlia sempre foi esposa carinhosa, e Emiliano, apesar do que aconteceu, também mostrou-se presente e dedicado à família. Estou certo de que eles se amavam.

— Não é fácil entender. Eu, morando na mesma casa, convivendo com eles todos os dias, nunca notei nada que revelasse qualquer desentendimento. Eu também deixei a casa. Aluguei um apartamento, no mesmo prédio de Emiliano, apesar de que dona Júlia insistiu para que eu continuasse morando lá. Mas eu achei que elas precisavam reorganizar a nova vida, descobrir novos interesses e ter privacidade. Claro que estarei sempre por perto para apoiá-las no que for preciso.

— Estou certo de que Emiliano teria preferido que você continuasse morando lá.

— Ele me disse isso, mas eu também preciso cuidar do meu futuro. Este é um assunto sobre o qual eu gostaria de ouvir sua opinião.

— Se eu puder ajudar...

— O que vou lhe dizer tem a ver com o que eu mais quero nesta vida. E talvez eu possa lhe parecer muito ousado por expor o que vai dentro do meu coração, mas estou disposto a lutar pela minha felicidade.

— Fale. Do que se trata?

Ernesto respirou fundo, levantou-se e anunciou em tom solene:

— Doutor Fernando, eu amo Margarida e noto que não lhe sou indiferente. Gostaria de sua permissão para namorá-la e chegar ao casamento.

Fernando levantou-se surpreso, sem saber o que dizer. Vendo que Ernesto esperava em silêncio, perguntou:

— Margarida já sabe que você tem essa pretensão?

— Ainda não me declarei, queria primeiro saber se você aprovaria. Mas sinto que ela se interessa por mim.

Fernando abraçou-o, incentivando-o:

— Entendo. Declare-se. Se ela o aceitar, ficarei honrado em tê-lo como genro. Margarida é uma luz em nossas vidas, e eu desejo que ela seja muito feliz.

— Obrigado pela confiança. Quando nos vimos pela primeira vez, sentimos que nos conhecíamos de longa data. Esse sentimento foi muito forte. Não sei se vai entender, mas nós sentimos que já vivemos juntos em outras vidas.

— Foi bom você falar sobre isso. Nos últimos tempos tive provas irrecusáveis da intervenção dos espíritos em nossas vidas. Estou determinado a me aprofundar nesse assunto.

Os olhos de Ernesto brilharam, e ele respondeu com entusiasmo:

— Chegou a hora de abrir sua mente para a luz da espiritualidade. Assim como aconteceu comigo, esse conhecimento ampliará sua visão da vida e contribuirá para que seja mais feliz.

Fernando colocou um bloco e uma caneta na frente de Ernesto e perguntou:

— Já comprei alguns livros, mas ainda não os li. Por onde deverei começar?

Ernesto pegou a caneta e escreveu: *O Livro dos Espíritos* e *O Livro dos Médiuns*, ambos de Allan Kardec, acrescentou o novo endereço de Emiliano e entregou o papel a Fernando, orientando-o:

— Comece com estes dois. Vão abrir as portas do invisível e mostrar os outros lados da vida. E aí está também o endereço do apartamento de Emiliano.

— Obrigado. Estou pensando em ir visitá-lo hoje à tarde.

— É uma boa ideia. Agora, eu gostaria de falar com Margarida. Posso?

— Faça isso. Essa é uma conversa muito pessoal. Leve-a ao jardim. Eu vou entreter Luiza para que vocês fiquem à vontade.

— Obrigado.

Quando eles deixaram o escritório, Luiza e Margarida estavam com Dora na sala. Fernando chamou Margarida e falou:

— Ernesto quer conversar com você.

Ela se aproximou e Luiza a acompanhou. Mas Fernando pediu:

— Fique comigo, Luiza. Temos de conversar.

Dora olhou-o admirada, mas ele fingiu não perceber. Levou a menina para a sala, enquanto Ernesto levava Margarida para o jardim. Sentaram-se embaixo de uma primavera florida e Margarida comentou:

— Veja, está cheia de flores! Não é linda?

Ernesto segurou a mão dela e levou-a aos lábios, dizendo:

— Ela é linda, mas você é para mim a flor mais bonita. Margarida, desde que a vi, seu rosto não sai do meu pensamento. Admiro tudo que você faz, sua beleza, sua generosidade, alegria, sensibilidade. Minha alma anseia pela sua. Eu a amo. Sinto que você é a mulher da minha vida.

Margarida, rosto corado, sentiu o coração bater descompassado, olhos brilhantes de emoção, estava linda, e Ernesto não resistiu, abraçou-a e beijou-a repetidas vezes.

— Diga que também sente este amor que estou sentindo e que aceita se casar comigo.

— Sim. Eu também o amo. Quero viver toda minha vida a seu lado.

Os dois beijaram-se novamente. Depois, abraçados, Ernesto tornou:

— Eu já falei com seu pai e ele aprovou nosso relacionamento. Eu tenho trabalhado bastante, mas quero fazer muito mais para que nosso casamento se realize o mais breve possível. Quero que você tenha tudo e seja muito feliz.

— Estou me sentindo feliz desde já por saber que você também me ama. Estar todos os dias a seu lado é o que minha alma aspira. Sinto que, quando estou com você, tudo se transforma para melhor e minha alma vibra de alegria.

Ernesto beijou-a delicadamente na face dizendo:

— Eu também sinto esta felicidade quando estamos juntos.

— Você já falou com sua família?

— Ainda não. Estou pensando em ir ao Rio no próximo fim de semana para dar-lhes a notícia.

— Acha que vão me aceitar?

— Por certo.

— Você nunca menciona sua família, não vai visitá-los, não fala sobre eles. Às vezes sinto que há alguma coisa que você não aceita bem. Não sei o que é.

— É que nós não temos muita afinidade. Meus pais são muito sérios e estão sempre voltados para as convenções sociais. Meu irmão é mais velho e, além de pensar como eles, valoriza muito as aparências. Eu sou muito diferente deles, nós não temos nenhuma afinidade. Sou como um estranho no ninho. Por isso foi que eu preferi vir para São Paulo e fazer as coisas do meu jeito.

Margarida ficou calada durante alguns segundos, depois perguntou:

— Por que será que a vida fez você nascer nessa família?

— Muitas vezes tenho pensado nisso. Mas não cheguei a nenhuma conclusão.

— Quando eu morava no orfanato, ficava muito triste por ter perdido toda minha família. Sentia-me muito só e me perguntava o que a vida queria me ensinar com isso. Uma noite, eu me sentia muito triste, chorei muito até que, cansada, adormeci. Então sonhei com meu pai, que me explicou que minha mãe morrera cedo porque necessitava aprender a valorizar a vida. Ele, apesar de querer ficar comigo, teve de ir também. Eu tinha apenas seis anos na ocasião e ele ficou muito triste por ter de me deixar. Queria ficar do meu lado, não se conformava em me deixar sozinha no mundo. Então lhe explicaram que eu era um espírito forte, mas precisava descobrir minha própria força e, para isso, teria que ficar só por algum tempo, que eu tinha condições de cuidar de mim muito bem e, apesar de parecer que eu estava sozinha, a vida cuidava de mim com muito carinho. Ele previu que eu seria muito feliz. Eu entendi isso e as coisas começaram a mudar.

Ernesto ficou pensativo alguns instantes, depois tornou:

— Eu também já me perguntei isso. Será que foi para eu aprender a cuidar de mim?

— Pode ser. Mas a resposta virá na hora certa. Não se preocupe. A vida sempre sabe o que faz.

Os dois continuavam abraçados e Margarida considerou:

— É melhor nós entrarmos.

— Sim. Vamos dar a notícia a eles.

Margarida ficou séria e Ernesto perguntou:

— O que foi? Você ficou triste de repente.

— Você falou com papai, mas e mamãe, como reagirá?

— Estou certo de que vai aprovar.

Eles se levantaram e, quando iam entrar na sala, Luiza surgiu, dizendo alegre:

— Então, você já se declarou?

— Não seja indiscreta... — comentou Margarida.

— Pela sua cara, acho que estão namorando...

Ernesto sorriu e Margarida, um pouco corada, tentava conter a emoção. Apesar de estar tantos anos vivendo ao lado de Dora, nunca se sentira à vontade diante dela. Entre elas havia sempre uma certa distância, nunca haviam tido intimidade. Sentia que Dora tinha ainda certa reserva com ela apesar de querer transparecer que tratava as duas filhas de maneira igual.

Margarida entendia e até achava natural. Luiza era filha legítima, enquanto ela era apenas uma desconhecida que fora escolhida e adotada para fazer companhia à irmã. Ainda assim, agradecia a Deus pela adoção. Sentia-se feliz, respeitada por todos, apoiada por Fernando, que sempre a tratara com carinho, e pelo amor incondicional de Luiza a quem amava como se fosse sua filha.

Quando entraram na sala de mãos dadas, Dora levantou-se admirada, enquanto Ernesto apressou-se a anunciar:

— Eu e Margarida nos amamos e pretendemos nos casar. Dona Dora, peço sua permissão para frequentar sua casa.

Dora não esperava esse pedido, olhou para o marido sem saber o que responder. Fernando sorriu e tornou:

— Pelo jeito, Margarida aceitou seu pedido. Eu já lhe dei a resposta. E você, Dora, o que diz?

Dora olhou para Margarida e lembrou-se da emoção que sentira quando Fernando se declarou anos atrás. Ao mesmo tempo, percebeu que a menina que ela adotara, tímida, insegura, triste e assustada, havia se tornado uma moça linda, alegre e capaz de despertar o amor em um rapaz fino e de sociedade. Sentiu-se orgulhosa e colocou-se no lugar de mãe. Olhou para Margarida e declarou:

— Um casamento só se justifica se ambos tiverem muito amor no coração. Você tem certeza de que ama mesmo o doutor Ernesto para viver a vida toda ao lado dele?

Os olhos de Margarida brilharam radiantes quando respondeu com firmeza:

— Sim. Estou certa dos meus sentimentos.

Dora sorriu satisfeita, abraçou Margarida com carinho, beijou sua face e respondeu:

— Nesse caso, dou meu consentimento e sinto-me muito feliz. Você, Margarida, tem sido uma filha dedicada e estou muito alegre por ter assumido você.

Margarida sentiu que Dora falava com sinceridade e afeto. Emocionou-se e não conseguiu responder de pronto. Mas em seus olhos uma lágrima surgiu. Fernando percebeu que aquele momento era de união e abraçou-as também.

Luiza se uniu a eles no mesmo abraço com prazer. Sentiu que a alma de Dora fora tocada pelo amor deles e se sensibilizara. Era o que ela mais desejava que acontecesse.

Ficaram assim durante alguns segundos enquanto Ernesto, sensibilizado, observava. Depois, Fernando disse alegre:

— Agora precisamos celebrar. Precisamos brindar à felicidade do novo casal.

Foi buscar o champanhe. Janete trouxe as taças. Fernando serviu, ergueu sua taça, dizendo:

— Que o amor de vocês seja feliz e eterno.

Tocaram as taças, tomaram um gole, ao que Fernando levantou novamente a taça e observou:

— Quero brindar à felicidade de todos nós. Eu amo Dora e sei que ela me ama, e juntos vamos viver felizes o resto da vida. Também agradeço a Deus por nos ter dado duas filhas tão lindas e amorosas, e por Margarida ter escolhido Ernesto para juntar-se a nós.

A mão de Dora tremia segurando a taça, tal a emoção que as palavras dele despertaram nela. Uma onda de felicidade a envolveu enquanto Fernando abraçou-a e beijou-a com muito amor.

Ernesto, olhos úmidos, sentia-se emocionado. Ele nunca vira em sua família esses sentimentos e sempre sonhara que um dia, quando chegasse sua vez de constituir um lar, pudesse manter um relacionamento afetuoso e verdadeiro. Às vezes pensava que isso seria difícil. Mas agora sabia que tinha encontrado um lugar onde um sonho como o seu estava se realizando.

Pouco depois Janete avisou que o almoço estava pronto. Ernesto fez menção de despedir-se, mas Fernando insistiu para que ele ficasse.

O almoço decorreu alegre e depois, enquanto Fernando foi descansar um pouco com Dora em seus aposentos, Margarida, Ernesto e Luiza foram para o salão de estudos. Conversaram durante alguns minutos, depois Luiza disse com ar malicioso:

— Eu sei que vocês querem conversar, ficar sozinhos. Eu não vou atrapalhar. Estou lendo um romance

policial muito bom, quero ver se descubro quem é o assassino.

Os dois se entreolharam alegres, enquanto Luiza ia para o outro lado da sala, acomodava-se em uma poltrona e mergulhava na leitura.

Margarida e Ernesto, de mãos entrelaçadas, olhos no olhos, faziam planos para o futuro. Ernesto pretendia casar logo, mas não queria depender dos pais. Seu pai, um advogado bem-sucedido, ganhara muito dinheiro, mas ele gostava de ser independente e fazer tudo do seu jeito. Sabia que eles pensavam de forma diferente e, se contasse com a ajuda deles, certamente teria de fazer algumas concessões, o que ele não desejava.

— Eu gostaria que nosso casamento fosse logo, mas vamos ter de esperar um pouco mais para marcar a data. Tenho trabalhado muito desde que vim para cá e tido êxito. Sou grato ao doutor Emiliano, que confiou em mim, passou-me seu consultório e todos os seus pacientes enquanto esteve ausente. Foi uma grande oportunidade de provar para mim mesmo que sou capaz. Ele voltou ao trabalho, mas pediu-me que continuasse trabalhando com ele, e aceitei. No hospital, fiz uma clientela que está aumentando a cada dia. Sinto que posso confiar no futuro. Tenho algumas economias e penso que, dentro de alguns meses, poderemos definir nossa situação. Quero dar a você tudo ou mais que já tem na casa de seus pais.

— Eu tenho pensado em começar a trabalhar. Escolhi uma carreira, estou formada, desejo dedicar-me a esse ideal.

— Você não vai precisar trabalhar. Estou certo de que darei conta de todas as despesas.

— Não se trata disso. Eu tenho a felicidade de ter um pai idealista que sonha em melhorar o nível educacional do nosso povo. Ele tem razão. A maioria ainda ignora a riqueza do conhecimento. Conforma-se em continuar ignorante, ainda não descobriu o quanto o saber pode modificar a maneira de enxergar a vida, facilitar o progresso, em todas as áreas. Nós que tivemos a felicidade de poder abrir nossas mentes, aprender coisas novas, temos o dever de dividir essa alegria com aqueles que sofrem por ainda ignorarem a própria capacidade.

Ernesto a olhava admirado. Margarida nunca expressara suas ideias, e ele sentiu-se envolvido por forte emoção:

— É um pensamento nobre. O que pensa fazer? Vai dar aulas ou o quê?

— Ultimamente tenho tido algumas ideias. Ainda não contei a ninguém. Mas você vai fazer parte de minha vida e sinto que preciso compartilhar meus ideais. Tenho conversado muito com meu pai. Ele se tornou político com a intenção de trabalhar pela educação do povo. Mas, depois de dois mandatos tentando, ele não conseguiu realizar seus projetos. Para a maioria dos políticos, o partido é mais importante do que o povo. Raros são os idealistas que conseguem algum benefício.

— Você tem razão. Nesse caso, o que você tem vontade de fazer?

Pelos olhos de Margarida passou um brilho de entusiasmo enquanto dizia com voz calorosa:

— Tenho observado que as pessoas não são iguais. Os níveis espirituais são diferentes. Há os que já estão prontos para dar um passo à frente, enquanto outros não desejam deixar a zona de conforto em que se sentem bem. Por esse motivo creio que não podemos generalizar. Sonho em abrir uma escola onde possamos ensinar a viver melhor. Com simplicidade, nas atitudes do dia a dia.

— Por exemplo, por onde começar?

— Estudando nossa cultura, eu começaria pela valorização individual. Percebo que a maioria das pessoas não acredita na própria capacidade. A religião tem colaborado com essa ideia por apregoar que todos são pecadores, cheios de falhas como se Deus nos houvesse criado cheios de erros e esteja nos vigiando para nos castigar. Essa crença destrói a beleza do universo. Deus é perfeição, luz, amor!

— Uma escola que ensinasse tudo isso seria maravilhosa.

— Muitas coisas mais eu poderia dizer sobre todos os assuntos que seriam possíveis abordar. Mas o importante seria ensinar como viver bem neste mundo, respeitar a natureza, relacionar-se bem com os outros, aprender a desenvolver o próprio potencial, trabalhar sempre pelo aprimoramento de seu mundo interior e também contribuir para o benefício de todos.

Ernesto abraçou-a emocionado, beijou-a com carinho e disse com entusiasmo:

— É isso que eu quero fazer da minha vida. Pode contar comigo. Juntos, vamos realizar esse sonho.

Continuaram abraçados, envolvidos por um sentimento de plenitude, alegria e bem-estar. Eles não viram, mas sentiram que uma brisa leve e suave descia do Alto sobre suas cabeças como que a aprovar os projetos que com tanto ardor eles faziam.

Capítulo 23

Sentado diante da mesa do consultório, Emiliano, cabeça entre as mãos, refletia sobre sua vida, deixando-se levar pelo desalento. Do que lhe valera haver estudado tanto, se esforçado para tornar-se um bom médico, dedicado anos de sua vida cuidando do bem-estar dos outros para acabar solitário e triste, sendo criticado e abandonado pelas pessoas que mais amava?

Para ele, ser médico significava esquecer-se de si mesmo, aliviar o sofrimento humano, o que fizera durante vinte anos. Em quantos momentos, quando o cansaço o acometia diante dos casos mais graves, sentiu-se glorificado pelo dever cumprido além de todas as possibilidades.

Ele gostava de ver seus pacientes melhorar, ganhar saúde, vencer a doença e, quando a morte o vencia, isolava-se, rememorava suas atitudes passo a passo, sentindo-se culpado, como se fosse o dono da vida, tentando descobrir onde agira errado.

Ao reassumir o trabalho, notou que alguns pacientes haviam desaparecido, enquanto os que o procuraram olhavam-no com certa malícia, como se ele fosse promíscuo, capaz de faltar com o respeito devido a eles.

Várias vezes sentiu vontade de abandonar a medicina e buscar outro trabalho para sobreviver. Mas o quê?

Apesar de Júlia declinar de sua ajuda, ele sabia que teria de continuar mantendo a família. Havia Olívia. Era seu dever apoiá-la e encaminhá-la na vida.

Lembrou-se de Anita. Por que se deixara envolver pelo carinho dela? Por que fora capaz de vivenciar aquela situação durante anos sem se sentir culpado?

Entre eles tudo fora acontecendo de forma natural. Ao auxiliá-la a separar-se do marido, fizera-o sem segundas intenções. Ela não tinha quem a defendesse. Ele assumiu esse papel acreditando fazer um bem. Mas o contato, a amizade, a intimidade acabaram os aproximando.

Depois do escândalo, ele ainda não tinha ido vê-la. Aqueles dias de reclusão sob o domínio de Décio calaram fundo em seu espírito e o fizeram entender o tamanho do problema em que se metera. Inescrupuloso, o ex-marido de Anita o sequestrara na tentativa de extorquir dinheiro a troco do seu segredo. Mas como ele se recusou a ceder, castigava-os, investindo contra ela para atormentá-lo.

Nesses momentos, Anita perdia a costumeira doçura, reagia, crivava Décio de palavrões, tentava agredi-lo, revelando um lado seu que ele nunca notara. Diante dele ela adotava uma postura carente. Mas foi o suficiente para que ele percebesse que ela não era aquela mulher fraca, dependente, que imaginara. Sentiu como fora envolvido por ela, que vira em sua proteção uma forma cômoda de subsistência. O ídolo fora quebrado. Ele reconheceu que nunca a havia amado de fato.

Emiliano passou a mão pelos cabelos como a tirar esses pensamentos desagradáveis de sua lembrança. Sentia saudades de Júlia. Ela sempre fora uma companheira dedicada e presente. Quando chegava em casa cansado, tinha sempre um carinho, um sorriso animador, uma atenção delicada e amiga.

Como fora cego! Tinha se deixado levar como uma criança ingênua e jogado fora tudo de bom que conquistara em sua vida. O que lhe restaria daqui para a frente, senão viver na solidão e no abandono? Até as conquistas profissionais que tanto o incentivaram na juventude não o atraíam mais. Estava cansado.

Levantou-se de um ímpeto e começou a andar pela sala de um lado a outro. Um sentimento de indignação o acometeu e ele pensou:

"Eu nunca mais vou ser ingênuo! A maldade anda em volta para nos derrubar, sugar tudo que puder para depois rir e valorizar-se. Ajudar os outros é uma ilusão. Quando eu caí, muitos riram do meu fracasso! Esqueceram tudo de bom que fiz, as noites em claro que passei para aliviar o sofrimento de todos. Nunca mais vou me iludir. De agora em diante vou cuidar dos meus interesses em primeiro lugar. Vou mostrar para esses que agora me desprezam que tenho qualidades e sou capaz de progredir na vida, de ganhar muito dinheiro. Vou dar a volta por cima e fazer todos voltarem a me respeitar".

Sentou-se novamente, apanhou uma folha de papel e fez um levantamento de todos os seus bens. Não era muito, mas o suficiente para se libertar dos compromissos e poder cuidar do seu futuro.

O primeiro passo seria desligar-se de Anita. Ela era uma mulher saudável, capaz de cuidar de si mesma. Como não sentia vontade de vê-la, escreveu uma carta:

Por causa do que aconteceu, fiquei só. Tudo quanto eu construí caiu por terra. Assumo minha responsabilidade diante desses fatos e daqui para a frente pretendo mudar, reconstruir minha vida à luz dessa experiência. Vou viajar por uns tempos, cuidar da minha vida. Nosso relacionamento acabou. Esta é uma carta de adeus. Não conte comigo para mais nada. Sei que você é uma mulher inteligente e não precisa de bengala para caminhar. Estou certo de que descobrirá um caminho melhor e mais feliz. Adeus.

Emiliano

Colocou no envelope, endereçou e guardou em sua pasta. Ao fazê-lo, sentiu uma sensação de alívio. Depois fez um levantamento do montante que precisaria para manter as despesas da família, pelo menos durante os primeiros meses.

Pensava em viajar, sair do país, a fim de recomeçar uma vida nova, talvez fazer um curso de especialização que lhe desse melhor retorno financeiro. Queria fazer algo que lhe despertasse entusiasmo, prazer e lhe provasse que era um homem forte e capaz.

A parte mais difícil seria despedir-se de Júlia e Olívia. Queria provar para elas que tinha valor, que era digno de ser amado e respeitado. Esse seria seu objetivo.

Algumas batidas na porta o fizeram voltar à realidade.

— Entre.

Ernesto aproximou-se. Emiliano levantou-se para abraçá-lo.

— Você me parece melhor — comentou ele.

— Resolvi cuidar melhor da minha vida.

— Que bom! Eu sabia que ia reagir.

— Estou pensando em viajar por uns tempos. Talvez fazer um curso, me atualizar. Mas antes preciso tomar algumas providências, resolver alguns assuntos.

— Estou à disposição para o que precisar.

— Sei que posso contar com você. Fiz um levantamento, pretendo deixar dinheiro reservado em uma conta para que você todos os meses encaminhe para Júlia. Se ela não quiser aceitar, pode deixar com Olívia. Gostaria de conversar com Júlia antes de ir, mas talvez ela não queira me receber. Nesse caso, falarei com Olívia. Estou certo de que nos entenderemos.

Ernesto fixou-o pensativo. Emiliano estava diferente, havia perdido aquele ar triste e seus olhos tinham mais vivacidade.

— Você já pensou na hipótese de Júlia mudar de ideia e recebê-lo de volta?

Emiliano franziu o cenho, pensou um pouco e respondeu:

— Não creio. Ela sempre foi mulher de opinião. Sabe o que quer. Eu já aceitei as condições dela. Está decidido.

Eles ficaram conversando sobre os detalhes do plano e Ernesto sentiu que Emiliano havia retomado o controle sobre si mesmo.

— De hoje em diante deixo todo o trabalho que realizei até agora para você. Estou virando uma página da minha vida e não vou voltar atrás. Vou formalizar tudo em seu nome.

— Você não precisa fazer isso. Eu tomarei conta de tudo até sua volta. Você gastou anos se dedicando, dando de si e não deve abdicar assim dos seus direitos.

Emiliano encarou Ernesto e respondeu com voz firme:

— Eu mudei, Ernesto. Agora perdi o interesse por este lugar. Tenho outros planos. Não sei quanto tempo ficarei fora, mas sei que, quando eu voltar, será em outras bases de trabalho, muito diferentes do que tem sido até agora. Vou progredir, ganhar dinheiro, provar minha capacidade.

Ernesto baixou a cabeça pensativo. Ele temia que Emiliano estivesse se iludindo, forçando uma situação irreal que poderia deixá-lo ainda mais infeliz.

Emiliano colocou a mão no braço do amigo e continuou:

— Não se preocupe comigo. Sei o que estou fazendo. Você vai se casar, construir uma família. Desejo de coração que seja muito feliz. É um bom profissional, estou certo de que terá muito sucesso neste trabalho.

Ernesto abraçou-o comovido. Se antes o admirava, agora sentia que um laço de profundo afeto os unia. O amor, a reciprocidade que ele nunca encontrara ao lado da sua família, estava presente nesse abraço.

No fim da tarde, ao deixar o consultório, Emiliano separou os objetos pessoais, documentos e nada mais. Ernesto o ajudou a arrumar tudo, e ofereceu-se para levá-lo até em casa.

Os olhos de Emiliano brilharam quando ele fechou a porta do consultório pelo lado de fora e em seguida entregou a chave ao amigo dizendo:

— Tudo que tem aqui agora é seu. É meu presente de casamento. Não vou estar aqui para abraçá-los, mas conte minha decisão a Margarida. Estou certo de que entenderá. Vocês vão ser muito felizes.

Ernesto olhou-o comovido, concordando com a cabeça. Não estava em condições de dizer nada. Meia hora depois, ao despedir-se dele, declarou:

— Continuo à sua disposição para o que precisar. É só me ligar.

— Você vai ver Margarida, dê-lhe meu abraço e diga ao Fernando para me procurar. Quero conversar com ele.

Ernesto ainda estava emocionado quando chegou à casa de Margarida. Assim que a abraçou, ela fixou-o e comentou:

— Você está diferente. O que aconteceu?

— Emiliano tomou algumas atitudes que me surpreenderam. Seu pai está em casa?

— Sim. Vamos até lá.

Fernando estava sentado ao lado de Dora no sofá. Ele teria de voltar a Brasília na manhã seguinte e ela, como sempre, estava chorosa e triste.

Vendo-os entrar, Fernando levantou-se para abraçar Ernesto. Depois dos cumprimentos, Margarida comentou:

— Ele esteve o dia todo com o doutor Emiliano. Parece que tem novidades.

— Eu estive pensando nele a tarde toda — comentou Fernando. — Ontem fui vê-lo e não gostei nada. Estava acabado, triste, quase não falava.

— Pois hoje o encontrei completamente diferente. Reagiu de maneira firme. Mas ainda não sei se foi bom. Tomou atitudes drásticas, quer mudar de vida. Confesso que fiquei um pouco preocupado.

Fernando surpreendeu-se:

— Explique melhor. Como foi isso?

Em poucas palavras Ernesto contou tudo que Emiliano planejava fazer e finalizou:

— Ele estava diferente. Em seu olhar havia um brilho de determinação, ao mesmo tempo senti que ele estava como que brigando com tudo e todos, não sei explicar. Ele disse que quer conversar com você o quanto antes.

— Volto a Brasília amanhã cedo, ficarei dez dias fora. Não vai dar tempo.

— Ele pretende fazer tudo rápido. Eu gostaria que ele pensasse melhor antes de arriscar-se dessa forma.

Fernando pensou um pouco, depois decidiu:

— Vou agora mesmo procurá-lo. Não posso deixá-lo fazer nenhuma temeridade.

Dora interveio:

— Mas você ainda não jantou... Deixe para quando voltar. Ele ainda nem sabe para onde vai.

— Não posso. Ontem ele me pareceu acabado. Essa mudança pode ser uma fantasia.

Foi a vez de Margarida intervir:

— Depois de tudo que ele passou, a reação dele é natural. Mas seria bom que fosse vê-lo para fortalecer suas ideias e apoiá-lo.

Os três olharam para Margarida. Eles sabiam que, quando ela falava com aquela voz mais firme, havia interferência de algum amigo espiritual.

— Nesse caso irei agora mesmo.

Vendo que ele estava decidido, Dora considerou:

— O jantar está pronto. Vou mandar servir. Você vai em seguida.

Meia hora depois, Fernando tocou a campainha no apartamento de Emiliano, que o recebeu com um caloroso abraço. Depois, sentados lado a lado no sofá, Fernando entabulou:

— Ernesto me contou que você decidiu ir embora do país, deixou o consultório para ele, assim, de repente. Não acha que está se precipitando?

— Não. Sei o que estou fazendo. Durante vinte anos dediquei-me ao bem-estar dos outros, na família, na profissão, em tudo. Desde adolescente esse foi meu ideal, mas bastou um erro, para que tudo que eu havia construído caísse por terra. De homem respeitado, tornei-me um traidor abandonado pela esposa. No consultório os pacientes que não desapareceram olhavam-me com malícia, como se eu representasse algum perigo. Perdi tudo que havia construído todo esse tempo. Fiquei só.

Fernando ia intervir, mas Emiliano não lhe deu tempo e continuou:

— Analisei os dias no cativeiro, quando me recusei a ceder à chantagem de Décio. Ele maltratava Anita para me castigar fazendo com que ela revelasse seu lado pior, reagindo a ele violentamente com palavras de baixo calão e gestos obscenos. Então percebi como tinha sido ingênuo deixando-me seduzir por ela. Na verdade, eu nunca a amei. Eu amo minha família. Mas Júlia não quer me perdoar. Eu estou só. Então decidi assumir o controle da minha vida e provar para todos os que me condenaram que sou um homem digno e tenho valor. Acho que tenho esse direito!

Os olhos de Emiliano tinham uma chama e um brilho novo. Fernando fixou-o admirado sem saber o que dizer. Ficaram em silêncio durante alguns segundos. Emiliano prosseguiu:

— Estou pensando em ir para os Estados Unidos trabalhar e fazer um curso de especialização. A ciência médica evoluiu muito nesses últimos anos. Vou me atualizar.

Fernando pensou um pouco, depois disse:

— Quando Ernesto me contou sua decisão, fiquei preocupado, mas suas palavras me tranquilizaram. Você sabe o que está fazendo. Somos amigos desde a adolescência e eu sempre reconheci que você possui, além de uma inteligência viva e clara, uma capacidade científica que poderia levá-lo a realizar grandes coisas. Acho que deve tentar. Já escolheu o curso que vai fazer?

— Ainda não. Todos os cursos que fiz foi pensando em fazer algo em benefício dos outros. Mas agora sinto que chegou o momento de pensar em mim, de fazer algo que me dê prazer. Quero descobrir minha vocação. Chega de pensar com a cabeça dos outros. Este é o momento de fazer alguma coisa que eu gosto, que me faça sentir bem, que me realize na vida.

Fernando não conteve o entusiasmo:

— É isso que você deveria ter feito há muito tempo! A vida só vale a pena quando sentimos que estamos fazendo nosso melhor. Mas para isso você não precisaria ir para o exterior. Em nosso país a ciência médica está muito avançada. Você poderia fazer tudo isso aqui mesmo.

— Não. Eu preciso conhecer outros ambientes, outras pessoas, outras culturas, buscar coisas novas. É hora de aprender, de descobrir novos caminhos.

Fernando baixou a cabeça e ficou silencioso durante alguns segundos, depois acrescentou:

— Eu também gostaria de poder fazer isso. Afinal, estou terminando a segunda legislatura na Câmara e até agora não consegui realizar o que sempre desejei. Considero que o maior problema do nosso país é a educação. O nosso povo é bom, criativo, inteligente, mas não tem tido apoio adequado para que possa desenvolver suas qualidades. Entrei na política com esse ideal, mas a esta altura tenho questionado se vale a pena continuar nessa guerra partidária, em que a maioria dos colegas só visa ao partido ou às suas conquistas pessoais.

— Eu cheguei à conclusão de que não devo esperar nada de ninguém. Cada um está interessado em suas próprias atividades sem pensar no bem comum. E eu vou fazer o que for bom para mim.

— Não acha esse pensamento um tanto egoísta?

— Não. Eu só posso contar comigo e vou usar meu potencial. Não pretendo prejudicar ninguém. Se você observar a história, os homens que fizeram grandes coisas em benefício da humanidade pensavam dessa forma.

— É, talvez tenha razão. Sempre acreditei que só unindo esforços conseguiremos melhorar a sociedade. Mas isso não tem acontecido.

— Eu também pensava assim. Mas esse é um sonho muito distante da realidade. Não vou esperar pelos outros. Vou cuidar de mim. Quero aprender mais, construir uma vida melhor, em que eu possa me sentir vivo, atuante e melhor a cada dia.

— Você me surpreende. Há em seus olhos um brilho novo e suas palavras são fortes. E, de certa forma, sinto até uma ponta de inveja por vê-lo tão decidido. Gostaria de fazer o mesmo.

Emiliano sorriu levemente e observou:

— Quando você se sente no fundo do poço, algo em você grita que essa não é sua verdade. Apesar de haver cometido um erro, dentro de você continuam existindo as qualidades nobres que o fazem uma pessoa melhor. Então brota uma força nova e uma vontade muito forte de provar para si mesmo do que é capaz.

— Entendo o que quer dizer e estou certo de que conseguirá tudo que deseja. Quando pretende partir?

— O quanto antes. Amanhã mesmo vou tomar algumas providências e à noite pretendo visitar Júlia para despedir-me. Se ela não quiser me receber, me despedirei só de Olívia. Ernesto está encarregado de passar a elas mensalmente o dinheiro para as despesas. É o que posso fazer. No fim desta semana, espero poder viajar.

— Você sabe que pode contar comigo para tudo. Eu e Dora estaremos sempre em contato com Júlia. Minhas filhas também estarão sempre com Olívia. Mantenha-me informado.

— Obrigado. Espero que vocês também não me esqueçam e mandem me dizer como vão as coisas. Abrace Margarida. Estou certo de que ela e Ernesto foram feitos um para o outro. Serão felizes. Diga a minha querida Luiza que ela mora em meu coração e espero que me mande notícias.

— Direi. Vamos sentir sua falta. Agora preciso ir.

Fernando abraçou o amigo com carinho:

— Desejo que consiga tudo quanto deseja. Você merece!

— Você também. Se um dia olhar em volta e não gostar do que vê, não hesite em virar a mesa e ousar fazer o que mais deseja no fundo do seu coração. A vida passa depressa e só vale a pena quando somos felizes.

Fernando deixou o apartamento do amigo, pensativo. A mudança de Emiliano mexeu com seus sentimentos e, durante o trajeto de volta para casa, ele foi pensando em sua própria vida profissional, que a cada dia estava menos atraente e mais infeliz.

Capítulo 24

Na manhã seguinte, Emiliano, depois de ler algumas anotações do seu tempo de estudante, foi para uma agência de viagens e comprou uma passagem de ida para Nova York para dali dois dias. Passou no banco, onde providenciou o dinheiro para suas despesas de viagem e para Ernesto repassar para Julia e Olívia.

À noite, sem avisar, foi à casa de Júlia. Tocou a campainha e Ivone abriu a porta.

— Doutor Emiliano!

— Como vai, Ivone?

— Bem... Dona Júlia o está esperando?

— Não. Ela está na sala?

— Está sim... Mas é melhor eu avisá-la de que o senhor está aqui.

— Não é preciso. Vou surpreendê-la.

Ele entrou e foi direto para a sala onde Júlia estava sentada, tendo um livro nas mãos. Aproximou-se dela dizendo:

— Júlia, precisamos conversar.

Ela se levantou assustada e fixou-o retrucando:

— Eu não quero falar com você. Não temos nada a nos dizer.

— Mas eu tenho. Vim despedir-me. Vou embora do país e não sei quando voltarei.

Nesse momento, Olívia apareceu na sala e foi correndo abraçá-lo:

— Pai! Você veio!

Emiliano apertou-a nos braços e beijou seu rosto, emocionado. Depois anunciou:

— Vim despedir-me. Dentro de dois dias estarei fora do país e não sei quando voltarei.

— Pai, não vá embora!

— Preciso ir. Estou deixando o dinheiro para as despesas com Ernesto. Tudo que precisarem, podem falar com ele.

Olívia, agarrada ao pai, chorava, sentida:

— Pai, para onde você vai?

— Assim que chegar lá, mandarei meu endereço. Espero que me mande notícias suas. Estarei pensando em você.

— Eu quero ir com você!

— Eu gostaria muito, mas você precisa ficar com sua mãe.

Júlia olhou-os durante alguns segundos, cenho franzido, como querendo entender o que estava acontecendo. Depois, largou o livro sobre a mesa e deixou a sala.

Emiliano sentou-se no sofá ao lado de Olívia e tentou consolá-la, explicando que ele, depois do que acontecera, precisava renovar as ideias e fazer alguma coisa por si.

— Esta casa está muito triste. Mamãe faz de conta que você não existe mais, finge que esqueceu, mas eu percebo que ela está triste, chora escondido. Por que não fica, fala com ela e tenta convencê-la a aceitá-lo de volta?

— Ela tem o direito de fazer o que acha melhor.

Olívia ficou pensativa durante alguns instantes, depois perguntou:

— Aquela mulher vai com você?

— Não, filha. Eu vou sozinho. O que aconteceu foi apenas uma ilusão que passou. Eu nunca amei aquela mulher. Acabou. Não tenho mais nenhuma relação com ela.

— Que bom, pai! Quem sabe assim um dia você possa voltar para casa, e ficaremos juntos de novo.

— Eu gostaria muito. Sua mãe foi a única mulher a quem amei de verdade.

— Por que não diz isso a ela?

— Vamos deixar o tempo passar. Quem sabe um dia ela perceba a verdade. Você precisa cuidar do seu futuro, voltar para a faculdade, continuar a estudar.

— Estou desanimada.

— Você é jovem, tem toda uma vida pela frente. Muitas coisas boas ainda vão lhe acontecer. Prometa que vai continuar os estudos.

— Vou tentar, pai, prometo.

Meia hora depois, Emiliano despediu-se, comprometendo-se a enviar seu endereço assim que chegasse ao seu novo destino.

Dois dias depois, quando Emiliano chegou ao aeroporto para viajar, encontrou Ernesto, Margarida, Luiza e Olívia, que tinham ido se despedir dele.

Emocionado, abraçou a todos, prometendo dar notícias assim que chegasse. Apesar da tristeza dos amigos na despedida e dos acontecimentos que mudaram sua vida, Emiliano parecia ter rejuvenescido. Estava mais forte, em seus olhos havia mais vivacidade e uma energia vibrante de confiança e firmeza.

Eles foram despedir-se dele pensando em encontrá-lo deprimido, triste, mas descobriram que, ao contrário, ele parecia mais vivo e forte do que nunca.

Ao deixarem o aeroporto, Margarida olhou para Olívia, em cujos olhos algumas lágrimas brilhavam, e comentou:

— Acalme seu coração, Olívia. Seu pai está retomando o controle da própria vida. Mais experiente, sabe o que quer. Esta viagem vai fazer-lhe muito bem. Pode esperar.

— Vou sentir muita saudade!

Margarida abraçou-a:

— Eu também. Mas ele precisa desse tempo. Quando voltar, tudo será melhor. Pode esperar!

Ernesto e Luiza se entreolharam. Eles sabiam que, quando Margarida falava nesse tom, estava apenas transmitindo um recado da vida, e sorriram confiantes.

A partir desse dia, a amizade entre eles e Olívia estreitou-se ainda mais. A princípio, Júlia se retraía, não aceitava participar das reuniões em casa de Dora, pretextando indisposição. Mas tanto Margarida quanto Luiza, com sua delicadeza e alegria, aos poucos foram se tornando companheiras de Olívia, estimulando-a a estudar, convidando-a para as reuniões musicais em sua casa, tornando-se inseparáveis.

Essa amizade sincera aos poucos foi transformando Olívia, fazendo-a mudar a maneira de olhar a vida, tornando-a mais otimista.

Emiliano visitara um centro de pesquisas de transplantes de órgãos na Filadélfia e ficara fascinado com o que viu. Matriculou-se em um curso de especialização nessa área.

O casamento de Margarida e Ernesto foi marcado para dali a um ano. Dora ofereceu uma recepção para oficializar o noivado, e a família do noivo compareceu à festa. Embora fossem pessoas muito educadas e de classe, Margarida notou que eram muito diferentes de Ernesto. Mafalda, a mãe do noivo, mostrava-se inquieta, parecendo querer sempre acomodar os filhos e o marido.

Ao lado deles, Ernesto tornava-se mais introspectivo, raramente expressando uma opinião. Já Roberto, irmão mais velho, muito elegante, vestia-se de maneira tradicional. Seus olhos eram frios, seu rosto não deixava transparecer nenhuma emoção. Ao apertar a mão que ele lhe estendia, Margarida sentiu um arrepio percorrer-lhe o corpo e instintivamente desviou o olhar. Doutor Eugênio Paranhos, pai de Ernesto, era mais acessível, simpático, bem falante, sempre procurando agradar.

Fernando e Dora os receberam com deferência, mas Margarida sentiu-se aliviada quando eles se despediram. Entendia por que Ernesto preferia morar longe da casa paterna. Cumpriu o propósito de tratá-los com respeito e atenção, mas de evitar, sempre que possível, estreitar os laços de intimidade.

No dia seguinte à festa de noivado, Margarida levantou cedo e procurou pelo pai no escritório. Vendo-a entrar, ele disse sorrindo:

— Bom dia, querida! Não pensei que fosse levantar tão cedo. Não está cansada?

— Não. Quero conversar com você. Estava apenas esperando a festa para tocar neste assunto.

— Sente-se aqui e diga: está precisando de alguma coisa?

— Estou pensando que está na hora de eu dar um rumo melhor à minha vida.

— Claro, você vai se casar, formar uma família.

— Esse lado já está resolvido. Estou falando do lado profissional.

— Como assim? Você está pensando em uma carreira?

— Não, pai. Estou pensando na realização de um ideal. Eu me formei pensando em utilizar esse conhecimento na concretização de um sonho que vai me fazer muito feliz.

— Pensei que seu sonho maior fosse o casamento, como toda moça da sua idade.

— Já conversei com Ernesto sobre esse assunto e ele se juntou a mim nesse ideal, o que me inspirou ainda mais.

— Você nunca me falou disso. Do que se trata?

Havia um brilho especial nos olhos de Margarida quando revelou:

— Vou ser bem sincera. Estou pensando em abrir uma escola.

Fernando fez um gesto de surpresa e, antes que falasse, Margarida continuou:

— Uma escola padrão, muito diferente das escolas que conhecemos.

— Explique melhor.

— As escolas que conhecemos são superficiais, não oferecem uma visão positiva de nossas capacidades. Mantêm uma visão profissional materialista, que considera mais importante a posição social e a renda que podem proporcionar, quando deveriam priorizar a vocação de cada um. O profissional que faz o que gosta é um entusiasta, que exerce suas atividades com alegria, deseja melhorar a cada dia, produz mais e melhor.

A voz de Margarida modificara-se e havia uma alegria imensa em seu rosto enquanto falava. As palavras surgiam claras, fazendo com que Fernando visualizasse o que ela dizia.

Margarida prosseguiu:

— Em nossa cultura, talvez até por causa das interpretações de algumas religiões, muitas pessoas não acreditam que merecem o melhor. Julgam-se menores, rezam e ficam esperando que Deus lhes dê o que desejam. Não sabem que essa é uma ilusão, porquanto a vida só age em função do mérito de cada um. A maioria desconhece o que vai em seu mundo interior e vive mais voltada às convenções sociais, cujos parâmetros são baseados no imediatismo materialista. Nós somos muito mais do que matéria. Somos espíritos eternos, criados à semelhança de Deus, que ao nos criar colocou dentro de cada um todo o potencial que precisa para progredir e conquistar a felicidade.

Fernando ouvia admirado e perguntou com interesse:

— Um projeto como esse é muito complexo. Como acha que poderia fazê-lo funcionar?

— É a escola do futuro, onde os verdadeiros valores da alma serão levados a sério, sem perder de vista a vida na Terra. Esse é o projeto que meus amigos espirituais desejam começar a implantar aqui desde já. Eles dizem que chegou a hora.

— A vida aqui é muito material. Será que uma escola assim funcionaria?

Olhos brilhantes, Margarida explicou:

— Tudo é sempre vida. O que chamamos de matéria também possui princípios espirituais. A matéria sem espírito se fragiliza e desaparece. É nessa união que a vida se transforma em realização e progresso.

— Isso seria maravilhoso! Perfeito! Mas, para concretizá-lo, precisaria de muitas pessoas. Não é viável. Eu, apesar da força parlamentar, não consegui ainda realizar nada de concreto. Você acha que pode conseguir algum resultado?

— É hora de semear. Você está tentando ir através da força das leis humanas, mas nada conseguiu porque os homens ainda estão distantes do conhecimento das necessidades espirituais. Não conseguem enxergar a força do progresso que nos impulsiona a seguir para a frente. Eu sinto que fundar uma escola baseada nas leis naturais que regem a vida, facilitando o progresso humano em todas as áreas, será apoiado pelo universo que nos dará tudo. Estou certa de que essas escolas se multiplicarão com resultado muito positivo. Eu quero dedicar minha vida a esse ideal.

O rosto de Margarida estava radiante. Contagiado pela energia que ela emanava, Fernando abraçou-a, dizendo comovido:

— Sinto que você encontrou um novo caminho. Eu quero percorrê-lo com vocês.

— Eu sempre soube que você seria um dos nossos. Contudo, devo dizer-lhe que para isso terá de mudar o próprio caminho. O processo de melhoria humana dificilmente se dará por meio dos governos constituídos porque ainda são voltados aos interesses pessoais e imediatistas. As mudanças, ainda durante um certo tempo, continuarão ocorrendo pela força popular, quando muitos percebem que está na hora de dar um passo à frente. Ontem através das guerras, hoje através do convencimento e das ideias.

Fernando pensou um pouco e respondeu:

— Uma escola como essa seria ideal. Mas não acho que seja viável neste momento. Por enquanto continuarei tentando na Câmara. Diante do que está me dizendo, vou melhorar o projeto, acrescentar um trabalho de apoio psicológico e orientação familiar. Tudo está encaminhado e acredito que, no início do próximo ano, será votado. Tenho muita esperança de que funcione.

— Eu vou continuar elaborando o projeto da escola que pretendo criar. Sei que terei os meios para realizá-la.

— Pelo jeito, você já começou a desenvolver esse projeto. Gostaria de ver o que já tem.

— Por enquanto apenas algumas considerações dos espíritos amigos. Eles estão me ensinando os fundamentos da ética e dos valores espirituais.

Fernando fixou-a admirado. O assunto era complexo, mas Margarida discorria sobre todos aqueles temas com facilidade e alegria.

Algumas batidas leves na porta, e Dora entrou dizendo:

— Vocês estão conversando há horas. Como é que têm tanto assunto? Do que estavam falando?

— Sobre educação — respondeu Fernando.

— O almoço vai ser servido dentro de alguns minutos. Margarida, Ernesto ligou e quer falar com você.

— Obrigada. Ligarei em seguida.

Margarida saiu apressada. Dora abraçou o marido e disse sorrindo:

— Quando vocês conversam, me deixam de lado.

— Não diga isso. É você que não se interessa pelos nossos assuntos.

— Se é assim, vou me interessar. Quero saber tudo que vocês estão planejando.

— Margarida planeja abrir uma escola.

Dora abriu os olhos admirada:

— Para quê? Ela está noiva, vai se casar. Pensei que estivesse só pensando nisso. O tempo passa rápido e esse dia logo chegará. Como pode pensar em outra coisa?

Fernando passou o braço sobre os ombros de Dora e respondeu sorrindo:

— Margarida é diferente. É idealista.

— Isso passa. Logo estará casada, terá filhos e esquecerá todo o resto.

Enquanto eles foram para a copa ver se o almoço já estava sendo servido, Margarida ligou para Ernesto. Depois dos cumprimentos, ele avisou:

— Vou buscá-la logo depois do almoço. Vamos ver uma casa e, se você gostar, penso que vai dar para fechar o negócio.

— Estarei esperando.

Margarida desligou e pouco depois Luiza chegou, correu para ela anunciando alegre:

— Acho que passei na prova! Caiu exatamente o que você me ensinou.

— É que você estudou. Parabéns!

Janete avisou que o almoço estava sendo servido e Margarida acrescentou:

— Vá lavar as mãos e vamos almoçar. Ernesto virá nos buscar e vamos ver uma casa.

Luiza fez uma cara triste:

— Por que você vai se mudar quando casar? Vou sentir muito sua falta. Com quem vou conversar todos os dias? Vocês não podem morar aqui depois do casamento?

Margarida abraçou-a:

— Porque quem casa precisa ter a sua própria casa. Um dia você vai conhecer um lindo rapaz, vai se apaixonar e vai querer casar e morar com ele. Isso vai acontecer mais depressa do que pensa.

— Eu não quero me casar. Quero que você fique sempre comigo!

— Eu também quero ficar sempre com você. Mesmo morando em outra casa, nunca nos separaremos. Vamos almoçar, que logo Ernesto estará aqui.

Quando Ernesto chegou, uma hora depois, as duas estavam prontas.

— O corretor me mostrou algumas fotos, eu gostei. Vamos ver o que você acha.

— Você parece entusiasmado.

— Estou. Sempre pensei em ter uma casa, formar uma família, viver bem.

Os olhos de Margarida brilhavam quando ela concordou:

— Eu também sonhava com isso. Nós vamos ser muito felizes.

— Vocês seriam mais felizes se continuassem morando em nossa casa. Não entendo por que vocês querem ficar longe. Estamos tão bem juntos!

Ernesto riu bem-humorado e comentou:

— Você diz isso agora. Vamos ver o que estará pensando daqui a uns dois ou três anos. Alguém vai aparecer e você vai querer nos ver pelas costas para ficar só com ele!

— Eu nunca farei isso!

Os dois riram gostosamente e Ernesto tornou:

— Mesmo morando em outra casa, nós ficaremos sempre de olho em você, mesmo quando dispensar nossa companhia. Não pense que vai livrar-se de nós algum dia!

— Isso mesmo — reforçou Margarida. — Nunca vou ficar longe e você vai ter de me aguentar mesmo quando eu estiver velhinha e precisar que cuide de mim.

A casa estava situada em um bairro residencial, a rua era calma, arborizada e as casas bem cuidadas. O corretor os esperava e Margarida gostou do que viu. Era um sobrado, isolado dos dois lados, construção antiga, mas bem conservado, cômodos espaçosos.

— Você não me disse que era tão grande! — comentou Margarida.

— Gosto de espaço. Depois, nossa família vai crescer. Não foi isso que combinamos? É uma casa antiga, mas muito bem construída. Até a data do casamento, teremos tempo de reformá-la e cuidar da decoração.

Margarida olhava tudo com entusiasmo, imaginando como faria o jardim que circundava a casa. Até

Luiza, que queria fingir indiferença, não conseguiu disfarçar o entusiasmo.

Uma hora depois, quando eles voltaram para casa, Dora e Fernando os esperavam curiosos. Margarida contou com entusiasmo que Ernesto havia comprado a casa e finalizou emocionada:

— É uma casa linda e muito boa. Ernesto insiste em fazer uma reforma, mas eu iria morar lá do jeito que está.

Fernando não concordou:

— Ernesto tem razão. Outras pessoas viveram lá e passaram situações que não sabemos. Viveram emoções e a casa pode ter conservado a energia deles. Eu li que uma pintura renova o ambiente.

Os olhos de Margarida brilharam maliciosos:

— É verdade. Você tem estudado bastante o mundo invisível.

Enquanto Dora mandou servir um café com bolo, eles sentaram-se na sala e Fernando quis saber tudo sobre a compra da casa.

Ernesto descreveu como era nos mínimos detalhes e Fernando comentou satisfeito:

— Você fez tudo muito bem. Se quiser, amanhã, quando for dar o sinal e fechar o contrato da compra, poderei acompanhá-lo.

— Eu gostaria muito. É a primeira vez que faço um negócio desses.

— Pode contar comigo sempre que precisar. Tudo que se relaciona com vocês é muito especial para mim. Faltam poucos meses para o casamento. Desejo que Margarida seja muito feliz e tenha o carinho que merece. Vamos programar a cerimônia e a festa.

Dora pensou um pouco e depois sugeriu:

— Amanhã vamos fazer uma visita a Júlia. Olívia tem estado sempre aqui, está muito bem, mas Júlia ainda não se refez do que aconteceu. Ela dissimula, mas sinto que não está bem.

— Eu gosto muito da madrinha. Vamos dar um abraço nela!

— Faremos mais do que isso — comentou Dora. — Vamos pedir que nos ajude com os preparativos do casamento. Assim estará mais perto de nós.

— É uma boa ideia — concordou Margarida. — Vamos envolvê-la com nosso carinho, para que sinta o quanto é querida.

Dora sorriu satisfeita. Sentia-se feliz por Margarida se casar com um rapaz bom e em condições de lhe proporcionar uma vida confortável e feliz. A impressão de ter sido uma boa mãe para a filha adotiva dava-lhe uma sensação de prazer e bem-estar.

Às vezes sentia certa culpa por haver adotado uma menina, interessada em que a ajudasse a cuidar de sua filha legítima. Ela sabia que fora Margarida que criara Luiza e ela, a mãe verdadeira, fora poupada.

Mas agora, depois de tantos anos, Margarida tornara-se uma moça culta, de valor, sabia o que queria e, além disso, Luiza e ela eram mais do que irmãs. Sabia que as duas amavam-se de verdade e esse amor deixava-a muito feliz.

Capítulo 25

O casamento de Margarida realizou-se no salão do Automóvel Clube e, embora ela houvesse escolhido algo mais simples, Dora e Fernando decidiram que esse acontecimento deveria ser celebrado.

O casamento civil foi realizado diante dos convidados, e Fernando pediu à doutora Glória, sua convidada, que dissesse algumas palavras sobre a solenidade.

Nos últimos meses, eles haviam estreitado ainda mais a amizade. Fernando interessara-se muito pelos fenômenos da mediunidade e, sempre que possível, os dois trocavam ideias sobre o assunto. Ele, contando suas descobertas; ela, esclarecendo-lhe as dúvidas, indicando-lhe livros que a cada dia confirmavam o que Margarida lhe dizia. Foi com prazer que Glória aceitou essa incumbência e, assim que o casamento civil terminou, ela tomou a palavra e começou a falar com voz vibrante e emocionada. Discorreu sobre o amor verdadeiro, que age em favor da felicidade do ser amado sem tolher a liberdade individual, respeita a maneira de ser do parceiro, contribui para que ele desenvolva suas capacidades em todas as áreas. E continuou:

— Aqui, hoje, temos um casal unido pelos laços desse amor que certamente abrirá portas para receber os filhos que terão o privilégio de nascer neste planeta maravilhoso, cheio de oportunidades, onde poderão realizar o progresso que vieram buscar. A vida na Terra é um privilégio, onde, apesar de pagarmos o preço das nossas conquistas, acabamos ganhando a experiência de vida que precisamos para amadurecer. Vamos fechar os olhos e sentir que nossas almas unidas comungam com as energias divinas que, neste momento, estão sendo derramadas sobre este casal e formar um só bloco de luz e amor, juntos nesse imenso abraço espiritual, que nos fortalece e alimenta. Nossas almas se inundam de alegria, harmonia e paz.

Ela se calou. Os presentes sentiam, emocionados, que uma energia suave os envolvia, enquanto um sentimento de paz e felicidade lhes inundava a alma. Houve um minuto de silêncio, natural, uma vez que ninguém queria quebrar o encanto daquele momento especial.

Depois, todos ao mesmo tempo aplaudiram com alegria enquanto o casal, olhos brilhantes de emoção, trocou um beijo apaixonado.

Nos últimos tempos, quando se concentrava para falar com Deus, Fernando começara a sentir que sua sensibilidade se modificara. No silêncio do seu coração, quando mandava energia de luz para as pessoas de que gostava, sentia uma sensação muito agradável, que o deixava muito bem. Ele sabia que havia conseguido uma ligação com os espíritos de luz. Naquele momento, sentia que estavam rodeados pelos espíritos e sentiu vontade de vê-los. Fechou os olhos e, de repente, divisou um rosto emocionado de um homem, ainda moço, que o fixou e se pronunciou:

— Obrigado por ter cuidado tão bem de minha filha. Deus o abençoe.

A visão foi muito rápida. Fernando queria ver mais, contudo não conseguiu. Mais tarde, durante a festa, ele contou a Glória essa experiência, finalizando:

— Foi muito rápido. Eu queria muito ver os espíritos presentes. Com isso não provoquei uma alucinação?

Glória meneou a cabeça:

— Não. O homem que viu era moreno, altura mediana, cabelos castanhos, rosto emocionado?

— Sim. Foi isso mesmo! Você sabe quem é?

— Eu também o vi. É o pai de Margarida. Eu sempre soube que você um dia ia ser um dos nossos.

Dora aproximou-se emocionada e abraçou Glória dizendo:

— Suas palavras me emocionaram muito. Você passa uma paz, uma serenidade que eu gostaria de ter. Ainda sou muito agitada, não sei lidar com certos pensamentos.

Glória fixou-a durante alguns segundos, depois respondeu:

— Você vai descobrir que é preciso não se impressionar com os pensamentos que passam pela cabeça. Em sua maioria, eles não são seus. Você os captou das pessoas em volta e, para livrar-se deles, basta não lhes dar importância.

— Comigo isso não acontece. Eles ficam martelando dentro da minha cabeça e eu fico muito nervosa.

— Porque se impressiona com o que os outros dizem. As palavras têm uma energia própria e, quando se importa com elas, traz essa energia para dentro de você e elas ficam se repetindo sem parar.

— É isso, é esse o meu tormento.

— Você pode se libertar dele.

Algumas pessoas se aproximaram e Glória disse baixinho:

— Conversaremos outro dia e explicarei melhor.

Margarida convidara Júlia para ser sua madrinha e ela aceitara. Desde os preparativos da festa que ajudou a organizar e principalmente diante dos noivos durante a cerimônia, sentiu-se muito emocionada. Ouvindo as palavras de Glória, não conteve as lágrimas.

É que tudo lá a fazia rememorar o passado. Seu namoro, o amor que sentira por Emiliano, a felicidade com a realização do casamento, os anos de convívio que tinham vivido, em que o amor se renovava através do tempo. A saudade doía, mas ao mesmo tempo a revolta por ter sido enganada em sua boa-fé a fazia pensar que ele nunca a amara de verdade. Fora apenas uma ilusão, o que aumentava sua dor.

Enquanto a festa acontecia no salão, Júlia foi para o terraço, sentou-se em um canto meio escondido e deixou que as lágrimas lavassem seu rosto. Depois, quando se acalmou, lembrou-se de que precisava ajudar Dora, que lhe pedira para atender aos convidados. Levantou-se, apanhou a bolsa, foi até o toalete e cuidou de refazer a maquiagem.

Nesse momento, Glória entrou e, depois de lavar as mãos, retocou a maquiagem. Júlia ia deixar o local quando ela fixou-a e disse com voz firme:

— Sinto que preciso lhe dar um recado: você está sendo muito dura. Quem pode viver neste mundo sem errar? É bom lembrar que os erros ensinam mais que os acertos. O perdão liberta e enobrece o espírito.

Júlia olhou-a admirada. Como ela podia saber o que ia em seu íntimo? Teria demonstrado tanto assim seus sentimentos?

Tentou dissimular e perguntou:

— Por que está me dizendo isso?

— Não sei. Um amigo espiritual pediu que lhe falasse. E está dizendo mais: "Quando duas almas se amam de verdade, não conseguem viver separadas".

Júlia não se conteve:

— Eu fui enganada, traída durante anos por quem eu mais confiava e amava. Não dá para perdoar.

— Um dia a vida vai uni-los e você vai descobrir que perdeu muito tempo. O orgulho, a vaidade têm um preço muito caro e não vale a pena pagar. Pense nisso.

Glória sorriu, deixou o local e Júlia ficou se olhando no espelho, pensando nas palavras dela. Pela primeira vez pensou: "Estaria errada em suas conclusões? Emiliano a amava de verdade?".

A esse pensamento, sentiu forte emoção. Mas a lembrança de que Emiliano fora capaz de manter a relação com outra durante tantos anos a fez duvidar das palavras que Glória lhe dissera. Deu de ombros e apressou-se a voltar para a festa a fim de cuidar dos convidados.

Enquanto circulava por entre os amigos, com amabilidade, procurando fingir que estava bem, de vez em quando as palavras de Glória passavam por sua cabeça. E se perguntava: por que ela lhe dissera essas coisas?

A traição de Emiliano se tornara pública, aparecera em vários jornais. Era possível que ela houvesse lido e estivesse dando sua versão sobre o caso, tentando amenizá-lo.

"Um dia a vida vai uni-los e você vai perceber que perdeu muito tempo. O orgulho, a vaidade têm um preço que não vale a pena pagar. Pense nisso."

Júlia não queria pensar. Por mais que tentasse envolver-se com as pessoas na intenção de não pensar, o recado que Glória lhe dera reaparecia.

Intimamente ela procurava justificar-se. Sua reação tinha sido natural. Após anos de dedicação e amor ao marido, fora traída, trocada por outra, tivera sua vida íntima nos jornais, comentada por todos. Sua filha estava sofrendo por isso. Sua atitude era a única possível para manter a dignidade. Sentia vontade de falar com Glória, esclarecer os fatos.

Discretamente, acompanhava Glória com o olhar. Notando que ela estava se despedindo de Dora, aproximou-se dela, dizendo:

— Posso falar com você um instante?

— Sim. O que deseja?

Júlia baixou a voz:

— Vamos nos sentar no terraço. Serei breve.

Sentaram-se no terraço e Júlia perguntou:

— Quem foi que me mandou aquele recado?

— Um amigo espiritual.

Júlia não esperava essa resposta, não a aceitou e replicou:

— Ele não está bem informado. Eu não estou errada, nem agi pelo orgulho. Eu fui a vítima. Depois de vinte anos de dedicação e amor, fui trocada por outra,

tive minha intimidade exposta nos jornais, vi minha filha sofrendo sem poder fazer nada. Apesar de ter resgatado minha dignidade e rompido com meu marido, ainda sinto vergonha. Até agora não tenho coragem para sair de casa, ir ao clube, visitar os amigos. Vim aqui hoje, aceitei participar da festa porque tenho uma dívida de gratidão para com Margarida e adoro a todos nesta família. Suas palavras não são verdadeiras e me incomodaram.

— Sinto muito que pense assim. Os bons espíritos que nos inspiram têm o poder de penetrar nos sentimentos das pessoas e não se enganam. Se ele disse que seu marido a ama e a vida vai uni-los, eu acredito.

— Pois eu não. Se ele me amasse, não teria feito o que fez.

— Todos nós temos pontos fracos e, quando a tentação aparece, a vontade cresce, perdemos a lucidez, esquecemos de tudo, só pensamos em satisfazê-la.

— Não foi coisa de momento. Ele ficou quinze anos nessa situação porque quis. Quando penso nisso, fico indignada. Não tem perdão.

Glória olhou nos olhos dela e disse com voz firme:

— Você tem todo direito de indignar-se — fez ligeira pausa e perguntou: — Durante esses anos, você nunca desconfiou de nada?

Júlia meneou a cabeça:

— Não. Às vezes, quando tinha um paciente passando mal, ele ficava até tarde no hospital, mas nunca passou uma noite inteira fora de casa. É isso que me deixa com mais raiva. Desde que nos casamos, ele sempre foi apaixonado, amoroso. Quando Olívia nasceu, tornou-se um pai presente e colocava nossa família em primeiro lugar. Nunca tivemos nenhum desentendimento. Como ele pôde ser tão falso, fingir durante tanto tempo?

— Você está enganada. Ele sempre foi sincero, apesar de ter se envolvido com outra pessoa, nunca deixou de amar vocês.

Júlia franziu o cenho, olhou-a com incredulidade, sacudindo a cabeça negativamente.

— Quando um homem ama outra mulher — continuou Glória —, perde o interesse pela esposa e acaba indo embora. Alguns se desinteressam até dos filhos. Não é verdade?

— Conheço um caso assim.

— É muito comum. Muitas pessoas só valorizam o bem quando o perdem. No dia a dia, é fácil acostumar-se com o que é bom, fica confortável, mas pode virar rotina, sinalizando que é hora de fazer alguma coisa nova, de aventurar-se. Em uma situação como essa, o novo pode tornar-se muito atraente. Se não houver discernimento, a pessoa pode escolher por impulso e arrepender-se.

Júlia olhava admirada. O que Glória queria dizer com tudo isso? Por que estava interessada em justificar as atitudes de Emiliano?

— Eu estive casada durante vinte anos e nunca senti vontade de mudar nada nem nunca me deixei levar por nenhuma tentação. Por que você defende tanto Emiliano?

— Não o estou defendendo, estou apenas lhe mostrando que toda situação tem vários lados e, para chegarmos mais próximos da verdade, precisamos analisar todas as circunstâncias que a criaram. Quando não enxergamos as coisas como elas são, os problemas parecem insolúveis. Olhando os vários lados da questão, teremos mais capacidade de resolvê-los. Já disse tudo que poderia. Tenho que ir.

Glória levantou-se.

— Nossa conversa me deixou mais confusa. Eu estava segura da minha atitude, agora...

Glória sorriu e respondeu:

— Se deseja enxergar a verdade, saia do julgamento. Reconheça que você não tem a capacidade de entrar no coração dele e conhecer seus sentimentos. Analise tudo que eu lhe disse. Estou segura de que já tem todos os elementos para chegar perto da verdade. Lembre-se de que todos nós erramos. Reconhecer o erro nos fortalece e nos torna mais lúcidos. Adeus.

Júlia estendeu a mão e tornou:

— Obrigada por ter me ouvido.

Glória foi despedir-se de Dora e Júlia a acompanhou. Fernando aproximou-se para cumprimentá-la e agradecer-lhe a presença.

Depois que ela se foi, ele comentou:

— É uma mulher muito lúcida, sabe o que diz.

Júlia interessou-se:

— Você a conhece há muito tempo?

— Sim. Quando fui eleito pela primeira vez, Glória já estava lá. Minhas filhas conversam com espíritos e isso motivou-me a estudar o assunto. Tem me esclarecido sobre o mundo espiritual. Indicou-me livros de pesquisadores sérios que estudaram os fenômenos paranormais.

Júlia pensou um pouco, depois respondeu:

— Não sei se acredito nisso. Ela me deu um recado estranho e eu fiquei um pouco confusa...

Dora interveio:

— Eu não gosto de falar em espíritos.

— Pois eu não tenho medo da verdade. Seja o que for que exista, é melhor saber do que ignorar. Depois, tudo que tenho lido a respeito tem revelado coisas que me pareceram justas e verdadeiras. Estou tentando levantar a ponta do véu e descobrindo que a vida é muito maior do que eu imaginava.

— Pois eu preferia continuar ignorando. A verdade foi decepcionante, só me fez sofrer.

Fernando olhou-a sério:

— Você não esperava o que aconteceu. Decepcionou-se e condenou inapelavelmente. Não quis ouvir sequer a confissão do culpado para avaliar melhor os fatos. Quem pode viver sem errar? Condenar sem dar uma chance de explicar-se não permite ver a verdade absoluta.

Júlia abaixou a cabeça pensativa. Dora comentou:

— Você está dizendo isso porque é amigo de Emiliano. Vocês homens se unem sempre.

— Não, Dora. Eu ouvi e senti a dor de um amigo que reconheceu o erro e se arrependeu muito. Agora está longe de tudo e de todos, tentando encontrar novos motivos para refazer a vida e provar a todos que é um homem de bem.

Júlia olhou-o surpreendida, abriu a boca, queria perguntar algo, mas mudou de ideia e fechou-a de novo.

Dora lançou um olhar de reprovação para o marido, enfiou o braço no de Júlia e comentou:

— Venha comigo, Júlia. Está na hora de Margarida preparar-se para a viagem. Vamos ajudá-la!

A lua de mel seria apenas de uma semana porque Ernesto não tinha como ficar fora por mais tempo. Os pacientes haviam se multiplicado, havia alguns casos graves que ele não desejava delegar. Margarida pensava que esse tempo seria suficiente porque ela pretendia começar a realizar seu projeto profissional, assim que regressasse.

Expusera seu plano a Ernesto e ele o aprovara com entusiasmo. Depois de completar vinte e um anos, o dinheiro que lhe coube após a morte de seu pai, e que foi depositado pelo juiz em uma caderneta de poupança, poderia ser retirado. Mas ela sempre teve tudo e nunca precisou. Era com ele que Margarida pretendia fundar a escola dos seus sonhos.

Queria começar com seus próprios recursos e fazer assim uma homenagem a seu pai. Sentia que ele ficaria feliz e viria juntar-se a ela nessa empreitada.

Mesmo se ocupando com os preparativos do casamento, cuidando dos arranjos da nova casa, Margarida encontrou tempo para colocar no papel os objetivos e os elementos principais para a preparação da nova escola, elaborando cursos que pudessem transformar as pessoas, motivando-as ao esforço próprio e a assumir responsabilidade pela própria vida.

Para isso, à noite, depois que todos se recolhiam, enquanto Luiza dormia tranquila, ela sentava-se e imaginava quais os elementos principais a serem desenvolvidos para alcançar seus objetivos. As ideias surgiam claras e ela as ia anotando rapidamente, ao mesmo tempo visualizando práticas e alguns resultados.

Assim foi obtendo material e, quanto mais o lia e imaginava, mais claras as coisas ficavam. Entusiasmada, ela pretendia, assim que regressasse da lua de mel, dedicar-se inteiramente.

Avisada por Luiza, Margarida foi preparar-se para a viagem. Eles iam sair discretamente e Ernesto levou as malas para o carro. Enquanto Dora e Júlia distraíam os convidados, Luiza foi na frente com Margarida sem que ninguém notasse.

Pouco antes, Dora despediu-se de Margarida abraçando-a emocionada, sem encontrar palavras para dizer.

Margarida correspondeu ao abraço com carinho e, olhando-a nos olhos, disse:

— Todos os dias agradeço por ser sua filha de coração. Agradeço por ter me escolhido e ensinado tantas coisas. Nunca esquecerei o bem que me fez. Desejo que seja muito feliz como eu estou sendo neste momento.

Dora sorriu, olhos brilhantes de emoção, e beijou-a com carinho. Margarida sentiu que naquele momento suas almas se encontraram.

Já Luiza não conteve as lágrimas quando Margarida a abraçou para se despedir.

— Vou sentir muito sua falta!

Ernesto juntou-se a esse abraço, acrescentando:

— São só alguns dias. Você não vai se livrar de nós, pode esperar!

Ao que Luiza respondeu:

— Se eu não gostasse tanto de você, agora estaria brigando por levá-la embora de casa. Vão logo de uma vez antes que eu me arrependa de deixá-los ir.

Os dois entraram no carro e partiram. Luiza, olhos brilhantes de emoção, envolveu-os com muito amor, pedindo a Deus que derramasse sobre eles energias de luz e paz.

Depois entrou pensando como lhe seria difícil ficar em casa sem a presença de Margarida. Olívia, vendo-a chegar, aproximou-se e abraçou-a, dizendo:

— Vamos sentir muita falta dela. Sei que não é a mesma coisa, mas podemos juntar nossas saudades e fazermos companhia uma à outra.

Luiza olhou-a com certa malícia e respondeu:

— É uma boa ideia. Você mudou muito de uns tempos para cá. Antes eu não gostava, mas agora gosto muito de você!

Olívia concordou:

— A vida me ensinou a enxergar melhor as pessoas. Antes eu valorizava as aparências, vivia rodeada por pessoas fúteis e interesseiras. Quando meus pais se separaram, além de não me darem apoio, ainda falaram mal da minha família.

— Pois eu continuo gostando muito do padrinho. Ele sempre foi um homem bom. Todos os dias rezo pedindo a Deus que o traga de volta e que sua mãe o perdoe. É muito triste pessoas que se amam ficarem separadas.

Olívia depositou um sonoro beijo na testa de Luiza:

— Eu também faço isso todas as noites.

As pessoas estavam se despedindo e Júlia aproximou-se:

— Vamos embora, Olívia. Está na hora.

Depois que todos se foram, Fernando e Dora voltaram para casa, sentaram-se no sofá da sala, lado a lado, e Luiza aproximou-se.

— Sente-se aqui, filha, no meio de nós.

— Já estou sentindo falta de Margarida.

Dora beijou-a com carinho e respondeu:

— Eu também. Mas ela está feliz e logo estará de volta.

— Um dia você também formará uma família e nos deixará. É a vida.

Luiza pensou um pouco e depois respondeu sorrindo:

— Então vamos aproveitar todo o tempo que temos para ficar juntos.

Eles concordaram, abraçados, cada um sentindo no íntimo que aquele era um ciclo que se fechava, mas outro nasceria em seguida para trazer novas experiências de crescimento.

Capítulo 26

Margarida parou o carro diante de um prédio de cinco andares. O portão da garagem abriu e ela entrou. Deixou o carro em uma vaga, desceu, entrou no elevador e subiu até o último andar.

Cumprimentou a secretária e parou diante de uma porta onde havia uma placa dourada na qual estava escrito: Diretoria. Entrou, olhou em volta, satisfeita.

Fazia dois anos que voltara da lua de mel e, enquanto Ernesto atendia no consultório, onde os clientes se multiplicavam a cada dia, Margarida dedicara-se à realização do seu sonho.

O dinheiro que rendera do montante que seu pai deixara quando ela tinha seis anos havia crescido. Seus pais adotivos lhe davam uma boa mesada para seus gastos pessoais. Margarida não era dada a excessos e, como tinha tudo em casa, não gastava nada. No começo ela quisera devolver, mas Fernando não aceitava:

— Esse dinheiro é seu, para gastar em coisas que lhe deem prazer. Precisa aprender a lidar bem com ele. Dinheiro é valor e deve ser bem administrado.

Ela levou a sério o conselho e rapidamente aprendeu a controlar seus gastos, e o fazia tão bem que sempre sobrava uma boa parte, que ela depositava com o que estava na poupança. Assim, conseguiu juntar uma boa soma.

Alguns dias depois que regressou da lua de mel, Margarida começou a procurar um lugar para montar a escola. Com entusiasmo, trocava ideias com Ernesto, que a apoiava. Tinha tudo planejado. Procurou alguns corretores, dando-lhes algumas especificações do que pretendia. Três meses depois encontrou um prédio antigo, mal conservado, mas era espaçoso e, embora precisasse de reparos, daria para tudo que precisava. Além disso, o terreno era grande e ela poderia ampliar um pouco mais.

Ernesto ficou em dúvida por achar que ela precisava de algo melhor. Fernando aconselhou-a a procurar outro local avaliando que a reforma ficaria muito cara. Margarida, um tanto decepcionada, pensou em desistir.

À noite, Margarida dormiu e sonhou que estava dentro do prédio e viu um rapaz jovem, olhos claros e brilhantes, que lhe pareceu muito familiar. Ele se aproximou e lhe disse com naturalidade e firmeza:

— Este é o lugar ideal. Olhe.

Margarida olhou. Como por encanto o lugar se transformou e ela viu o prédio reformado, muito bonito, cheio de pessoas circulando, satisfeitas. As salas lotadas e, o que é melhor, as pessoas estavam felizes, muito interessadas.

Ao acordar na manhã seguinte, ela estava resolvida a fazer o negócio. Fez as contas, informou-se de

quanto precisaria para a reforma e as demais despesas. Falou com o dono, conseguiu abatimento do preço e prazo de pagamento.

Apesar de preferir que ela procurasse outro local, Fernando a auxiliou a regularizar a documentação do projeto e, a partir de então, as coisas aconteceram rapidamente.

Luiza, Júlia e Olívia se juntaram a ela com alegria e disposição. Margarida, notando o quanto estavam interessadas, todas as tardes as preparava para serem suas colaboradoras. Enquanto a reforma continuava, elas foram suas primeiras alunas.

Margarida elaborara o programa colocando como base pesquisas sobre a verdade da vida espiritual. Sabia que pesquisar, encontrar provas da eternidade do espírito, da reencarnação, da grandeza da vida na Terra, amplia a visão, fortalece e faz com que cada um assuma seu papel e colabore na conquista do próprio amadurecimento, com coragem, persistência e menos sofrimento.

Além disso, analisar crenças, relacionamentos, vocações, conhecer os próprios anseios, libertar-se de velhos hábitos que não servem mais, aceitar as mudanças necessárias e priorizar o bem em suas atitudes abre o entendimento e faz com que a vida lhes abra as portas da sabedoria, trazendo bem-estar e alegria de viver.

Os temas seriam variados, livres, mas observados e experimentados através das vivências de cada um, cujos resultados seriam analisados pelo grupo.

Três meses depois, Margarida observou satisfeita o quanto as três haviam mudado para melhor.

Sentiam-se mais confiantes. Júlia a princípio mostrava-se tímida, mais ouvia do que falava. Quando Margarida falou sobre relacionamento, ela se indignou. Teve um acesso de raiva e manifestou toda a dor que sentia pelo que lhe acontecera.

Margarida não disse nada, deixou que ela falasse, brigasse com a própria impotência e expusesse a ferida que ainda doía dentro de si. Enquanto Olívia, cabeça baixa, em silêncio, esforçava-se para controlar a emoção, Júlia continuou:

— Eu sei que Olívia me condena por não ter perdoado, mas eu não pude fazer diferente.

Ficou silenciosa durante alguns minutos. Vendo que ninguém dizia nada, ela pensou um pouco e observou, como que falando para si mesma:

— Fazendo isso, eu me puni duas vezes mais porque, apesar de tudo, nunca consegui me libertar do amor que sempre senti por Emiliano.

Olívia abriu os braços e Júlia aninhou-se neles enquanto as lágrimas desciam pelas faces.

Margarida, olhos semicerrados, observava em silêncio, notando que ambas estavam sendo envolvidas pelo espírito de Otávio e de uma mulher de meia-idade que, mãos estendidas, derramavam sobre elas energias de amor e luz.

Luiza, emocionada, envolvia-as com carinho, desejando que elas pudessem voltar a ser felizes.

Margarida serviu uma xícara de chá a cada uma e todas beberam em silêncio. Depois, ela disse com voz suave:

— Vamos nos dar as mãos e agradecer a Deus pela ajuda que recebemos hoje.

Margarida fechou os olhos, elevou o pensamento e fez uma prece de agradecimento.

Pouco depois Luiza comentou:

— Eu senti que uma página foi virada hoje aqui. Estou certa de que tudo vai mudar para melhor.

Júlia olhou-a como querendo situar-se:

— Estou me sentindo vazia. Não sei o que aconteceu. Nunca me alterei dessa forma. Eu sempre fui controlada.

— Você jogou fora energias que a estavam incomodando. Agora mude a sintonia. Procure interessar-se por outras coisas. Faça algo que lhe dê prazer. Você merece esse presente.

— É isso mesmo, mãe — reforçou Olívia. — Vamos sair, jantar em algum lugar da moda, ver o que está acontecendo à nossa volta. É hora de voltar a viver.

— Vá você. Saia com suas amigas. Eu não sinto vontade.

— Você não quer encontrar conhecidos, ouvir comentários. É hora de enfrentar tudo isso. Nós não fizemos nada de mais. Foi papai quem errou. Não temos culpa de nada.

— Volte a procurar suas amigas, saia com elas.

— De modo algum. Elas nunca foram minhas amigas. Aproximaram-se de mim para se aproveitar das coisas que eu tinha. Eu mudei. Aprendi a valorizar a verdadeira amizade.

Júlia olhou-a séria:

— Tem razão. Nós mudamos. Talvez seja por isso que eu não sinta mais vontade de frequentar a sociedade como antes. É um mundo falso, de aparências.

Margarida interveio:

— Depende da sua intenção e da forma como você olha.

— Eu sempre tive boa intenção. Era muito ingênua e reconheço que naquele tempo o que eu mais queria era ser admirada, elogiada, aparecer como inteligente, bonita, ser a primeira em tudo. Era só orgulho, vaidade. Hoje sei que, para fazer amigos, você precisa valorizar as qualidades, ser verdadeira em seus sentimentos.

— Você entendeu, Olívia. Mas é bom lembrar que, além das qualidades, todos nós temos alguns pontos fracos. A ingenuidade pode nos fazer acabar com uma boa amizade. Confiamos demasiado, criamos expectativas de perfeição sobre alguém e, quando ela não corresponde, nos afastamos ofendidos.

— Isso não é ser amiga — tornou Luiza. — Quando noto que alguém de quem eu gosto não está bem, faz uma coisa ruim, ou saio de perto para evitar discussão, ou procuro falar em alguma coisa boa, alegre, para que ela melhore.

As três riram alegres. Todas sabiam que era esse o jeito com que ela reagia às mudanças de humor de Dora. Olharam-na com certa malícia. Luiza não se deu por rogada e continuou:

— Não é nada disso. Mamãe melhorou muito nos últimos tempos.

Depois desse dia, Margarida concluiu que estava na hora de iniciar as aulas. Com o nome: "Na Escola da Vida", o programa das matérias a serem estudadas e a data marcada para o início das aulas, abriu inscrições e publicou anúncios em alguns jornais.

Várias pessoas se interessaram. Margarida deu a aula inaugural para dez alunos. Ela preferiu iniciar com um grupo pequeno, ganhar mais experiência e desenvolver seu trabalho com mais eficiência.

Dois anos depois desse dia, Margarida, sentada à sua mesa de trabalho, recordava o caminho percorrido. Sentia-se feliz por verificar o quanto aprendera nesse tempo e aprimorara as aulas. Além disso, pessoas talentosas, que comungavam com seu ideal, vieram juntar-se a ela que, avaliando suas qualidades, preparava-as para dar aulas. Novas classes se formaram, aumentando o número de pessoas beneficiadas.

Assim, a escola ganhou força, cresceu. A cada dia mais pessoas aprendiam a mudar seus conceitos, a melhorar a maneira de pensar e a lidar melhor com os desafios de sua vida.

Dora, a princípio, não se entusiasmara com a escola. Fora à inauguração com o marido para prestigiar a filha, mas pensava que uma escola tão informal, diferente das demais, não teria sucesso.

Depois de certo tempo, a fama de Margarida e do seu grupo começou a ser notada, não só pelo número de pessoas que diziam ter melhorado sua forma de ver a vida, como pela procura cada vez maior das vagas existentes.

Dora sentia-se orgulhosa quando alguém mencionava o nome de Margarida com carinho e gratidão. Passou a olhá-la com mais respeito, valorizar suas opiniões, acreditar na capacidade dela. E, cada vez que Fernando voltava de Brasília, aborrecido por não haver conseguido aprovar o projeto que há anos vinha tentando passar na Câmara, ela dizia alegre:

— Você deveria largar a política. Tantos anos tentando, sem conseguir nada. Volte a trabalhar por conta própria. Veja Margarida! Ainda ontem no cabeleireiro, encontrei com a esposa do desembargador Antero, que veio me cumprimentar e contou que seu filho, com dezoito anos, não gostava de estudar, não se interessava por nada, foi expulso de várias escolas. Mesmo desanimada, matriculou-o na escola de Margarida há alguns meses e ele mudou radicalmente. Tornou-se criativo, gosta de escrever. Tem se dedicado a estudar nosso idioma. Insistiu para que eu agradecesse a Margarida.

Dora não perdia a esperança de o marido deixar a política e ficar mais em casa. Esse era o motivo pelo qual ela se interessava em saber o que acontecia na escola de Margarida. Aos poucos, sem perceber, foi se entusiasmando com alguns detalhes das aulas. Do que ela mais gostava era de ouvir relatos que algumas pessoas faziam de suas vivências após as aulas, descobrindo detalhes do seu mundo interior.

Passou a ir quase todas as tardes à escola, justificando que não gostava de ficar sozinha em casa, mas tanto Margarida como Luiza notaram que ela conversava o tempo todo com alguns alunos, nos intervalos das aulas.

Luiza comentou com Margarida:

— Você não acha que está na hora de darmos alguma atividade para a mamãe? Ela fica tão bem-humorada quando está aqui!

— Tem razão. Vamos aproveitar a boa vontade que tem demonstrado.

No dia seguinte, quando a viu entrar em sua sala, Margarida lhe disse:

— Estou precisando de alguém para uma atividade de muita responsabilidade. Não sei em quem confiar...

— Para fazer o quê?

— Resumir os resultados das vivências e dar sugestões para melhorar a experiência.

— Só isso?

— Esse trabalho não pode ser feito por qualquer pessoa. Terá de ser alguém inteligente, perspicaz na observação e ter discernimento. Não é fácil encontrar uma pessoa desse nível.

Dora pensou um pouco, depois arriscou:

— Você acha que eu serviria?

— Seria maravilhoso! Mas eu não ousaria pedir-lhe para trabalhar aqui.

— Seu pai está sempre viajando, eu em casa sem fazer nada. Gostaria de tentar, mas não tenho experiência...

— Tem sim. Esta é uma escola da vida. Você sempre soube nos orientar de maneira adequada. Confio em seu discernimento.

Os olhos de Dora brilharam e uma sensação de prazer ruborizou levemente suas faces.

— Eu espero que me diga como deverei proceder.

Margarida chamou Luiza e contou-lhe a novidade:

— Mamãe vai nos ajudar. Nesta primeira semana, vai assistir a algumas vivências, anotar o que sentir. Depois, nós três nos reuniremos para trocar ideias e decidir como continuar.

Luiza abraçou a mãe:

— Que bom! Só faltava você!

— Ainda falta seu pai. Espero que um dia ele também venha trabalhar aqui.

As duas a olharam com certa malícia e Dora explicou:

— Na política ele nunca vai conseguir os resultados que temos aqui. A educação precisa ser individual. Certos conhecimentos podem ser generalizados, mas, pelo que tenho observado, a semente deve ser plantada em cada um. As pessoas são diferentes.

As duas entreolharam-se admiradas e perceberam que ela havia entendido o mais importante. Margarida sorriu e comentou:

— Estou certa de que juntas vamos realizar grandes coisas!

Oferecendo esse cargo a Dora, as duas pensavam o quanto ela poderia aprender. Luiza sempre tivera vontade de que sua mãe fosse mais feliz. Não entendia por que ela, que sempre fora muito amada, respeitada, levava uma vida boa, deixava-se envolver pela irritação. Esse comportamento a incomodava. Aprendera que tudo de bom que alguém tem e não valoriza a vida tira. Desejando ajudá-la a entender mais sobre a vida espiritual, sugeriu a Margarida que a fizesse participar mais da escola.

Margarida, por sua vez, era muito grata à mãe adotiva por havê-la escolhido e lhe dado não apenas uma vida melhor, mas a oportunidade de realizar seu sonho mais caro: o de estudar e poder dedicar-se ao seu ideal.

As duas logo perceberam que Dora levou a sério o convite. Margarida conversou com três professores, informando-os de que Dora iria observar os grupos nas vivências, anotar observações dos casos, com a finalidade de desenvolver seus conhecimentos. Tratava-se de uma nova experiência no desenvolvimento pessoal.

Ao entrar discretamente na primeira sala de aula, onde um grupo de cinco pessoas sentadas em círculo esperava a aula começar, Dora foi recebida pelo professor:

— Meu nome é Nino. Seja bem-vinda. Peço-lhe que, aconteça o que acontecer, não interfira.

Era um rapaz que ainda não chegara aos trinta anos, olhos vivos e penetrantes, altura mediana, rosto forte. Nino indicou-lhe uma cadeira fora do círculo e Dora acomodou-se.

Ao som de música suave, ele fez uma meditação para relaxar, pediu a ajuda espiritual a fim de que o trabalho da tarde fosse proveitoso para todos.

A aula terminou uma hora depois e Dora deixou a sala pensativa. A discussão era livre e uma das mulheres falara sobre o ciúme que sentia do marido quando ele se ausentava. Uma outra contou que sentia a mesma coisa logo que se casou, mas tratou logo de controlar essa sensação porque a deixava muito mal, com vontade de brigar. Ela acreditava que, para conservar o relacionamento, precisava estar bem, alegre, bonita, para manter o interesse dele sempre aceso. Esse assunto, ela resolveu mais fácil do que o controle de seus gastos.

Um rapaz falou sobre a dificuldade para enfrentar seu chefe, que fazia questão de ridicularizá-lo por causa da sua timidez.

Durante a sessão, Dora não havia anotado nada. Ficou imaginando qual seria a melhor forma de as pessoas se libertarem desses problemas.

Identificou-se com a mulher ciumenta e procurou avaliar até que ponto havia conseguido vencer o ciúme que sentia de Fernando. Na verdade ele nunca lhe dera motivos para isso. Nos últimos tempos, tornara-se mais amoroso, e isso a deixara mais segura. Como sempre fora equilibrada em seus gastos, anotou a forma como controlava as despesas, como uma sugestão possível, embora não pensasse em interferir diretamente na situação.

O caso do rapaz a fez lembrar-se de como Margarida era quando foi adotada. Não podia falar de maneira firme que ela tremia, gaguejava, chorava. O que a fizera melhorar tanto a ponto de chegar aonde estava?

Voltando no tempo, recordou-se do momento em que Fernando havia se interessado em aproximar-se mais das filhas e, com paciência e amor, ajudara, orientara, auxiliando-as a tornar-se pessoas mais seguras e equilibradas. Emocionada, reconheceu que o amor, a compreensão e o carinho fizeram esse milagre.

Quando, depois de uma palestra no salão maior da escola, Margarida entrou na sala da diretoria acompanhada de Luiza, encontrou Dora e perguntou com interesse:

— E então, como foi?

Dora levantou-se e fixando-a respondeu emocionada:

— Revelador. Pensando em encontrar soluções para os problemas dos outros, avaliei algumas conquistas que fiz e notei um tanto do que ainda não consegui.

Enquanto Luiza a olhava admirada, Margarida replicou:

— Todos nós estamos na escola da vida. Ela coloca pessoas em nossa frente para que possamos observar a reação de cada um e encontrar soluções para nossos desafios. A observação, a análise de certas circunstâncias na busca da verdade das coisas, nos faz ir mais fundo

nas situações que precisamos enfrentar. Enxergar com maior clareza ajuda a tomar a melhor decisão.

— Pela primeira vez sinto como é fascinante olhar para o que vai dentro de nós, observar melhor o que somos, perceber coisas que já vencemos. Esta experiência foi especial. Estou me sentindo mais forte e mais alegre. Não sei explicar.

— Você ligou-se com sua alma, a essência divina que está em você. Sempre que fizer isso, vai sentir-se assim.

— Quando estou ligada ao meu espírito, fico feliz, sinto um calor no peito, uma sensação boa... — considerou Luiza.

— É hora de voltar à realidade. Encerramos por hoje. Vamos arrumar tudo e ir para casa.

Dora levantou-se dizendo:

— Vamos sim. Fernando deve chegar esta noite.

Enquanto ela se apressava para ir embora com Luiza, Margarida, cuidando dos últimos detalhes, antegozava o prazer de chegar em casa e esperar Ernesto, que voltaria mais cedo naquela noite.

Capítulo 27

Quando Fernando entrou em casa, Dora notou logo que ele não estava bem. Seu rosto abatido, seu olhar triste faziam-no parecer mais velho. Ela, que o esperava cheia de alegria e entusiasmo, não se conteve e questionou:

— Aconteceu alguma coisa?

Fernando fixou-a, esboçou um sorriso e respondeu:

— O de sempre. Esta semana foi desgastante. Estou cansado, não via a hora de estar em casa.

Dora abraçou-o com carinho:

— Aqui é sua casa, seu lugar, onde é querido, valorizado, respeitado.

— Tem razão. Meu lugar é aqui, longe da ambição, do orgulho e da falta de responsabilidade dos outros.

— Vou cuidar de você. Vou preparar um banho gostoso, fazer você relaxar. Janete preparou um jantar especial.

— É o que eu preciso. E Luiza?

— Está lá em cima. Vamos subir.

Abraçados, eles se encaminharam para o quarto e encontraram Luiza, que ouvira a voz do pai e se preparava para descer. Ela o abraçou com alegria. Fernando beijou-a na testa e comentou:

— Você e sua mãe estão radiantes. Aconteceu alguma coisa especial?

Dora respondeu:

— Eu comecei a participar de algumas aulas na escola. Margarida precisou de alguém para colaborar e eu me ofereci.

— Mamãe saiu-se muito bem! — ajuntou Luiza.

Fernando olhou-a admirado. Dora nunca manifestara vontade de fazer alguma coisa. Ele passou o braço sobre os ombros dela e comentou:

— Nunca pensei que você gostasse de estudar. Sempre disse que se formou porque foi obrigada por seu pai.

Dora justificou:

— É que a escola de Margarida é diferente. As aulas são sempre interessantes e úteis. E, quando você assiste a elas, sempre acaba descobrindo alguma coisa que ainda não tinha percebido, mas que é verdade. Você se sente bem, mais confiante em si.

— Vejo que você aproveitou mesmo!

— Venha, vou preparar seu banho com tudo que tem direito. Você precisa se refazer — voltando-se para Luiza recomendou: — Diga a Janete que desceremos para o jantar dentro de meia hora.

Eles foram para o quarto. Enquanto Dora enchia a banheira, colocava sais perfumados, arrumava tudo com carinho, ia discorrendo com entusiasmo sobre o sucesso da escola de Margarida e sobre as conversas que tivera com as pessoas. Muitas delas haviam mudado radicalmente a forma de ver a vida após frequentar os cursos, estavam mais alegres e felizes com os resultados.

Fernando ouvia pensativo, comparando o que ouvia com a sua experiência, seu esforço, seu sacrifício de estar longe da família, durante tantos anos, sem obter nada do que havia imaginado.

Enquanto Dora falava entusiasmada, contando suas experiências, discorrendo com facilidade e inteligência sobre o que aprendera, ele ouvia admirado, percebendo nela um brilho que nunca suspeitara. Quanto mais ela se expressava, mais ele se interessava.

Descobrir em Dora outras qualidades que admirava, mas que ignorara até então, fez com que seu amor por ela aflorasse com mais força. Em certo momento, ele fez com que ela se calasse e mergulhasse em seus braços, onde ele esqueceu por completo a decepção de momentos antes.

Quando eles desceram para jantar, estavam radiantes. Luiza, notando como estavam bem, logo após o jantar, foi para o quarto deixando-os a sós, como Dora gostava. Percebendo o quanto a mãe havia melhorado, sentia-se feliz.

Na manhã seguinte, sentados à mesa do café, Fernando estava pensativo e em silêncio.

Dora colocou a mão sobre o braço do marido e comentou:

— Você está tão calado... Pensei que tivesse melhorado. Ontem ficou tão bem!

Fernando fixou-a sério:

— Voltar para casa foi a melhor coisa que eu fiz. A noite de ontem me devolveu a alegria de viver.

Dora corou e sorriu alegre, recordando o ardor com que eles tinham se amado. Fernando continuou:

— Mas foi isso que me fez refletir e tomar uma decisão. Eu vou deixar a política!

Dora não se conteve:

— Tem certeza? É isso mesmo que quer?

Embora esse tenha sido sempre o seu sonho, não gostaria que ele fizesse isso apenas para agradá-la.

— Eu estava equivocado. A política não é o meu forte. Não tenho paciência para os jogos de poder, sou transparente nos meus atos. Meu mandato está no fim. Ontem, na reunião do partido, isso ficou claro e eu lhes informei que não ia renovar a candidatura no ano que vem. Eles poderiam escolher outro representante.

— Eles aceitaram?

— Acho que era isso que eles queriam. O Marcos pareceu-me aliviado. Eu senti que estava até sendo um empecilho para eles.

— Não diga isso, Fernando! Você sempre foi muito respeitado. Foi eleito com muitos votos.

— Mas não consegui fazer nada do que prometi em campanha. Para ser político, é preciso saber entrar em certos jogos, nos arranjos, nos interesses de cada um. Eu não consigo.

— Não é por falta de capacidade, mas por excesso de virtudes. Você é um homem que honra sua posição.

Pelos olhos de Fernando passou um brilho de emoção. Segurou a mão dela e levou-a aos lábios, dizendo comovido:

— Pelo menos minha família pensa assim.

Fernando suspirou fundo e continuou:

— Vou cumprir o mandato até o fim, mas preciso ver o que vou fazer no próximo ano.

— Estamos no meio do ano. Há tempo para planejar isso. Apesar da sua tristeza por não ter dado certo, eu estou feliz porque você ficará aqui com a família. Poderemos desfrutar mais da sua companhia.

— Vou ficar desempregado. Não tem medo do futuro?

Dora meneou a cabeça negativamente e afirmou com voz firme:

— Pelo contrário. Você é tão brilhante e preparado que vai poder mostrar todo seu brilho, o que não o deixaram fazer na Câmara.

Os olhos dele brilharam maliciosos quando respondeu:

— Você diz isso para me agradar.

Luiza chegou pronta para o colégio:

— Desculpe. Perdi a hora.

Os dois olharam para ela. Janete, que servia a mesa, piscou para Luiza discretamente. Ela sabia que o atraso fora providencial para deixar o casal mais à vontade. Ambas sabiam o quanto Dora gostava de ficar a sós com o marido quando ele voltava de viagem.

— Tome logo seu café para não perder a hora.

Luiza sentou-se apressada, serviu-se e Fernando comentou:

— Hoje à tarde quero ir até a escola ver Margarida.

— Pai, eu costumo ir direto do colégio. Não poderei ir com você.

— Iremos juntos, Fernando — prontificou-se Dora. — Você vai ver como tudo está bonito, bem organizado.

Luiza despediu-se e saiu. Os dois sentaram-se na sala e continuaram conversando. Em dado momento Fernando perguntou:

— Júlia e Olívia, como estão? Faz tempo que não as vejo.

— As duas continuam trabalhando com Margarida na escola. Você sabe, embora Júlia tente mostrar que está bem, percebo uma certa tristeza nela, sinto que ainda não se refez. Já Olívia está mais alegre. Margarida disse que ela se corresponde com o pai regularmente. Tem tido notícias de Emiliano?

— Ele me escreveu algumas vezes. Está na Filadélfia estudando, fazendo pesquisas com transplante de órgãos. Na semana passada, um colega médico estava com uma revista científica e, ao folheá-la, fui surpreendido com uma foto de Emiliano sendo entrevistado por haver descoberto algo importante nesse processo.

— Ele sempre foi bom na profissão.

— É verdade. Eu pensei em Olívia. Ela iria gostar de saber disso. Encomendei um exemplar da revista. Deve chegar em breve.

— Era uma família feliz. Não consigo entender por que Emiliano jogou tudo fora.

Fernando não respondeu logo, pensando no amigo, sentiu saudade. Depois comentou:

— Prefiro não julgar. Para mim ele continua sendo correto e digno. Assumiu o erro, aceitou as consequências, continuou sustentando a família, mesmo distante.

— Nem podia ser diferente. Júlia estava no direito de pedir a separação. Margarida soube por Olívia que ele largou da amante. Eu duvido. O homem não gosta de viver só. Vai ver que ele mentiu para a filha.

— Você está enganada. Depois que ele voltou do sequestro, escreveu uma carta para Anita terminando a relação de uma vez. Ernesto leu a carta e não iria mentir.

— Então é verdade mesmo! Será que Júlia já sabe disso?

— É difícil dizer. Mas, se ela ainda parece triste, é porque não o esqueceu. Pode ser até que esteja arrependida por não tê-lo perdoado. Eles se amavam de verdade. O tempo é santo remédio. Pode ter aliviado a ferida. Eles foram felizes juntos.

— Será? Ela nunca fala nada sobre ele. Olívia só menciona o pai quando Júlia não está por perto.

Depois de conversarem mais um pouco, combinaram de ir ver Margarida após o almoço. Fernando foi até o escritório trabalhar um pouco.

Disposto a deixar a política, desejava rever suas atividades profissionais e estudar o que gostaria de fazer quando seu mandato acabasse.

Pouco depois das cinco horas, Fernando e Dora foram ver Margarida na escola. Chegaram, no momento em que algumas classes estavam terminando suas aulas. As pessoas circulavam conversando, alegres. Conhecendo a rotina do dia, Dora queria que o marido visse como as pessoas se sentiam bem após as aulas.

Fernando havia estado lá algumas vezes. Sabia que tudo seguia melhorando, mas não imaginava ver o que viu. Apesar da disposição e do entusiasmo dos alunos, havia um respeito natural por todas as coisas, nas conversas que trocavam, e notava-se que até os mais jovens cooperavam com a ordem, arrumando cada coisa no devido lugar.

Os dois ficaram parados no corredor, perto de uma classe de onde os alunos estavam saindo, esperando para poder passar.

Fernando observou admirado a diversidade que havia entre eles. Alguns eram adolescentes, outros mais velhos. Havia pessoas de diversas faixas de idade e também de nível social. Algumas com mais trato, outras mais simples, mas o traço comum que as igualava era a alegria, o entusiasmo e o prazer de participar.

Quando os dois chegaram à sala da diretoria, onde Margarida já estava, Fernando ainda estava surpreso com o que tinha visto.

Margarida estava conversando com dois professores e, vendo-os entrar, correu para abraçá-los. Depois apresentou-lhes os dois colaboradores: uma senhora de meia-idade, de fisionomia simpática, e um negro alto, elegante e bonito.

Após as apresentações, eles se despediram. Fernando, olhando admirado para Margarida, não se conteve:

— Como é que você fez para conseguir juntar tanta gente, de diferentes idades, condições, organizar as aulas, manter tudo funcionando bem? Tudo que eu vi é considerado errado nas escolas que conheço. Mas as pessoas estão felizes! Sua mãe contou que elas estão aprendendo e melhorando. Confesso que estou um pouco chocado. Qual foi o milagre?

Margarida sorriu, fixou os olhos no pai e respondeu:

— Eu copiei o que a vida faz. Ela criou a diversidade. Coloca na família pessoas de várias idades, níveis

espirituais diferentes. Os de temperamentos opostos, para que se entendam; os iguais, para fazer de espelho. Cada um segue no próprio ritmo. Ser forte e ter a coragem de enfrentar os desafios do amadurecimento é o mérito de cada um. Mas o amor divino auxilia e suaviza as dores do processo. Depois de cada encarnação nesta escola da vida, voltam ao mundo de onde vieram. Recordando seus erros, reconhecem o quanto aprenderam através deles e sentem-se felizes com o progresso alcançado. É assim que funciona. É simples e fácil.

— Do jeito que você fala, parece simples, mas não é. Não há duas pessoas iguais, e cada uma tem um jeito próprio de viver. Juntar tudo isso e fazer com que se respeitem e se entendam não é fácil. Às vezes, nem dentro da mesma família as pessoas conseguem viver em paz — considerou Fernando.

— No começo eu também não entendi como isso foi possível. Mas aos poucos fui descobrindo. Foram as regras de convivência que Margarida criou que conseguiram manter essa harmonia — explicou Dora.

— Eu sabia que havia alguma coisa mais. Gostaria de conhecê-las também.

— Eu não criei nada. Apenas adotei os princípios elevados que tenho aprendido com meus amigos espirituais. Eles têm uma visão lúcida e clara dos anseios mais profundos de nossa alma. Quando você toma contato com a sua verdade interior, sente a pureza dos seus sentimentos e o amor imenso que há em si, deseja ser generoso, amável, fraterno. Torna-se uma pessoa positiva, participativa, que só faz o bem. Sente tanta alegria e bem-estar, que quer seguir adiante e ficar cada vez melhor. Esse é o caminho para conquistar a felicidade.

Fernando ouvia pensativo, admirando o brilho dos olhos de Margarida e a naturalidade com que ela se expressava.

— É apenas isso. Não há segredo. Tudo é simples — finalizou ela.

— Gostaria de ver de perto essa simplicidade.

— Enquanto estiver em São Paulo, poderá vir conhecer melhor nossos cursos. Ficarei feliz em poder lhe mostrar — tornou Margarida.

Algumas batidas na porta e, a uma ordem de Margarida, uma jovem pediu licença e entrou trazendo uma bandeja com chá e alguns petiscos delicados. Depositou sobre a mesa diante do sofá e perguntou:

— Quer mais alguma coisa?

— Não, querida. Obrigada — estendeu a mão em direção a Fernando e continuou: — Você ainda não conhece meu pai. Esta é Aline, uma de nossas alunas.

Aline fez uma pequena reverência:

— Muito prazer, doutor.

Fernando agradeceu e ela prosseguiu:

— Como vai, Dora? Você virá à aula amanhã?

Dora olhou o marido um pouco hesitante, mas depois sorriu e respondeu:

— Acha que eu iria faltar?

Aline sorriu e despediu-se satisfeita. Os três sentaram-se no sofá e Margarida serviu o chá. Fernando tomou alguns goles, depois cogitou sério:

— Estou pensando em deixar a política e voltar a trabalhar por conta própria. Meu mandato acaba no fim do ano.

— De uns tempos para cá notei que seu entusiasmo político diminuiu. Já decidiu o que vai fazer?

— Ainda não. Estou pensando em trabalhar em algo que me dê prazer. Quero sentir a alegria de realizar alguma coisa melhor. Perdi muito tempo sem conseguir nada.

— Não penso assim. A experiência que ganhou durante esses anos todos vai contribuir muito para o que decidir fazer daqui para a frente.

— Só tive frustrações e entraves. Não fiz nada de bom.

Margarida olhou nos olhos dele e respondeu:

— Não é isso que eu vejo. Você precisava desse tempo para amadurecer e agora está pronto para realizar os projetos do seu espírito com absoluto sucesso.

— Você acha isso mesmo?

— Claro. As experiências negativas nos trazem lucidez, aumentam nosso senso de realidade, ajudam a progredir.

Fernando olhou-a emocionado e não respondeu logo. Reconhecia que ingressara na política cheio de ilusões, e o tempo lhe mostrara que o volume dos que fazem do poder um meio de ter prestígio pessoal, tirar proveito da sua posição, é muito grande, inutilizando a boa vontade dos que são idealistas e desejam melhorar a sociedade.

Margarida colocou a mão no braço do pai e disse com doçura:

— Durante esse tempo, você foi imune à ambição e firme na vontade de dedicar-se a um trabalho que lhe permita uma vida boa, mas que ao mesmo tempo contribua para melhorar o mundo. É uma aspiração de sua alma. Tudo que você fizer daqui para a frente será apoiado pelo universo e dará muito certo. Pode acreditar!

O rosto de Fernando distendeu-se e ele a abraçou sorrindo:

— Dá para entender como você conseguiu criar um lugar onde as pessoas descobrem a felicidade. Eu cheguei me sentindo um fracassado e você me transformou em um vencedor. Quero ficar aqui o máximo que puder. Você vai me indicar um dos cursos e virei todos os dias.

Dora não conteve o entusiasmo:

— Que bom! Assim eu também virei. Adoro ficar aqui.

Luiza surgiu na porta da sala e, vendo-os, entrou e exclamou alegre:

— Que bom que estão aqui! Hoje estou muito feliz. Consegui descobrir como não me impressionar com o que os outros dizem.

— Como é isso? — quis saber Fernando.

— Simplesmente sacudindo os ombros e dizendo: essa é a opinião deles. Eu não me sugestiono com o que os outros pensam. Eu confio em mim.

— E funciona?

— Eu testei e funcionou. Eu não fiquei com raiva quando ouvi uma pessoa criticar a outra. Eu não entrei na dela e fiquei muito bem.

— Já vi que todos nós estamos aprendendo.

Margarida convidou os pais para percorrerem toda a escola, enquanto ela ia lhes explicando como havia organizado tudo e como encontrara o jeito de melhorar as atividades a cada dia.

Fernando pediu a Margarida que lhe indicasse qual curso seria bom ele fazer. Delicadamente ela ofereceu-lhe alguns programas, sugerindo que se inscrevesse naquele que mais lhe interessasse.

Ele escolheu um que, entre outros temas, consistia em aprender a olhar uma situação por todos os seus lados, experimentando as consequências, dramatizando as vivências.

Naquela noite, no quarto, Fernando, abraçado a Dora, comentou:

— Quando adotamos Margarida, pensei que estivéssemos fazendo uma boa ação para ela. Senti-me bem por amparar uma criança órfã. Eu não podia imaginar que ela iria nos trazer tantas alegrias e tornar-se uma pessoa tão especial.

— É verdade. Quando ela veio, não falava muito, era medrosa, arredia. Quando eu estava nervosa, ela tremia, chorava por qualquer coisa. Para mim aconteceu um milagre. Ela começou a melhorar desde o dia em que você decidiu se dedicar mais às nossas filhas. Você a ajudou, estimulou os estudos. Eu não acreditava que ela tivesse inteligência para cursar uma faculdade. Estava enganada.

Fernando acariciou a mão da esposa e respondeu:

— Nós temos ainda muito que aprender. Não podemos julgar ninguém. Não sabemos como as pessoas realmente são, que dores e riquezas guardam no coração. Temos o direito de selecionar as amizades e conservar nossa paz. Mas, se isso nos leva a observar mais, a fim de proteger nosso equilíbrio, também nos ensina que temos o dever de respeitar igualmente a todos.

Dora concordou satisfeita. Sentia-se segura ao lado do marido e confiava no futuro.

Capítulo 28

Fazia três meses que Fernando estava frequentando os cursos na escola de Margarida. Sentia-se mais alegre, confiante, observando os bons resultados. Entusiasmado, pensava em colaborar, dando algumas aulas.

Assim que recebeu a revista médica com a entrevista de Emiliano, foi procurar Olívia.

Ela era assistente de um professor e ele a encontrou quando saía de uma classe. Estendeu-lhe a revista, dizendo:

— Leia. Seu pai está fazendo muito sucesso. Deram-lhe até um prêmio.

— Que bom! Ele sempre foi muito dedicado à profissão.

Ela folheou a revista com prazer, emocionada com o que leu. Olhando o retrato do pai, comentou:

— Ele envelheceu um pouco, mas parece bem.

— Você vai mostrar a reportagem à sua mãe?

— Eu já lhe falei sobre isso, mas ela disse que não quer ver.

Fernando pensou um pouco, depois acrescentou:

— Ela finge que está bem, mas nunca esqueceu seu pai, ainda o ama. Às vezes fica pensativa, seus olhos são tristes.

— Pode ser. Mas é muito orgulhosa para reconhecer. Sempre acreditei que eles se amassem. Porém, mudei de ideia. Se ela o amasse mesmo, teria perdoado. Às vezes penso que ela o odeia.

— Várias vezes senti vontade de conversar com ela sobre o assunto. Emiliano continua sozinho. Acredito que eles ainda poderiam ser felizes juntos.

Olívia pensou um pouco, depois sugeriu:

— Por que não tenta conversar com ela mais uma vez? Mamãe sempre o respeitou muito e agora, depois de haver aprendido tanto com Margarida, pode estar menos resistente. Afinal, aqui, temos aprendido que o mal é passageiro e só existe o bem.

— Vou procurá-la. Afinal, mesmo que ela não ceda, não custa tentar.

Júlia cursara a faculdade de letras, mas casara-se cedo e nunca exercera a profissão. Depois de frequentar alguns cursos, vendo-a entusiasmada com a escola, Margarida a convidara a trabalhar no atendimento das pessoas que compareciam pela primeira vez com a intenção de matricular-se em um dos cursos.

Encarregou-a de explicar com clareza as finalidades da escola, suas regras e saber o que buscavam obter. Caso desejassem, poderia encaminhá-las aos cursos. Havia mais de seis meses ela exercia essa atividade.

Quando Fernando chegou à secretaria e perguntou por Júlia, a atendente informou que ela estava conversando com um rapaz na sala dela e, pelo regulamento, só poderia recebê-lo quando desse por terminado o atendimento.

— Quando ela terminar, diga-lhe que desejo falar-lhe.

Fernando agradeceu e afastou-se.

Júlia, dentro da sala, tentava conversar com o homem que entrara havia poucos instantes, muito nervoso e inquieto.

— Acalme-se. Vamos conversar. Como é seu nome?

— Walter de Almeida.

— O que o levou a procurar a escola?

— A vontade de encontrar uma saída. Pensei em acabar com a vida, mas nem para isso tive coragem.

Júlia levantou-se, pegou um copo de água e deu-o a ele, dizendo:

— Beba.

Ele sorveu alguns goles e ela continuou:

— Todo problema tem solução. Mas para encontrá-la é preciso serenar o coração.

Ele fixou-a e seus olhos encheram-se de lágrimas que desceram pelo seu rosto. Com as mãos ele tentou enxugá-las.

Júlia colocou um lenço na mão dele, dizendo:

— Deixe-as cair. Alivie seu coração.

Ele soluçou durante alguns minutos, cobrindo o rosto com o lenço. Júlia sentiu-se comovida. Atendera muitas pessoas, mas nunca ninguém que a impressionasse tanto.

Esperou que ele parasse de chorar, depois recomendou:

— Respire devagar, segure um pouco e solte.

Ele obedeceu e respirou várias vezes. Depois olhou-a sem jeito:

— Desculpe a cena. Não consegui me controlar.

Júlia sorriu delicadamente:

— Todos nós temos esses momentos. Não dá para segurar.

Notando que ele parecia mais calmo, ela continuou:

— Esta escola nos ensina a enxergar as coisas como elas são e a lidar melhor com o que você não pode mudar.

— Ah! Se eu pudesse voltar atrás! Se eu não tivesse me iludido tanto, não teria feito tantas besteiras e perdido tudo que eu tinha na vida.

— Voltar é impossível, mas você pode aprender muito com os acontecimentos. Pagar o preço também é uma forma de conhecer a verdade.

— A verdade é sempre cruel!

— Você está enganado. A verdade sempre liberta. Cruel é a ilusão.

— Agora é tarde. Não dá para recuperar o que perdi. Eu era feliz. Tinha tudo, uma mulher linda, generosa, que eu amo acima de tudo, uma filha amorosa e querida. Um emprego que nos permitia viver bem e desfrutar de conforto. Quinze anos de um casamento feliz que eu joguei fora por causa de uma desclassificada a quem eu quis ajudar.

Júlia levantou-se assustada. Não fora isso que acontecera em sua vida? A história se repetia diante de seus olhos. Nervosa, apanhou um copo de água, tomou alguns goles e tentou controlar-se. Não podia deixar-se envolver por aquele drama. Respirou fundo e sentou-se novamente.

Mas não conseguiu ser impessoal e disse o que pensava:

— Se você amasse sua mulher, não teria se envolvido com outra.

Ele a fitou surpreendido.

— Eu sempre amei muito minha mulher. Eu errei, sei disso e assumo minha culpa. Eu feri os sentimentos de Elvira. Ela não quis me perdoar. Mas nunca deixei de amá-la. Faz mais de um ano que não a vejo. Estou morrendo de saudades dela e de minha filha. Quando Elvira foi embora para o exterior, levando minha filha, eu não tive moral para reclamar na Justiça meus direitos de pai.

— E a outra?

— Quando Carol, sempre muito carente, se aproximava, eu sentia muita atração. Mas, depois que Elvira descobriu, caí em mim e toda a atração que eu sentia desapareceu por completo. Agora não sei como continuar vivendo. Estou desesperado. Talvez você possa me aconselhar. O que preciso fazer para Elvira me perdoar? Será que ainda tenho alguma chance?

— Antes preciso saber: se ela o perdoar, você não se iludirá novamente com outra?

Ele meneou a cabeça energicamente e respondeu com voz firme:

— Não. Eu descobri que tudo que você tem e não valoriza a vida tira. Estou sentindo imensa falta dela! Nenhuma mulher é como Elvira! Desde que nos separamos, não paro de pensar nela, de sentir saudades. Todas as outras não me despertam nenhum interesse.

Havia tanta certeza nos olhos dele, tanta emoção em sua voz, que Júlia respondeu sem pensar:

— Nesse caso, diga a ela o que me disse agora. Se ela o amar, o perdoará.

Ele segurou a mão dela com euforia:

— Você acha mesmo isso?

Júlia pensou um pouco e reiterou:

— Sim. Você tem razão. O amor precisa ser valorizado. Mas primeiro será melhor você realizar um trabalho interior, reavaliar sentimentos, equilibrar suas energias. Vou indicar-lhe um curso de quatro semanas para esse fim. Depois vá procurá-la, diga o que sente, seja sincero. Se ela o amar de fato, perdoará. Estarei aqui, torcendo por você, e à sua disposição para conversar se desejar.

Ao despedir-se, Walter abraçou-a comovido:

— Obrigado. Sinto-me aliviado. Agora sei por que esta escola é tão procurada. Vocês são muito bons. Vou fazer tudo que puder para me equilibrar e poder vencer.

— Não se esqueça de conversar com Deus e pedir-lhe que o inspire nessa caminhada. Quando alguém deseja seguir pelo caminho certo, Ele sempre cria as circunstâncias e os atalhos. É o momento de confiar na vida e na ajuda espiritual.

Depois que ele se foi, Júlia sentou-se novamente pensando naquele encontro singular. Margarida lhe ensinara: sempre que acontecer algo inusitado, é bom perguntar: o que a vida quer me ensinar com isso?

Júlia fez essa pergunta e sentiu um aperto no peito. Recordou aquela tarde, depois o escândalo, quando Emiliano a procurou e ela se recusou terminantemente a ouvi-lo.

Ferida em seu orgulho, machucada em seus sentimentos, ver-se traída, saber que fora preterida, doera muito. Naquele momento, sentira-se segura em assumir aquela atitude.

Walter lhe mostrara que vencer as tentações não é fácil e muitos cedem. Lembrou-se de que, apesar de tudo, durante o tempo em que se relacionara com Anita, Emiliano continuou sendo o marido amoroso, demonstrando carinho e prazer em sua companhia. Ela nunca notara, da parte dele, falta de interesse.

Como entender isso? Para ela o amor é absoluto. Não entendia que alguém pudesse dividir seu afeto. Acreditara que Emiliano não a amava mais. Teria se enganado?

Olívia lhe dissera que, depois do que houve, o pai havia se desligado completamente de Anita. Seria verdade?

As indagações surgiam em sua mente, sem que encontrasse as respostas. A dúvida a incomodava e pela primeira vez pensou que poderia ter se enganado.

Algumas batidas na porta a fizeram reagir:

— Entre.

A atendente da secretaria surgiu e deu-lhe o recado de Fernando. Júlia olhou-a surpreendida. Encontrara com ele inúmeras vezes e ele, sempre discreto, nunca mencionara sua vida particular. Teria acontecido alguma coisa especial?

Claro que não. As palavras de Walter haviam mexido muito com ela, pensou. Balançou a cabeça, sorriu e foi procurar Fernando.

Encontrou-o na sala da diretoria, com Margarida, Olívia e Luiza. Os três conversavam animados e, vendo-a entrar, calaram-se. Mas ouviu que falavam de Emiliano.

Aproximou-se, olhou-os séria e tornou:

— Por que pararam de conversar quando cheguei? Podem falar.

Olívia olhou-a e respondeu com voz firme:

— Falávamos de papai. Ele ganhou um prêmio e a reportagem saiu em uma revista médica. Fernando trouxe-a para mim.

Júlia fixou-os séria, depois sorriu e comentou:

— Ele sempre foi inteligente e capaz — voltando-se para Fernando continuou: — Você quer falar comigo?

— Sim. Eu queria não só mostrar-lhe a revista, como falar um pouco com você sobre Emiliano.

Margarida deu o braço a Olívia, dizendo:

— Vamos deixá-los conversar. Venha também, Luiza, há uma coisa que eu quero lhes mostrar.

Depois que elas saíram, Fernando convidou Júlia a sentarem-se no sofá. Depois de acomodados, Fernando esboçou um leve sorriso e comentou:

— Estou notando que você está com um ar diferente, sinto que alguma coisa mudou. O que aconteceu?

Os olhos de Júlia marejaram. Ela tentou conter-se e respondeu:

— A vida às vezes nos prega algumas peças. Hoje me vi obrigada a rever todos os fatos de minha vida. E agora você, que sempre foi discreto, resolveu me falar sobre o passado. Pensei que este assunto já estivesse resolvido.

— Talvez esteja na hora de você lançar uma vista de olhos sobre o que aconteceu e buscar os outros lados da questão.

Júlia baixou a cabeça pensativa. Fernando esperou em silêncio até que ela falasse:

— Tem razão. Hoje descobri que pode haver outros lados. Ainda assim, tudo continua igual. É preciso esquecer e ir em frente.

Fernando olhou-a nos olhos e asseverou com voz firme:

— Emiliano sofreu muito por você não querer ouvi-lo. Ele tinha muito a lhe dizer.

— Eu não ia acreditar em nada.

— Será? A verdade é muito forte. Eu não estou aqui para defender um amigo, mas para lhe dizer que é preciso coragem para assumir um erro e pedir a chance de corrigi-lo. Emiliano me falou sobre isso com lágrimas nos olhos e muita dor no coração.

Júlia emocionou-se, não conteve as lágrimas que desceram, lavando seu rosto.

Fernando continuou falando, contou em detalhes tudo que presenciara ao lado de Emiliano e finalizou:

— Seu marido é um homem bom, sério, honesto, que a ama e só pensa no bem-estar da família. O que ele mais quer é que um dia você o perdoe. Foi embora do país pensando em lhe provar que, apesar do seu erro, continua sendo um homem de bem, que cuida do bem-estar das pessoas e tem dignidade.

Júlia chorava muito. Fernando colocou um lenço em sua mão, ficou em silêncio, esperando que ela parasse. Quando ela se calou, ele deu-lhe um copo de água:

— Está tudo bem. Acalme seu coração. Beba.

Com mãos trêmulas, ela segurou o copo, tomou alguns goles e depois disse:

— Desculpe o desabafo. Hoje lavei a alma. Não imagina o alívio que estou sentindo.

Fernando abraçou-a com carinho, beijando-a na testa:

— Hoje você voltou a ser a Júlia que eu sempre admirei.

— Você tem uma família maravilhosa. Dora, Margarida e Luiza sempre nos apoiaram. Não sei o que teria sido de mim sem vocês.

— Nossos laços de amizade vêm de outras vidas e vão continuar através dos tempos. É bom se preparar. Na reportagem, Emiliano disse que está pensando em voltar a morar no Brasil.

O rosto de Júlia ruborizou-se e seus olhos brilharam de emoção.

— Ele disse quando?

— Não. Mas nós podemos perguntar. Aliás, estou pensando em ligar para conversarmos um pouco. Gostaria de dizer-lhe que, se ele a procurar quando voltar, você o receberá para conversar.

— Será que ele virá? Eu fui muito dura. Pode ser que nestes anos todos ele tenha me esquecido.

— Não creio. Todas as vezes que nos falamos ele pergunta primeiro por você.

Júlia não respondeu logo. A emoção a impedia de falar. Fernando continuou:

— Júlia, pense em tudo com calma, sinta o que vai em seu coração. Busque entender melhor seus sentimentos. Eu sei que você ainda ama seu marido e sinto que gostaria de voltar a viver com ele. Apesar da separação, nenhum dos dois buscou o divórcio. Seria oportuno você aceitar marcar um encontro com ele para manter uma conversa sincera em que cada um colocará o que sente e tirará todas as dúvidas. Depois, então, com mais clareza, poderão tomar a decisão que lhes parecer melhor.

Júlia olhou-o pensativa:

— Essa conversa será mesmo necessária?

— Vocês foram sacudidos por situações delicadas que mexeram muito com seus sentimentos. Seja qual for a decisão que escolherem, que seja clara, que não paire nenhuma dúvida. Só assim estarão em paz.

— Está certo. Embora temerosa, sinto que preciso enfrentar essa conversa. Quando ele voltar, se ele ainda quiser, estou disposta a conversar.

— Sábia decisão. Tenho aprendido que conservar assuntos mal resolvidos do passado nos impede de caminhar para a frente.

— Obrigada, Fernando, por ter me contado o que eu não quis ouvir. Senti que falou a verdade. Você continua sendo nosso melhor amigo. Deus o abençoe.

Fernando sorriu, levantou-se e tornou:

— Agora vá lavar seu rosto, refazer a maquiagem. Daqui para a frente, estou certo de que tudo será melhor.

— Gostaria de ler a reportagem sobre Emiliano. A revista está com você?

— Está com Olívia. Ela ficará muito contente com sua atitude.

— Nesse caso, vou procurá-la. Mas antes vou seguir seu conselho e cuidar de refazer a aparência.

Ao vê-la mais arrumada, Fernando sorriu malicioso e perguntou:

— O que você fez que remoçou de uma hora para outra?

— Aquele peso que eu sentia dentro do peito desapareceu. Estou me sentindo mais leve. Você fez o milagre.

— Não. Foi a magia do amor que a fez sentir a alegria de viver, a possibilidade de voltar a ser feliz!

Júlia olhou-o pensativa e respondeu:

— Tem razão. Mas o cupido foi você!

Assim que ela se afastou, Dora e Margarida entraram na sala. Dora comentou:

— O que você fez com Júlia que a fez reviver?

— Eu acho que sei — tornou Margarida sorrindo. — Júlia começou a acordar para a vida!

— Isso mesmo. Mas não fui eu quem a despertou. Foram as circunstâncias que se juntaram para fazer esse milagre.

As duas o olharam surpreendidas. Emocionado, Fernando contou-lhes como tudo aconteceu e finalizou:

— Eu só entrei no fluxo dos fatos e fiz minha parte. Júlia saiu daqui disposta a ler a reportagem sobre Emiliano e a conversar com ele quando ele chegar.

— Você teve a sensibilidade de agir no momento certo e o mérito também é seu — comentou Margarida.

— Mas isso é tudo de bom! Eu não aguentava mais sentir a tristeza de Júlia. Agora ela vai voltar a ser aquela pessoa alegre e comunicativa que sempre foi.

Luiza surgiu apressada e aproximou-se dizendo:

— Vocês não sabem o que eu vi agora! A madrinha estava lendo a reportagem do padrinho, muito emocionada e sorrindo! Eu vim correndo lhes dar a notícia!

Notando que eles não se admiraram, ela continuou franzindo a testa:

— Vocês já sabiam! Como foi que eu perdi essa? Agora terão de me contar tudo.

Dora abraçou-a sorrindo e prometeu:

— Agora está na hora de irmos embora. No caminho prometo contar-lhe tudo. Todos nós estávamos desejando que as coisas mudassem. Mas é a vida que sabe quando é a hora de mover os acontecimentos e colocar cada coisa em seu lugar.

Durante o trajeto de volta para casa, enquanto Dora cumpria o que prometera, Fernando ouvia satisfeito, observando o quanto a esposa havia mudado e se tornado mais alegre e feliz.

Naquela noite, logo que chegou em casa, Fernando ligou para Emiliano e contou-lhe o que acontecera. Disse-lhe que Júlia nunca deixou de amá-lo e estava disposta a ouvir o que ele tinha para lhe dizer.

Emiliano, emocionado, prometeu regressar ao Brasil o quanto antes. Não aguentava mais de saudades da família e sentia-se feliz por poder retomar a carreira com dignidade e sucesso.

Mais tarde, no silêncio da noite, quando todos em casa dormiam, Fernando ajoelhou-se ao lado da cama, pensou em Deus, e agradeceu por ter colocado em seu caminho a pequena órfã, que não possuía nada neste mundo, mas que com seu amor e dedicação conseguiu ensinar a todos em sua volta o caminho do amor e a maneira mais certa de conquistar uma vida melhor.

Atrás dele, o espírito de Otávio, emocionado, orava com ele, cheio de gratidão por ter superado suas fraquezas, auxiliado Mila a melhorar e ter podido proteger todos a quem amava.

Nesse momento, descia sobre eles um jato de luz dourada, envolvendo-os com tanto amor, que ambos sentiram uma vontade muito grande de melhorar cada vez mais, seguir adiante, mantendo para sempre aquela luz no coração.

Fernando teve sono, deitou-se e logo adormeceu. Otávio sentiu que cada coisa estava no devido lugar. Tudo estava em paz e ele poderia seguir sua vida. Satisfeito, fazendo projetos para o futuro, elevou-se e, em alguns minutos, desapareceu rumo ao infinito.

Fim

GRANDES SUCESSOS DE

ZIBIA GASPARETTO

Com 20 milhões de títulos vendidos, a autora tem contribuído para o fortalecimento da literatura espiritualista no mercado editorial e para a popularização da espiritualidade. Conheça os sucessos da escritora.

Romances

pelo espírito Lucius

- A força da vida
- A verdade de cada um
- A vida sabe o que faz
- Ela confiou na vida
- Entre o amor e a guerra
- Esmeralda
- Espinhos do tempo
- Laços eternos
- Nada é por acaso
- Ninguém é de ninguém
- O advogado de Deus
- O amanhã a Deus pertence
- O amor venceu
- O encontro inesperado
- O fio do destino
- O poder da escolha
- O matuto
- O morro das ilusões
- Onde está Teresa?
- Pelas portas do coração
- Quando a vida escolhe
- Quando chega a hora
- Quando é preciso voltar
- Se abrindo pra vida
- Sem medo de viver
- Só o amor consegue
- Somos todos inocentes
- Tudo tem seu preço
- Tudo valeu a pena
- Um amor de verdade
- Vencendo o passado

Sucessos

Editora Vida & Consciência

Amadeu Ribeiro

A herança
A visita da verdade
Juntos na eternidade
Laços de amor
Mãe Além da vida
O amor não tem limites
O amor nunca diz adeus
O preço da conquista
Reencontros
Segredos que a vida oculta vol.1
A beleza e seus mistérios vol.2
Amores escondidos vol. 3
Seguindo em frente vol. 4
Doce ilusão vol. 5

Amarilis de Oliveira

Além da razão (pelo espírito Maria Amélia)
Do outro lado da porta (pelo espírito Elizabeth)
Nem tudo que reluz é ouro (pelo espírito Carlos Augusto dos Anjos)
Nunca é pra sempre (pelo espírito Carlos Alberto Guerreiro)

Ana Cristina Vargas

pelos espíritos Layla e José Antônio

A morte é uma farsa
Almas de aço
Código vermelho
Em busca de uma nova vida
Em tempos de liberdade
Encontrando a paz
Escravo da ilusão
Ídolos de barro
Intensa como o mar
Loucuras da alma
O bispo
O quarto crescente
Sinfonia da alma

Carlos Torres

A mão amiga
Passageiros da eternidade
Querido Joseph (pelos espírito Jon)
Uma razão para viver

Cristina Cimminiello

A voz do coração (pelo espírito Lauro)
As joias de Rovena (pelo espírito Amira)
O segredo do anjo de pedra (pelo espírito Amadeu)

Eduardo França

A escolha
A força do perdão
Do fundo do coração
Enfim, a felicidade
Um canto de liberdade
Vestindo a verdade
Vidas entrelaçadas

Floriano Serra

A grande mudança
A outra face
Amar é para sempre
A menina do lago
Almas gêmeas
Ninguém tira o que é seu
Nunca é tarde
O mistério do reencontro
Quando menos se espera...

Gilvanize Balbino

De volta pra vida (pelo espírito Saul)
Horizonte das cotovias (pelo espírito Ferdinando)
O homem que viveu demais (pelo espírito Pedro)
O símbolo da vida (pelos espíritos Ferdinando e Bernard)
Salmos de redenção (pelo espírito Ferdinando)

Jeaney Calabria

Uma nova chance (pelo espírito Benedito)

Juliano Fagundes

Nos bastidores da alma (pelo espírito Célia)
O símbolo da felicidade (pelo espírito Aires)

Lucimara Gallicia

pelo espírito Moacyr

Ao encontro do destino
Sem medo do amanhã

Márcio Fiorillo

pelo espírito Madalena

Lições do coração
Nas esquinas da vida

Maurício de Castro

Caminhos cruzados (pelo espírito Hermes)
O jogo da vida (pelo espírito Saulo)
Sangue do meu sangue (pelo espírito Hermes)

Meire Campezzi Marques

pelo espírito Thomas

A felicidade é uma escolha
Cada um é o que é
Na vida ninguém perde
Uma promessa além da vida

Rose Elizabeth Mello

Como esquecer
Desafiando o destino
Livres para recomeçar
Os amores de uma vida
Verdadeiros Laços

Sâmada Hesse

pelo espírito Margot

Revelando o passado

Sérgio Chimatti

pelo espírito Anele

Lado a lado
Os protegidos
Um amor de quatro patas

Thiago Trindade

pelo espírito Joaquim

As portas do tempo
Com os olhos da alma
Maria do Rosário

Conheça mais sobre espiritualidade com outros sucessos.

Rua das Oiticicas, 75 - SP
55 11 2613-4777

contato@vidaeconsciencia.com.br
www.vidaeconsciencia.com.br